Na dalszą drogę życia
weź trzy czarodziejskie słowa
„PROSZĘ, PRZEPRASZAM, DZIĘKUJĘ"
i w sercu je zachowaj.
„DZIEŃ DOBRY, DO WIDZENIA"
niech obce Ci nie będzie.
Dni spędzone w zerówce wspominaj mile wszędzie.

Świat wiedzy niech Cię ciekawi
a ten podarunek radość niech Ci sprawi.

Powodzenia w dalszej edukacji -
Niech spełniają się Twoje marzenia!

Z życzeniami udanych wakacji
Wychowawca: Karolina Woźnica

Karolina Woźnica

SZKOŁA PODSTAWOWA
im. Tytusa i Jana Działyńskich
ul. Szkolna 64, 62-064 Plewiska
tel. 867-75-37, 651-71-99
NIP 777-24-99-210, Regon 001228136

Plewiska, 28 czerwca 2013 roku

ENCYKLOPEDIA
wiedzy dla dzieci

Autorzy:
Felicity Brooks (Nasz świat)
Fiona Chandler (Historia)
Phillip Clarke (Fakty)
Anna Claybourne (Nauka, Twoje ciało)
Liz Dalby (Mapy świata)
Ben Denne (Jak to działa?, Nasz świat, Zwierzęta)
Paul Dowswell (Zwierzęta, Kosmos)
Rachel Firth (Nauka, Twoje ciało)
Laura Howell (Zwierzęta i rośliny)
Sarah Khan (Twoje ciało)
Anna Milbourne (Jak to działa?)
Kirsteen Rogers (Jak żyją ludzie)
Caroline Young (Jak żyją ludzie)

Ilustracje – David Hancock

Fotografie na okładce – Marcela Brasse/Istockphoto (mechanizm zegara),
Eric Isselée/Istockphoto (biedronka), Istockphoto (gekon, meduzy), Mike Liu/
/Istockphoto (tygrys), Jan Rihak/Istockphoto (liść), Dejan Sarman/Istockphoto
(ryby), Will Schmitz/Istockphoto (kwiat), Serdar Yagci/Istockphoto (kanarek)

Projekt graficzny – Francesca Allen, Laura Hammonds, Nelupa Hussein,
Stephanie Jones, Joanne Kirkby, Susie McCaffrey, Keith Newell, Susannah
Owen, Ruth Russell, Karen Tomlins, Candice Whatmore, Helen Wood

Projekt graficzny okładki – Hanna Polkowska

Redakcja – Felicity Brooks, Anna Claybourne, Anna Milbourne,
Kirsteen Rogers, Judy Tatchell
Dyrektor artystyczny – Mary Cartwright
Kartografia – European Map Graphics Ltd.
Łamanie – Roger Bolton, Keith Furnival, Fiona Johnson, Mike Olley,
John Russell, Mike Wheatley
Gromadzenie ilustracji – Ruth King, Valerie Modd
Redakcja kartograficzna – Craig Asquith
Indeks – Kamini Khanduri
Konsultanci:
Stuart Atkinson (Astronomia i kosmos)
John Davidson (Geografia)
Liza Dibble (Rolnictwo)
dr Wendy Dossett (Religie)
H. M. Hignett (Statki i łodzie)
prof. Michael Hitchcock (Jak żyją ludzie)
Sinclair MacLeod (Nauka)
dr David Martill (Dinozaury)
dr Anne Millard (Historia)
Eileen O'Brien (Muzyka)
Alison Porter (Technologia)
prof. Michael Reiss (Nauka)
dr Margaret Rostron, dr John Rostron (Biologia i historia naturalna)
dr Kristina Routh (Biologia i medycyna)

Tytuł oryginału – Children's Encyclopedia
Opracowanie wydania polskiego – ARS NOVA
Przekład – Katarzyna Piotrowska
Konsultacja naukowa:
dr med. Magdalena Figlerowicz (Twoje ciało)
dr Jerzy Lewiński (Nauka, Jak to działa?, W kosmosie)
dr Radosław Ratajszczak (Nasz świat, Zwierzęta i rośliny)
Redakcja – Piotr Konieczny
Korekta – Joanna Jaskuła
Łamanie – Krzysztof Steinke

First published in 2002 by Usborne Publishing Ltd.,
Usborne House, 83-85 Saffron Hill, London EC1N 8RT, England
Copyright © 2002 Usborne Publishing Ltd.

Polish edition © Publicat S.A. MMVII, MMXI

ISBN 978-83-245-9679-9

Papilon – znak towarowy
Publicat S.A.
61-003 Poznań, ul. Chlebowa 24
tel. 61 652 92 52, fax 61 652 92 00
e-mail: papilon@publicat.pl
www.publicat.pl

GRUPA WYDAWNICZA
PUBLICAT S.A.

Firma rozpoczęła swoją działalność w 1990 roku pod nazwą Podsiedlik-Raniowski i Spółka.
W 2004 roku przyjęto nazwę PUBLICAT S.A., w tym samym roku w skład grupy PUBLICAT
weszło wrocławskie Wydawnictwo Dolnośląskie. W 2005 roku dołączyło do niej katowickie
Wydawnictwo Książnica. Rok 2006 to objęcie nazwą Papilon programu książek dla dzieci.
W roku 2007 częścią grupy stała się warszawska Elipsa.

Papilon	Publicat	Elipsa	Wydawnictwo Dolnośląskie	Książnica
baśnie i bajki, klasyka polskiej poezji dla dzieci, wiersze i opowiadania, książki edukacyjne, nauka języków obcych dla dzieci	książki kulinarne, poradniki, książki popularnonaukowe, literatura krajoznawcza, hobby, edukacja	albumy tematyczne: malarstwo, historia, krajobrazy i przyroda, albumy popularnonaukowe	literatura faktu i poradnikowa, historia, biografie, literatura współczesna, kryminał i sensacja, fantastyka, literatura dziecięca i młodzieżowa	literatura kobieca, powieść historyczna, powieść obyczajowa, fantastyka, sensacja, thriller i horror, beletrystyka w wydaniu kieszonkowym, książki popularnonaukowe

ENCYKLOPEDIA
wiedzy dla dzieci

Papilon

Spis treści

Quiz

Za chwilę na kartach *Encyklopedii* otworzy się przed Tobą fascynujący świat wiedzy. Przed jej lekturą proponujemy zabawę: zanim zaczniesz czytać, sprawdź, ile już wiesz! Oto pytania, na które znajdziesz odpowiedź w książce – odpowiednie strony podano w nawiasach. Za każdą poprawną odpowiedź policz sobie jeden punkt, a potem spójrz na dół tej strony…

1. Jak nazywamy wielką połać lądu, którą oblewa ocean? (8)
2. Równik dzieli kulę ziemską na dwie połowy. Jak nazywają się te półkule? (13)
3. Co to jest monsun? (17)
4. Gorąca, płynna skała wydobywająca się niekiedy z wnętrza Ziemi to…? (18)
5. Jak nazywamy przestrzeń pomiędzy dwoma szczytami? (26)
6. Na jakim kontynencie rośnie największy las deszczowy? (32)
7. Obszar wokół bieguna północnego zwiemy Arktyką. A jak nazywa się obszar wokół bieguna południowego? (42)
8. Na dnie jaskini tworzą się stalagmity czy stalaktyty? (45)
9. To jedyne ssaki, które latają. Czy znasz ich nazwę? (61)
10. Z czego budują gniazda jaskółki? (68)
11. Wszystkie dorosłe owady mają po: cztery, sześć czy osiem nóg? (74)
12. Czy pająki są owadami? (75)
13. Czym żywią się motyle? (76)
14. Delfiny są rybami czy ssakami? (88)
15. Jak nazywa się owoc dębu? (97)
16. Ten narząd steruje całym organizmem człowieka. Jak się nazywa? (100)
17. Ile mięśni jest w ciele człowieka: około 100, 600 czy 1000? (103)
18. Człowiek ma pięć zmysłów. Czy wiesz, jakich? (106)
19. Dinozaury były: gadami, płazami czy ssakami? (114)
20. Egipcjanami w starożytności władał potężny król, zwany…? (120)
21. Skąd pochodzili wikingowie? (126)
22. Co to jest Zakazane Miasto? (132)
23. Kto wynalazł proch strzelniczy? (132)
24. W którym roku wybuchła II wojna światowa? (146)
25. Co to jest berło? (157)
26. Narodowym strojem kobiet w Indiach jest…? (161)
27. Jak nazywa się maszyna, która ścina i młóci zboże? (164)
28. Jak nazywamy wyznawców islamu? (179)
29. Zamarzając, woda zwiększa czy zmniejsza swą objętość? (190)
30. Dlaczego balony na gorące powietrze unoszą się? (196)
31. Czym mierzymy temperaturę? (197)
32. Słona woda jest gęstsza czy rzadsza od słodkiej? (201)
33. Północny i południowy biegun magnesu przyciągają się czy odpychają? (204)
34. Czy wiesz, jaka jest prędkość światła? (206)
35. Błyskawica to rodzaj elektryczności. Jakiej? (210)
36. Co sprawia, że wskazówki zegara mechanicznego poruszają się? (214)
37. Na negatywie fotograficznym ciemne miejsca rzeczywistego obrazu są jasne. A miejsca jasne? (217)
38. Jak nazywa się urządzenie, za którego pomocą wyświetla się film? (218)
39. Czy „myszka" to tylko nazwa gryzonia? (226)
40. Jak nazywają się ludzie podróżujący w przestrzeni kosmicznej? (246)
41. Czym jest gwiazda? (246)
42. „Morza" na powierzchni Księżyca to w rzeczywistości…? (260)
43. Która planeta znajduje się najbliżej Ziemi? (265)
44. Nasz Układ Słoneczny jest częścią pewnej galaktyki. Czy znasz jej nazwę? (276)
45. Na fladze Kanady widnieje liść: dębu, klonu czy brzozy? (300)
46. Największy kontynent to Europa czy Azja? (304)
47. Jak nazywa się najwyższy szczyt na świecie? (304)
48. Czy znasz nazwę najdłuższej rzeki na świecie? (305)
49. Największy gad, krokodyl różańcowy, ma: 2, 7 czy 20 metrów długości? (308)
50. Najszybszy na świecie ptak to…? (309)

PUNKTY

41-50	☺	*Jestem geniuszem!*
31-40	☺	*Gdy dorosnę, będę wielkim uczonym!*
21-30	☹	*A myślałem, że wiem już wszystko…*
11-20	☹	*Ratunku, tonę w oceanie wiedzy!*
0-10	☹	*Wiem jedno: że nic nie wiem!*

Nasz świat

Nasza planeta

Nasza planeta to Ziemia. Jest jedyną, o której wiadomo, że żyją na niej ludzie i zwierzęta, rosną rośliny.

Wielkie połacie lądu nazywamy kontynentami. Kontynenty zaś dzielą się na mniejsze obszary – kraje.

To jest dom…

w mieście…

w kraju…

na jakimś kontynencie planety Ziemia.

Ziemia krąży wokół Słońca. Jedno okrążenie trwa rok.

Krążąc, nasza planeta obraca się. Jeden taki obrót zajmuje 24 godziny.

Gdybyś spojrzał na Ziemię ze statku kosmicznego, ujrzałbyś taki widok:

skłębione
białe chmury

brązowo-
-zielony ląd

błękitne
morza
i oceany

We wnętrzu Ziemi

Ziemia składa się ze skał i metalu. Gdybyś mógł przeciąć ją na pół, ujrzałbyś wewnątrz różne warstwy. Ilustracja po prawej przedstawia budowę Ziemi.

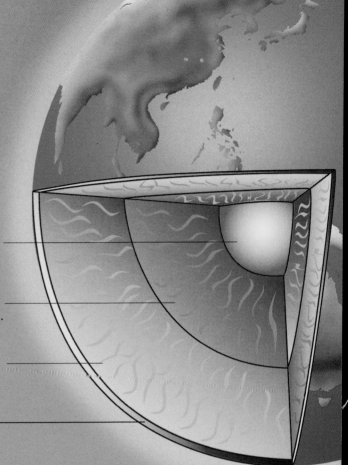

W samym środku jest twardy metal...

następnie bardzo gorący, miękki metal...

potem gorąca, lepka, płynna skała...

wreszcie twarda, lita skała.

Atmosfera

Ziemię chroni powłoka gazowa – atmosfera. Rozciąga się na wysokość 900 km ponad powierzchnię naszego globu. Niebo nad twoją głową jest częścią atmosfery.

W nocy atmosfera zatrzymuje na ziemi ciepło.

Jasnoniebieski, zamglony obszar na tym zdjęciu to atmosfera ziemska.

Za dnia chroni nas przed promieniami i żarem słońca.

Dzień i noc

Gdy na twojej stronie kuli ziemskiej jest dzień, na drugiej – noc. Kiedy tam jest dzień, u ciebie panuje noc.

Światło słoneczne nie dociera na tę półkulę, więc jest na niej noc.

Słońce oświetla tę stronę Ziemi – jest tam dzień.

Wschód...

Słońce wschodzi rano, kiedy zwraca się ku niemu ta część kuli ziemskiej, na której mieszkasz.

Słońce wschodzi nad polami.

... i zachód słońca

Zachodzi wieczorem, gdy ta półkula odwraca się od niego.

Zachód słońca nad morzem

Obroty Ziemi

Dzień zmienia się w noc, a noc w dzień, ponieważ Ziemia się obraca. Podczas jej obrotu coraz to inne części zwracają się ku Słońcu.

Do Słońca zwróciła się ta część Ziemi, więc w Stanach Zjednoczonych jest dzień.

Kilka godzin później USA odwróciły się od Słońca – zapadła tam noc.

Ziemia obraca się nieustannie.

Tak Ziemia okrąża Słońce.

Przez 24 godziny Ziemia obróciła się całkowicie wokół własnej osi i w Stanach Zjednoczonych znów jest dzień.

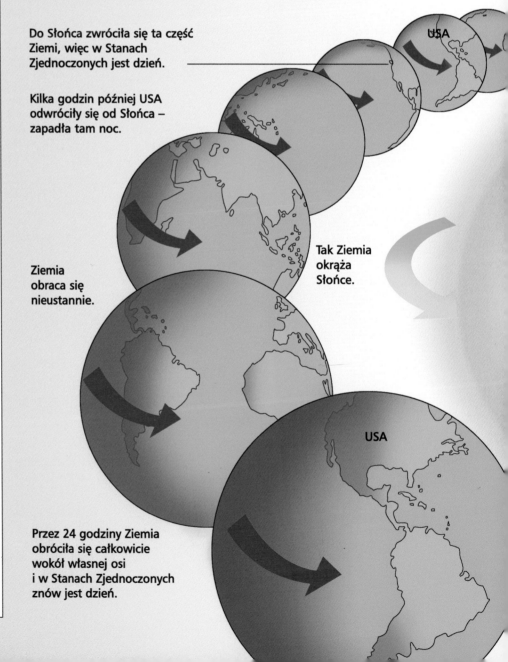

Księżyc zawalidroga

Za dnia robi się ciemno tylko wtedy, gdy Księżyc przesłania Słońce. To zjawisko zwiemy zaćmieniem całkowitym. Nie zdarza się ono zbyt często i trwa zaledwie kilka minut.

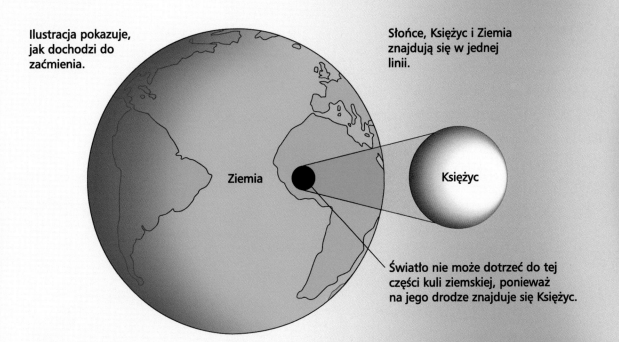

Ilustracja pokazuje, jak dochodzi do zaćmienia.

Słońce, Księżyc i Ziemia znajdują się w jednej linii.

Ziemia

Księżyc

Słońce

Światło nie może dotrzeć do tej części kuli ziemskiej, ponieważ na jego drodze znajduje się Księżyc.

Cień

Twoje ciało zatrzymuje pewną część światła słonecznego. W słoneczny dzień rzucasz więc cień na ziemię.

Przypatrz się swojemu cieniowi w słoneczny dzień. Zobaczysz, że zawsze pada odwrócony w stosunku do słońca. Im słońce wyżej na niebie, tym cień krótszy. Gdy zaś słońce chyli się ku zachodowi, cień się wydłuża.

Pochmurne dni

Nawet w pochmurny dzień Słońce oświetla Ziemię. Nie widzisz jaskrawych promieni, gdyż zasłaniają je chmury.

Chmury, takie jak te, mogą przesłonić słońce, lecz ono zawsze świeci.

Pory roku

Na większej części ziemi rok dzieli się na cztery pory. To wiosna, lato, jesień i zima.

Od wiosny do zimy

Pogoda zmienia się w zależności od pory roku. Zimą jest chłodno, a latem gorąco. Wraz z porami roku zmienia się też wiele roślin. Gdy spojrzysz na niektóre drzewa, po ich wyglądzie poznasz, jaka to pora roku.

Jesienią liście na drzewach stają się czerwone lub brunatne i usychają.

Latem drzewa są okryte zielonymi liśćmi.

Na wiosnę, gdy robi się cieplej, drzewo wypuszcza nowe liście.

Zimą wszystkie liście, już martwe, opadają z drzew.

Północ i południe

Kulę ziemską dzielimy na połowy: półkulę północną i półkulę południową. Gdy na półkuli północnej jest lato, na południowej panuje zima.

Na ilustracji po prawej pokazano dwie półkule. Rozgraniczającą je umowną linię wokół środka Ziemi nazywamy równikiem.

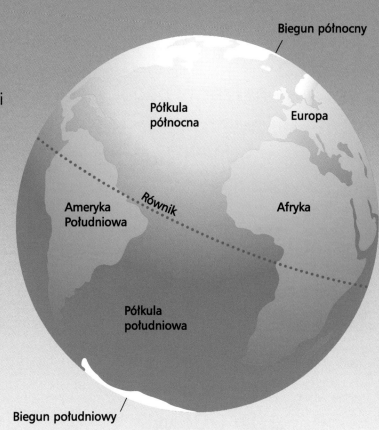

Biegun północny

Półkula północna

Europa

Ameryka Południowa

Równik

Afryka

Półkula południowa

Biegun południowy

Dlaczego pory roku się zmieniają

Kula ziemska nie krąży wokół Słońca w pozycji pionowej. Jest nieco nachylona w jedną stronę. Na półkulę bardziej zbliżoną do Słońca pada więcej jego promieni – jest tam lato. Na drugiej półkuli, bardziej od niego oddalonej, panuje wtedy zima. W ciągu roku najpierw jedna półkula, a potem druga znajduje się bliżej Słońca. Właśnie dlatego zmieniają się pory roku.

W czerwcu promienie słoneczne padają wprost na półkulę północną. Jest tam wtedy lato, a na półkuli południowej – zima.

W marcu żadna z półkul nie jest zwrócona do Słońca. Na północy jest wówczas wiosna, a na południu – jesień.

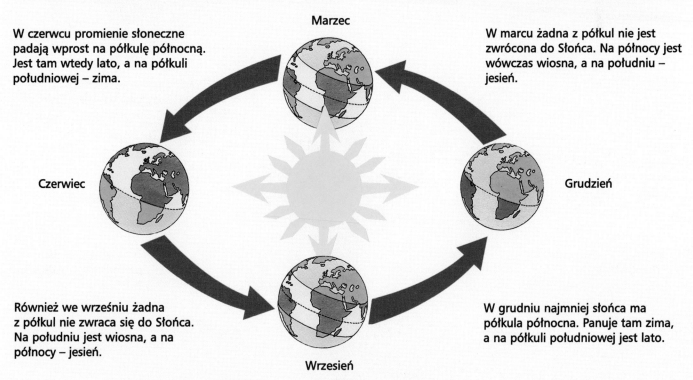

Marzec

Czerwiec

Grudzień

Również we wrześniu żadna z półkul nie zwraca się do Słońca. Na południu jest wiosna, a na północy – jesień.

W grudniu najmniej słońca ma półkula północna. Panuje tam zima, a na półkuli południowej jest lato.

Wrzesień

Pogoda

Jest wiele rodzajów pogody. Może ona być słoneczna, wietrzna, deszczowa. Trzy główne czynniki, które kształtują pogodę, to słońce, powietrze i woda.

Słońce ogrzewa ziemię.

Powietrze przemieszcza się – wieje wiatr.

Z wody powstaje deszcz i śnieg.

4. Maleńkie krople łączą się i powiększają, powstają chmury.

Ten sam deszcz

W atmosferze nie przybywa wody – wciąż pada ten sam deszcz. Spójrz niżej, a dowiesz się, dlaczego tak się dzieje.

3. Wysoko ponad nami jest chłodniej. Para skrapla się i z powrotem zmienia w krople wody.

5. Gdy w chmurach jest coraz więcej wody, krople stają się większe i cięższe. Wtedy spadają na ziemię jako deszcz.

2. Woda zmienia się w parę – gaz, którego nie widzimy – i unosi się wysoko w powietrzu.

6. Woda deszczowa na ziemi z powrotem spływa do rzek, mórz i jezior.

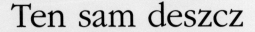

1. Słońce ogrzewa wodę w rzekach, morzach i jeziorach, a także śnieg na górskich szczytach.

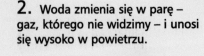

Wietrzna pogoda

Wiatr wieje, ponieważ nad ziemią przemieszcza się powietrze. Wiatru nie widać, ale można zobaczyć, jak porusza liśćmi na drzewach i poczuć jego podmuch na policzku.

Delikatny wiatr to bryza. W jej powiewach szybko schnie pranie.

Wichura, znacznie silniejszy wiatr, może strącać dachówki z dachów.

Huragan to bardzo silny wiatr. Może wyrządzić wiele szkód.

Tęcza

Niekiedy pada deszcz, choć świeci słońce. Wtedy prześwieca ono przez kropelki wody w powietrzu. Światło słoneczne rozszczepia się na kolory i powstaje tęcza. Z ziemi tęcza na ogół jest widoczna jako łuk, lecz oglądana z powietrza, może mieć kształt kolisty.

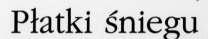

Płatki śniegu

Kiedy jest bardzo zimno, woda w chmurach zamarza i zmienia się w lód. Wtedy zamiast kropel deszczu na ziemię spadają płatki śniegu; składają się one z drobinek lodu. Każdy płatek śniegu jest inny, ale wszystkie mają sześć ramion.

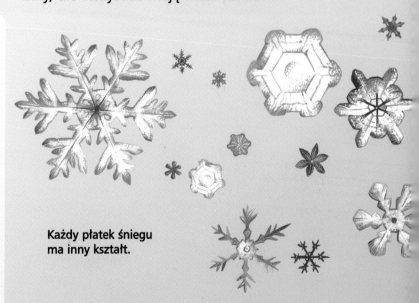

Tęcza w domu

Możesz zobaczyć tęczę nawet wtedy, gdy nie pada – jeśli tylko świeci słońce.
Przygotuj: plastikową tackę lub miskę, arkusz papieru i lusterko.

1. Nalej na tackę wody i postaw ją w słonecznym miejscu, na przykład na parapecie lub na dworze.

2. Umieść lusterko na tacce tak, aby słońce świeciło na nie poprzez wodę.

3. Trzymając papier nad tacką, poruszaj lusterkiem, aż zobaczysz na arkuszu tęczę.

Każdy płatek śniegu ma inny kształt.

Burze i wiatry

Podczas gwałtownej burzy wieje silny wiatr. Zazwyczaj występują też obfite opady deszczu lub śniegu, może grzmieć i błyskać się.

Rodzaje burzy

Ilustracje niżej pokazują, co się dzieje podczas różnego rodzaju burzy.

Błyskawica to wielka iskra elektryczna na niebie. Wydaje ona głośny dźwięk – grzmot.

Tornado to wirujący lej wiatru. Toczy się on, wciągając wszystko, co napotka na swej drodze.

Huraganem nazywamy potężną burzę z obfitymi opadami deszczu i śniegu. Huragan może zniszczyć miasta i lasy.

Wirujące chmury na tym zdjęciu Ziemi to huragany – potężne burze, którym towarzyszy silny wiatr i deszcz.

Burze na morzu

Na morzu gwałtowne burze i potężne fale mogą pojawiać się niespodziewanie i powodować ogromne szkody. Tornada, zwane trąbami wodnymi, niekiedy podnoszą wodę, która tworzy wirujący słup. Wsysa on wszystko, co napotka na swej drodze.

Podczas burzy niebo przecinają błyskawice.

Powodzie

Powódź to zalanie wodą suchego lądu. Dzieje się tak, gdy nagle spadnie dużo deszczu lub pada on przez dłuższy czas. Rzeki przepełniają się wtedy i wylewają na ląd.

Powódź błyskawiczna to nagły napływ wody, gdy w jednym miejscu spadnie naraz dużo deszczu.

Falę powodziową tworzy także topniejący śnieg i lód. Woda nie może wtedy wsiąkać w zamarzniętą ziemię.

Powódź mogą spowodować ogromne fale. Powstają podczas sztormu, tworzą je też wybuchy podmorskich wulkanów i trzęsienia ziemi.

Powodzie monsunowe

Monsun to silny wiatr, który przez całe lato wieje w jednym kierunku, a zimą – w drugim. W Azji letni monsun sprowadza bardzo obfite deszcze znad oceanów.

Każdego roku domy i wioski w południowo-wschodniej Azji są zatapiane przez obfite deszcze monsunowe. To zdjęcie zrobiono w Wietnamie.

Skały i skamieliny

Istnieje wiele rodzajów skał. Powstają one na różne sposoby. Jedne – pod wpływem żaru we wnętrzu Ziemi. Inne – gdy piasek, muł oraz szczątki roślin i zwierząt są spłukiwane do rzek i mórz.

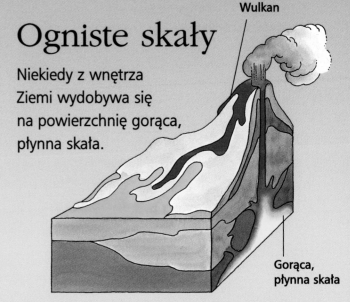

Na tym zdjęciu i dwóch obok widzisz skamieniałe szczątki zwierzątek morskich. Pierwsze z nich to amonit.

Warstwy skalne

Piasek, muł oraz szczątki roślin i zwierząt, które osiadły na dnie morza, nazywa się osadem.

Warstwy osadu

Warstwy osadu powstają powoli. Przez miliony lat spodnie warstwy ściskają się i spajają, tworząc skały osadowe.

Ogniste skały

Niekiedy z wnętrza Ziemi wydobywa się na powierzchnię gorąca, płynna skała.

Wulkan

Gorąca, płynna skała

Tak skała wylewa się z wulkanu. Ochładzając się, zastyga; powstaje wtedy skała wulkaniczna (magmowa).

Wielki Kanion w Arizonie, USA, powstał z warstw skał osadowych.

Skamieniały trylobit

Szczątki stworzenia morskiego – jeżowca

Skamieliny

Są to skamieniałe szczątki zwierząt żyjących przed milionami lat; nazywamy je również skamieniałościami. Większość występuje w skałach osadowych.

Po śmierci zwierzęcia miękkie części jego ciała rozkładają się, lecz kości pozostają. Jeśli zagrzebią się w mulistym podłożu, przykrywa je osad.

Przez miliony lat warstwy osadu powoli twardnieją, tworząc skałę. W takiej skale zachowuje się odcisk kości zwierzęcia.

Miliony lat później ludzie znajdują we wnętrzu skał skamieniałe kości lub muszle. Należy je wydobywać bardzo ostrożnie.

Wielki Kanion utworzyła rzeka Kolorado. Przez skały zaczęła się przełamywać miliony lat temu.

19

Trzęsienia ziemi

Trzęsienie ziemi występuje, gdy głęboko pod ziemią przesuwają się i uderzają o siebie ogromne płyty skalne. To sprawia, że drży grunt ponad nimi.

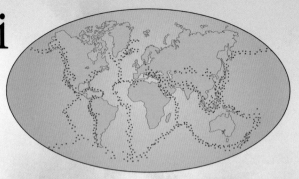

Czerwone punkty na mapie oznaczają miejsca, w których wystąpienie trzęsienia ziemi jest najbardziej prawdopodobne.

Początek trzęsienia ziemi

Miejsce pod ziemią, w którym zaczyna się trzęsienie ziemi, nazywamy ogniskiem. Miejsce na powierzchni znajdujące się tuż nad ogniskiem to epicentrum. Właśnie tutaj skutki trzęsienia ziemi są największe.

Skutki

Trzęsienia ziemi w większości są tak słabe, że ludzie ich nie odczuwają. Niekiedy jednak mogą spowodować ogromne szkody. Ilustracje poniżej pokazują niektóre skutki trzęsienia ziemi.

Podczas lekkiego trzęsienia ziemi kołyszą się wiszące przedmioty, na przykład klatki z ptakami. Mogą drżeć szyby w oknach i talerze.

Ten dom zawalił się podczas wielkiego trzęsienia ziemi w Kalifornii, w USA, w 1994 roku.

Większe trzęsienie: pękają ściany, a obrazy spadają na podłogę. Przerażeni ludzie wybiegają z domów.

Gdy wstrząsy są bardzo potężne, walą się domy i przewracają drzewa.

Bezpieczne schronienie

W krajach, w których wstrząsy występują często, ludzie (także dzieci w szkołach) uczą się, jak zachować bezpieczeństwo.

W domu najlepiej schronić się pod stołem.

Na zewnątrz należy pozostać na otwartej przestrzeni.

Trzęsienia ziemi na morzu

Trzęsienie ziemi, które występuje pod powierzchnią morza, wstrząsa jego dnem. Niekiedy powstają wówczas wielkie fale, zwane tsunami.

Gdy ocean jest głęboki, tsunami nie są groźne; mogą przemieszczać się pod statkami, a ludzie nie odczuwają ich skutków. Niebezpieczne stają się dopiero wówczas, gdy dotrą na płytką wodę i zaczynają rozbijać się o brzeg.

Kiedy dno morskie się porusza, w wodzie nad nim powstają długie, niskie fale.

Jeśli tsunami dotrą do brzegu, piętrzą się, tworząc ogromne fale.

Podczas trzęsienia ziemi mogą powstawać ogromne fale, takie jak ta. Największa znana fala miała 34 m wysokości.

Wulkany

Wulkan wybucha, gdy z wnętrza
Ziemi wydobywa się na
powierzchnię płynna, gorąca skała –
lawa. Spływa ona po zboczach
wulkanu i zalewa wszystko wokół.

**Na zdjęciu widać fontannę
lawy tryskającą z wulkanu.**

Wybuch wulkanu

Kiedy wulkan wybucha, z wylotu (otworu)
na szczycie lub boku góry wydobywa się
lawa. W powietrze mogą wylatywać
„bomby" – wielkie kawały skał – i buchać
gęste chmury pyłu i gazu. Czasami wylot
znajduje się w otworze zwanym kraterem.

Kształty wulkanów

Lawa ochładza się i zastyga, tworząc skałę.
Warstw lawy i pyłu przybywa po każdym
wybuchu; nadają one wulkanowi
charakterystyczny kształt. Niektóre wulkany
to wysokie stożki o stromych stokach, inne są
dość płaskie i mają łagodne zbocza.

Wiele wulkanów to wysokie
i strome wzniesienia.
Wydobywająca się z nich
gęsta, lepka lawa nie
spływa daleko, zanim
zastygnie.

Niektóre wulkany są
bardziej płaskie. Lawa przez
nie wyrzucana jest płynna
i rozprzestrzenia się daleko.

Lawa jest tak gorąca, że niszczy wszystko, co napotka
na swej drodze. Od jej żaru zaczął płonąć ten dom.

Wulkany oceaniczne

Wulkany są czynne także na dnie oceanów. Gdy wulkaniczna góra wychynie ponad powierzchnię wody, powstaje wyspa.

Na zdjęciu widać chmury pary i pyłu nad Surtsey, wyspą wulkaniczną w pobliżu Islandii.

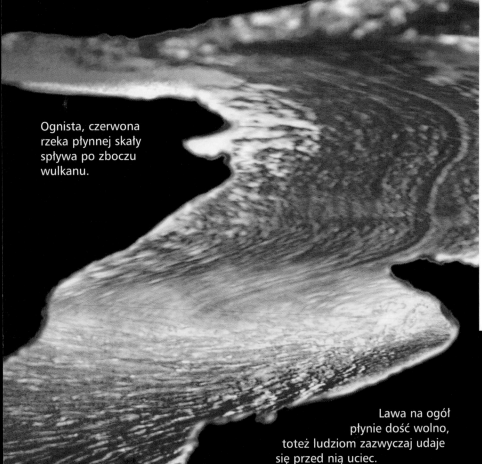

Ognista, czerwona rzeka płynnej skały spływa po zboczu wulkanu.

Lawa na ogół płynie dość wolno, toteż ludziom zazwyczaj udaje się przed nią uciec.

Czynny, uśpiony czy wygasły?

Wulkan może być aktywny (czynny), nieaktywny (uśpiony) lub wygasły (martwy).

Wulkan dość często wybuchający nazywamy aktywnym.

Wulkan nieaktywny nie wybucha od dłuższego czasu, może jednak się ożywić.

Wulkan wygasły jest nieczynny co najmniej od 100 000 lat. Niektóre miasta wzniesiono na zboczach takich wulkanów.

Z biegiem rzeki

Rzeka ma początek wysoko w górach lub na wzgórzach, a kończy bieg w morzu. Woda bierze się z deszczu lub śniegu. Gdy podążysz z biegiem rzeki, zobaczysz, jak się zmienia.

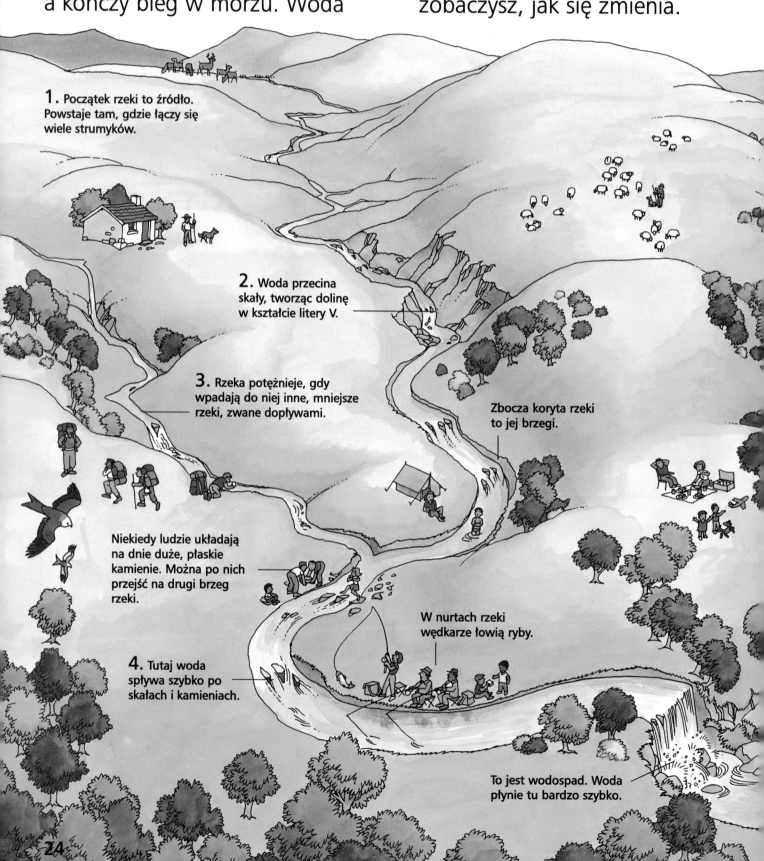

1. Początek rzeki to źródło. Powstaje tam, gdzie łączy się wiele strumyków.

2. Woda przecina skały, tworząc dolinę w kształcie litery V.

3. Rzeka potężnieje, gdy wpadają do niej inne, mniejsze rzeki, zwane dopływami.

Zbocza koryta rzeki to jej brzegi.

Niekiedy ludzie układają na dnie duże, płaskie kamienie. Można po nich przejść na drugi brzeg rzeki.

W nurtach rzeki wędkarze łowią ryby.

4. Tutaj woda spływa szybko po skałach i kamieniach.

To jest wodospad. Woda płynie tu bardzo szybko.

Wodospady

Wodospad powstaje w miejscu, w którym rzeka spływa z twardej skały na miękką. Woda żłobi miękką skałę szybciej niż twardą i powstaje wielki stopień.

Wodospad Kanczan w Kambodży

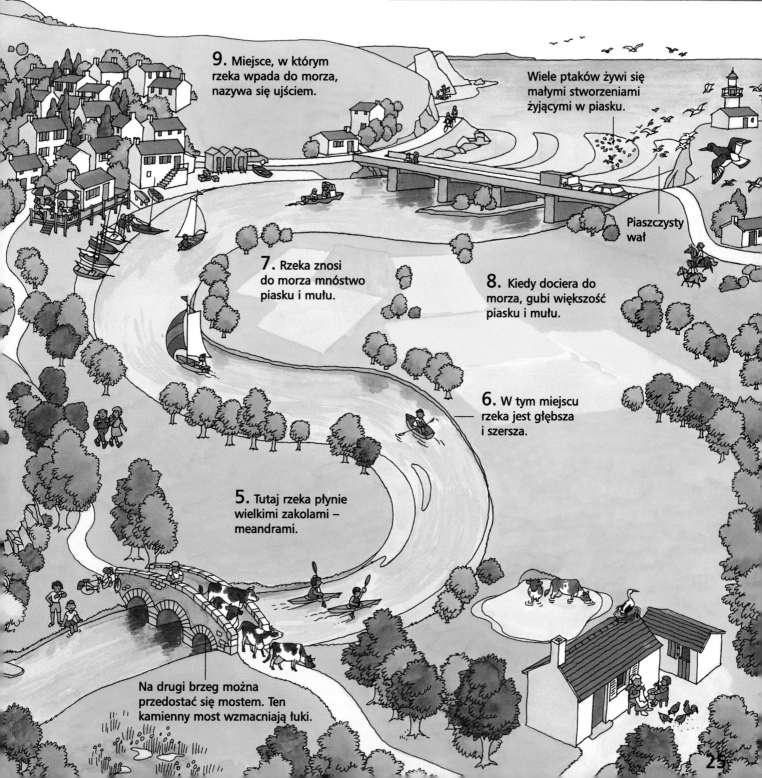

9. Miejsce, w którym rzeka wpada do morza, nazywa się ujściem.

Wiele ptaków żywi się małymi stworzeniami żyjącymi w piasku.

Piaszczysty wał

7. Rzeka znosi do morza mnóstwo piasku i mułu.

8. Kiedy dociera do morza, gubi większość piasku i mułu.

6. W tym miejscu rzeka jest głębsza i szersza.

5. Tutaj rzeka płynie wielkimi zakolami – meandrami.

Na drugi brzeg można przedostać się mostem. Ten kamienny most wzmacniają łuki.

25

W górach

Góry powstają przez miliony lat. Gdy na powierzchni ziemi napierają na siebie ogromne skały, ich część wypiętrza się i tworzy górę.

Części gór

Na szczytach niektórych gór przez cały rok leży śnieg. Miejsce, w którym kończy się jego pokrywa, nazywamy granicą wiecznego śniegu.

Niżej położone zbocza gór są często porośnięte drzewami. Nie rosną one wyżej, bo tam jest już zbyt zimno. Tę granicę nazywamy linią drzew.

Szereg gór tworzy pasmo. Te widoczne na zdjęciu znajdują się w Kanadzie, są częścią pasma zwanego Górami Skalistymi.

Przestrzeń pomiędzy dwoma szczytami zwiemy przełęczą.

Wierzchołek

Granica wiecznego śniegu

Linia drzew

Przełęcz

Ilustracja przedstawia części góry.

Lodowce

W najchłodniejszych partiach niektórych gór śnieg nawarstwia się i zmienia w lód. Zamarznięte rzeki spływające wolno z gór nazywamy lodowcami.

Lodowiec, taki jak ten, znosi kamienie i skały w dół zbocza. W dolnych partiach gór jest cieplej: tam lodowiec topnieje, tworząc strumienie.

Życie w górach

Również w trudnych górskich warunkach żyją zwierzęta i rosną rośliny. Muszą one być odporne na niskie temperatury i silny wiatr.

★  Kwiaty górskie, na przykład skalnica purpurowa, rosną w niskich, okrągłych kępkach.

Drzewa iglaste zamiast szerokich liści mają mocne, wąskie igły.

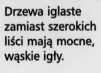

Orły budują duże gniazda na górskich szczytach i skalnych półkach.

★

Zające żyjące w górach mają grube futro. Zimą staje się ono białe.

27

Pustynie

Pustynie to najbardziej suche miejsca na świecie. Niekiedy deszcz nie pada tam całymi latami. Zazwyczaj na pustyni za dnia jest bardzo gorąco, a w nocy zimno.

Pustynie zajmują ponad jedną czwartą powierzchni ziemi. Największa z nich to Sahara w Afryce.

Domy budowane na pustyni mają płaskie dachy i małe okna, by nie przepuszczały za wiele słońca.

Palmy

Oaza to miejsce, w którym występuje woda, mogą więc tam rosnąć rośliny.

Wielbłądy mogą wytrzymać tydzień bez wody.

Euforbia (wilczomlecz)

Większość pustyń jest skalista i naga. Piasek pokrywa je tylko po części.

Antylopy

Stepówka

Skoczki pustynne skaczą jak miniaturowe kangury.

Rośliny pustynne

Wiele z nich ma długie korzenie i łodygi, które wchłaniają wodę. Inne rośliny pustynne, jak kaktus beczułkowaty, gromadzą wodę we wnętrzu.

Przed deszczem

Po deszczu

Kiedy pada deszcz, kaktus beczułkowaty pęcznieje.

Olbrzymi kaktus saguaro może rosnąć setki lat.

Gdy wieje wiatr, piasek układa się we wzgórza zwane wydmami.

Raróg

Mieszkańcy pustyni żyją w grupach i przenoszą się z miejsca na miejsce. Hodują owce, kozy i wielbłądy.

Fenki mają duże uszy, poprzez które oddają wiele ciepła.

Po gorącym piasku pełzają żmije korbacze o ostrych łuskach.

29

Trawiaste równiny

Trawiaste równiny, albo sawanny, to wielkie przestrzenie pokryte trawą. Rosną na nich również krzewy i drzewa. Rysunek poniżej pokazuje sawannę w Afryce.

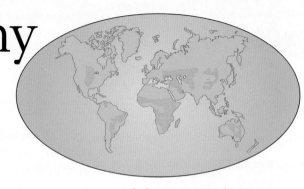

Sawanny, oznaczone kolorem pomarańczowym, zajmują około jednej czwartej powierzchni ziemi.

Baobaby w konarach przechowują wodę.

Strusie

Nosorożce

Słonie

Takie kopce budują tysiące małych owadów – termitów.

Pawiany żyją w dużych grupach, zwanych stadami.

Również lwy żyją w stadach.

Tkacze wiją misterne gniazda.

Akacja

Antylopy gnu

Turyści przyjeżdżają na sawannę, by popatrzeć na zwierzęta.

Hieny

Turyści w balonie

Sępy

Sucha trawa łatwo płonie. Spalona, odrasta jednak po deszczu.

Żyrafy

Wiele zwierząt przychodzi do wodopoju napić się i ochłodzić.

Antylopy

Guźce

Zebry

Gepardy

Stepy i prerie

Trawiaste równiny mają różne nazwy w poszczególnych częściach świata. W Rosji są to stepy.

Prerie to sawanny w Ameryce Północnej. Dziś większość z nich jest polami uprawnymi, obsianymi pszenicą.

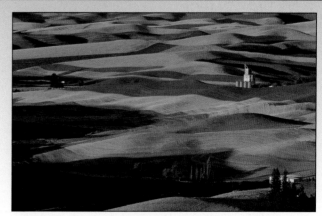

Kombajn ścina i młóci pszenicę na preriowym polu w Stanach Zjednoczonych.

W lesie deszczowym

Gęste, zielone lasy deszczowe rosną na gorących i wilgotnych obszarach w okolicach równika. Przez cały rok jest tam ciepło i niemal codziennie pada. Lasy deszczowe to siedlisko tysięcy przeróżnych roślin i zwierząt.

AMERYKA POŁUDNIOWA

Amazonka

Największy z lasów deszczowych rośnie w Ameryce Południowej. Płynie przez niego rzeka Amazonka.

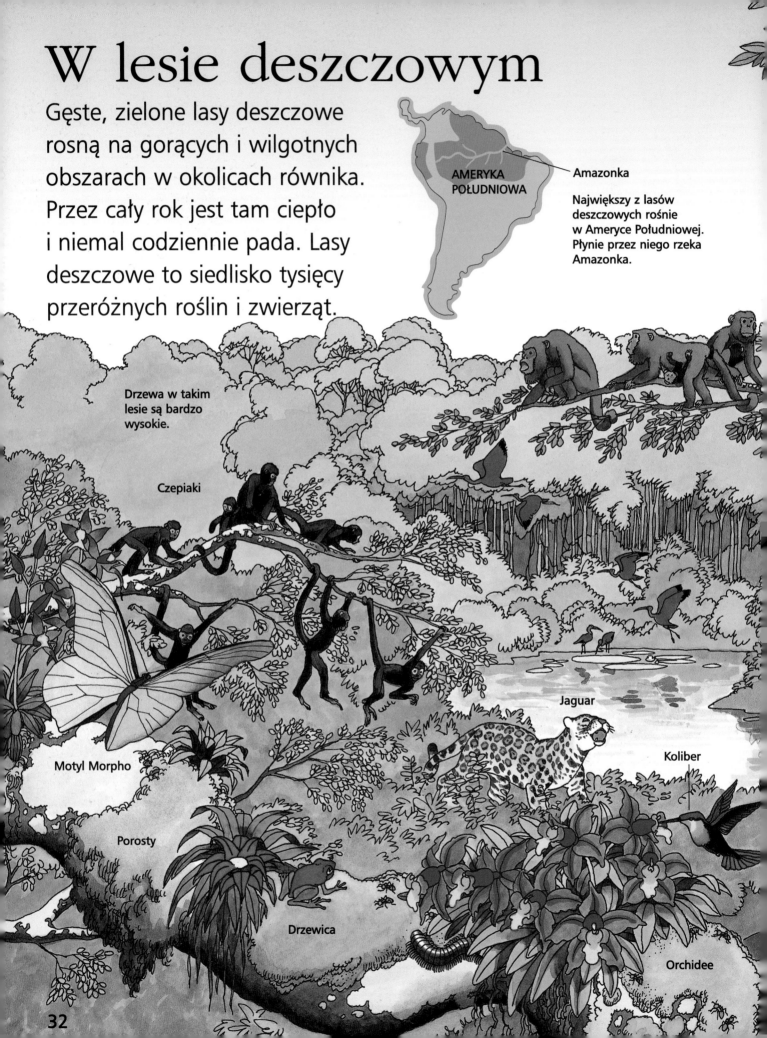

Drzewa w takim lesie są bardzo wysokie.

Czepiaki

Motyl Morpho

Porosty

Drzewica

Jaguar

Koliber

Orchidee

Rośliny nadrzewne

W lasach deszczowych wiele roślin rośnie
na gałęziach drzew, gdyż dociera tam
więcej światła niż na ziemię.

Paprocie

Ary
żółtoskrzydłe

Tukany

Wyjce

Bromelia

Liany to
rośliny
o długich,
niczym liny,
łodygach

Leniwiec porusza
się bardzo wolno.

Kapibary wyglądają
jak duże świnki
morskie.

Kajman

Te wielkie
korzenie
podpierają drzewo
i utrzymują je
w pionie.

Pancernik
olbrzymi

Ibisy
purpurowe

Anakonda –
ogromny wąż

Żółw matamata

Liście wiktorii
olbrzymiej

Morza i oceany

Ponad dwie trzecie powierzchni ziemi pokrywają wody. To sprawia, że widziana z kosmosu, nasza planeta ma niebieską barwę. Ogół tych słonych wód tworzy cztery wielkie zbiorniki, zwane oceanami. Są także mniejsze akweny – morza.

Świat pod wodą

Pod wodą istnieje jakby inny świat. Są tu głębokie doliny, wielkie góry i lasy wodorostów; w morskich głębinach żyje wiele niezwykłych zwierząt.

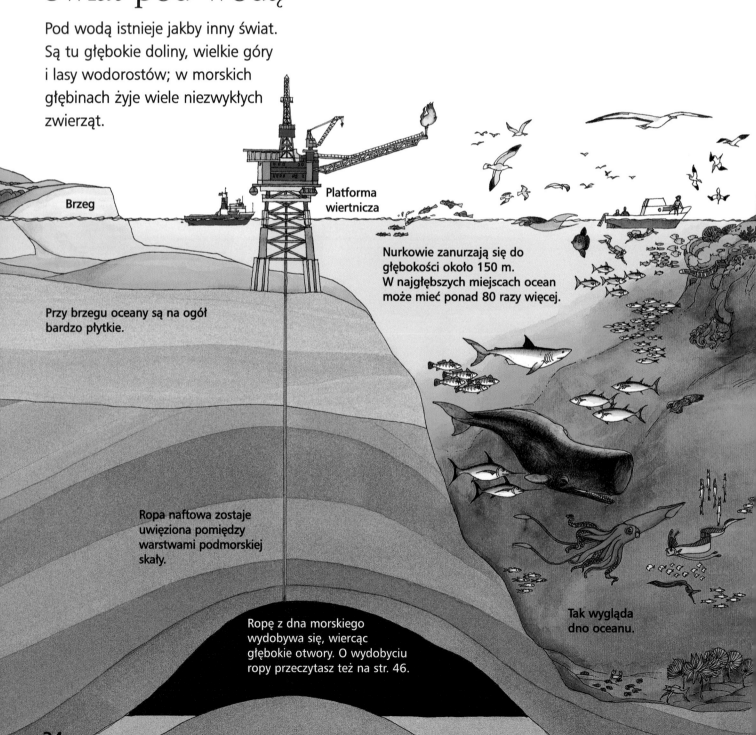

Brzeg

Platforma wiertnicza

Nurkowie zanurzają się do głębokości około 150 m. W najgłębszych miejscach ocean może mieć ponad 80 razy więcej.

Przy brzegu oceany są na ogół bardzo płytkie.

Ropa naftowa zostaje uwięziona pomiędzy warstwami podmorskiej skały.

Ropę z dna morskiego wydobywa się, wiercąc głębokie otwory. O wydobyciu ropy przeczytasz też na str. 46.

Tak wygląda dno oceanu.

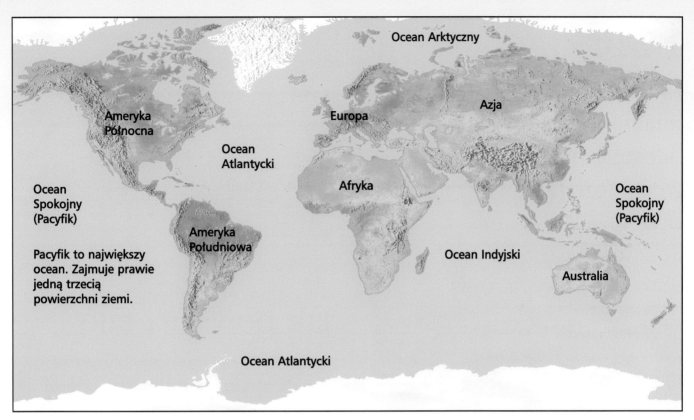

Mapa pokazuje cztery oceany. Pamiętaj, że Ziemia jest okrągła: widoczne tu dwie części Oceanu Spokojnego łączą się.

Ocean Arktyczny

Ameryka
Północna

Europa

Azja

Ocean
Atlantycki

Afryka

Ocean
Spokojny
(Pacyfik)

Ocean
Spokojny
(Pacyfik)

Pacyfik to największy
ocean. Zajmuje prawie
jedną trzecią
powierzchni ziemi.

Ameryka
Południowa

Ocean Indyjski

Australia

Ocean Atlantycki

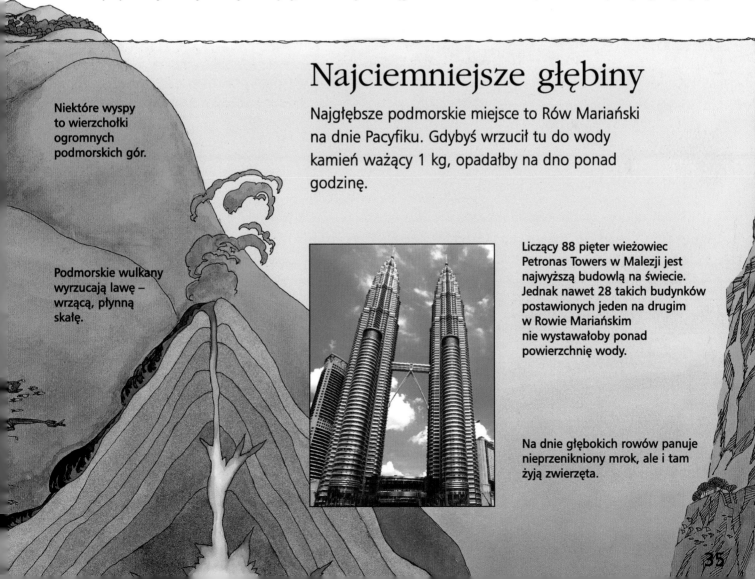

Najciemniejsze głębiny

Najgłębsze podmorskie miejsce to Rów Mariański
na dnie Pacyfiku. Gdybyś wrzucił tu do wody
kamień ważący 1 kg, opadałby na dno ponad
godzinę.

Niektóre wyspy
to wierzchołki
ogromnych
podmorskich gór.

Podmorskie wulkany
wyrzucają lawę –
wrzącą, płynną
skałę.

Liczący 88 pięter wieżowiec
Petronas Towers w Malezji jest
najwyższą budowlą na świecie.
Jednak nawet 28 takich budynków
postawionych jeden na drugim
w Rowie Mariańskim
nie wystawałoby ponad
powierzchnię wody.

Na dnie głębokich rowów panuje
nieprzenikniony mrok, ale i tam
żyją zwierzęta.

Fale

Fale tworzy wiatr daleko na morzu. Czasem przebywają one ogromne odległości, zanim rozbiją się o brzeg oceanu.

Na ilustracji pokazano części fali.

Jak powstają fale

Wiatr wiejący nad powierzchnią wody tworzy na niej zmarszczki. Jeśli nie przestaje wiać, zmarszczki stają się coraz większe, aż tworzą się z nich fale.

Kiedy wiatr wieje ponad grzbietami fal, powstaje na nich piana, przez co stają się większe.

U brzegu

Kształt fali zależy od głębokości morza. Głębokość wpływa na zmianę kształtu fal, gdy zbliżają się do brzegu.

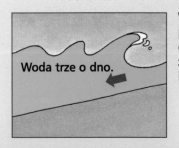

Woda przy brzegu jest płytsza. Gdy fala zbliża się do lądu, jej dolna część zaczyna trzeć o dno i zwalnia bieg.

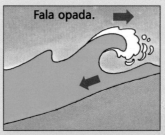

Szczyt fali porusza się teraz szybciej niż jej dolna część. To sprawia, iż szczyt wysuwa się do przodu i potem opada. Mówimy wówczas, że fala się rozbija.

Podwodna energia

Fale są rodzajem energii, płynącej poprzez wodę. Choć fala przemieszcza się w oceanie, to w istocie woda pozostaje w tym samym miejscu.

Gdy patrzysz na falę, wydaje ci się, że woda się porusza. Jednak tak nie jest.

Kiedy fala przepływa pod jakimś przedmiotem, tylko go unosi, tak jak widoczną tu mewę.

Gdy fala przepłynie, mewa jest nadal w tym samym miejscu.

Ogromne fale

Wielkość fal zależy od siły wiejącego wiatru i obszaru, na jakim on działa. Podczas sztormów silne wiatry tworzą wielkie, potężne fale – tak duże, iż mogą zatopić statek.

W niektórych miejscach fale mogą mieć ponad 12 m wysokości. To więcej niż mierzy dwupiętrowy dom.

Prądy

Prądy są jak wielkie rzeki, płynące przez oceany. Różne prądy płyną z rozmaitą prędkością. Niektóre przez dzień przemieszczają się zaledwie na odległość 10 km, inne w tym samym czasie przebywają nawet 160 km.

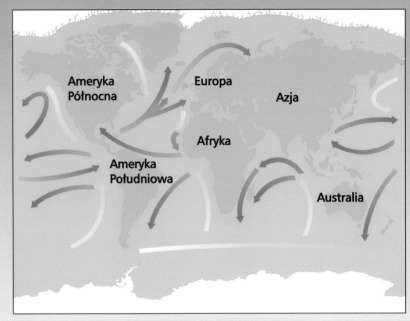

Na mapie pokazano główne prądy w oceanach świata.

Ciepłe prądy

Zimne prądy

Długa droga

Nasiona roślin niekiedy płyną z prądem bardzo długo. Nowa roślina może więc wyrosnąć daleko od swojego rodzica.

Nasiona roślin, jak ten kokos, wpadają do morza. Prąd unosi je daleko od brzegu.

Nasiona przebywają niekiedy bardzo długą drogę, zanim morze wyrzuci je na brzeg.

Gdy nasienie osiądzie na ziemi, może tam wykiełkować.

Pływy

Wysokość morza to jego poziom. W większości miejsc poziom morza nieustannie się zmienia w ciągu dnia, ponieważ woda podnosi się i opada. Taki ruch wody nazywa się pływem.

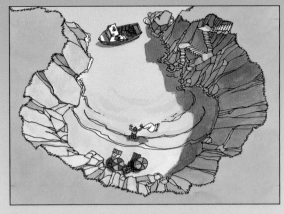

Czasami przypływ przychodzi bardzo szybko; może wtedy uwięzić wczasowiczów na plaży.

Linia pływów

Woda osiąga najwyższy punkt na brzegu, a potem zaczyna się cofać. Tę granicę nazywamy linią pływów. Gdy woda opada, na brzegu pozostają różne przedmioty, które przyniosła z morza.

Mewy przeszukują plażę, szukając pożywienia, które naniósł tam przypływ.

Po przypływie na brzegu pozostaje wiele wodorostów.

Przypływ często wyrzuca na plażę kości mątwy, zwane ososepia.

To jest skorupa jaja kolenia, gatunku rekina. Nosi nazwę sakiewki syreny.

Na wybrzeżu

Wybrzeże to część ziemi, gdzie morze spotyka się z lądem. Wygląd wybrzeża nieustannie się zmienia, kształtowany przez fale i wiatr.

Większe kamienie zalegają w tylnej części plaży.

Fale, ciskając o brzeg żwirem i kamieniami, zmieniają jego kształt.

Bliżej morza piaszczysty brzeg jest usiany drobnymi kamykami.

Jak powstaje plaża

Plaże tworzą się na nisko położonych, płaskich częściach wybrzeża. Fale rozdrabniają wielkie skały i urwiska na mniejsze kamienie i żwir, a w końcu na piasek. Często można w nim znaleźć drobiny potłuczonych muszli.

Wciąż nowe kształty

Niektóre części wybrzeża są utworzone z twardszej skały niż
pozostałe. Morze znosi je wolniej od tamtych, formując cypel.

Cypel

Kiedy wierzchołek łuku
zapadnie się, pozostaje
komin lub filar.

Fale żłobią miękkie skały
urwiska, tworząc w nich
groty.

Łuk powstaje, gdy fale
wyżłobią otwór w cyplu.

Sortowanie kamieni

Najmniejsze kamienie na plaży zawsze
zalegają najbliżej wody. Jest tak dlatego,
że fale, uderzając o brzeg, z wolna sortują
kamienie według wielkości. Oto, jak to się
dzieje:

Kiedy fale rozbijają
się, wyrzucają na
brzeg żwir
i kamienie.

Woda, cofając się
do morza, zabiera
drobny żwir.

Większe, cięższe
kamyki zostają
w odleglejszej części
plaży.

Świat lodu

Wokół biegunów ziemi, północnego i południowego, rozciągają się obszary zwane podbiegunowymi. Jest tam bardzo zimno, a ogromne połacie lądu i morza są pokryte lodem i śniegiem.

Obszar wokół bieguna północnego zwiemy Arktyką.

Obszar wokół bieguna południowego to Antarktyda.

Wieczny lód

Lód na tych obszarach tworzy płaskie tafle i lodowce oraz pokrywa wysokie góry. Latem jego część topnieje, lecz zimą woda znów zamarza.

Wiele pingwinów żyje na Antarktydzie. Mają gęste pióra, a pod skórą grubą warstwę tłuszczu, która chroni ptaki przed chłodem.

Góry lodowe

Są to ogromne kawały lodu unoszące się na wodzie. Niewielka górna część, czyli wierzchołek, unosi się ponad powierzchnią. Reszta jest skryta pod wodą. Ilustracje po prawej pokazują, jak powstaje góra lodowa.

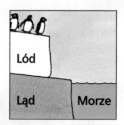

Tafla lodu przemieszcza się z lądu do morza.

Lód zsuwa się do wody.

Kawał lodu odłamuje się – powstaje góra lodowa.

Życie koło bieguna

Niewielu ludzi żyje w Arktyce, jeśli porównamy ten obszar z innymi regionami świata, a na Antarktydzie nikt nie mieszka na stałe. Wyprawiają się tam jednak naukowcy, by badać zwierzęta, pogodę i ląd. Także turyści odwiedzają Arktykę i Antarktydę; uprawiają tam wspinaczkę, jeżdżą na nartach i obserwują przyrodę.

Przetrwać w chłodzie

Zwierzęta zamieszkujące obszary biegunowe żyją w bardzo niskich temperaturach. W tych nieprzyjaznych dla nich warunkach muszą rozgrzać się i znaleźć pożywienie.

Niedźwiedzie polarne podejmują długie wyprawy przez śnieg i lód w poszukiwaniu pożywienia – fok, ptaków, ryb i roślin.

W krwi lodownicy, zamieszkującej wody Antarktydy, jest składnik, który zapobiega jej zamarzaniu.

Morsy żyją w Arktyce. Przed zimnem chroni je warstwa tłuszczu pod skórą.

Foki Weddella polują pod lodami Antarktydy, poszukując pożywienia. W pokrywie lodowej robią otwory, przez które zaczerpują powietrza.

Jaskinie

Jaskinie to jakby podziemne pokoje, ze ścianami ze skały. Znajdują się tuż pod powierzchnią ziemi lub bardzo głęboko.

Jaskinie, takie jak ta, powstają powoli przez tysiące lat.

Jak powstają jaskinie

Gdy pada deszcz, woda przecieka przez szczeliny w skale.

Z czasem rozpuszcza skałę i żłobi ją.

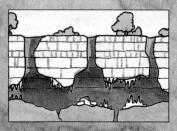

Kiedy woda opadnie, pozostaje pusta przestrzeń – jaskinie i korytarze.

Jeden z członków zespołu francuskich grotołazów, którzy weszli do tej jaskini w prowincji Hunan, w Chinach, aby ją zbadać.

Skaliste kształty

W jaskiniach można napotkać niezwykłe formy skalne. Utworzyła je woda, która przesączyła się przez skałę i rozpuściła jej część. Sącząca się woda pozostawia za sobą nieco rozpuszczonej skały. Ta stopniowo się nawarstwia i formuje w różnorakie kształty.

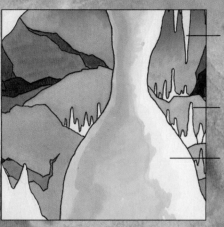

Ze sklepienia zwisają stalaktyty.

Stalagmity kształtują się na dnie jaskini.

Niekiedy stalaktyty i stalagmity łączą się.

Grotołazi

Grotołazi to ludzie badający jaskinie. Wyprawy w podziemny świat podejmują dla rozrywki lub po to, by go poznać. Aby dotrzeć do jaskini, grotołazi często muszą przeciskać się przez wąskie korytarze i brodzić w głębokiej wodzie. W tych trudnych warunkach pomocne są specjalne ubiory i sprzęt.

Kask z latarką

Gruby kombinezon

Mocna lina

Wodoodporne buty

Zwierzęta jaskiniowe

Niedźwiedź brunatny

Niedźwiedzie brunatne i baribale przesypiają w jaskiniach całą zimę.

Nietoperz podkowiec

Wiele gatunków nietoperzy spędza zimę w jaskiniach. Wylatują z nich na wiosnę.

Rysunek bizona

Dawno temu ludzie mieszkali w jaskiniach. O ich życiu mówią nam rysunki, które pozostawili na ścianach swych domostw.

Użyteczna ziemia

Jesteśmy zależni od ziemi. Dostarcza nam pożywienia, powietrza, wody i wszystkiego, co ludziom niezbędne do życia.

Z ziemi wydobywamy też paliwa, służące do gotowania, ogrzewania i poruszania maszyn.

Z piasku wytwarza się szkło.

Wiele gatunków roślin to nasze pożywienie. Z przędzy bawełnianej tka się materiały ubraniowe, a niektóre rośliny są surowcem do wyrobu leków.

Węgiel i ropa naftowa

Węgiel powstał z drzew i roślin obumarłych przed milionami lat, a ropa naftowa – z maleńkich, martwych zwierząt morskich. Węgiel i ropę wydobywa się spod ziemi i używa jako paliwa. Są one również surowcami do wyrobu wielu rzeczy.

Ropę i gaz ziemny wydobywamy spod ziemi lub dna morskiego. Po paliwo spod dna sięga się ze specjalnych platform wiertniczych.

Z węgla wyrabia się między innymi farby, plastik, perfumy, mydło i grafit do ołówków.

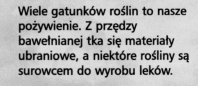

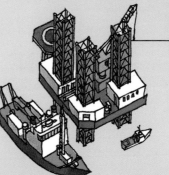

Platforma wiertnicza

Ropa naftowa ma zastosowanie w produkcji płynu do mycia naczyń, plastiku, benzyny oraz farb.

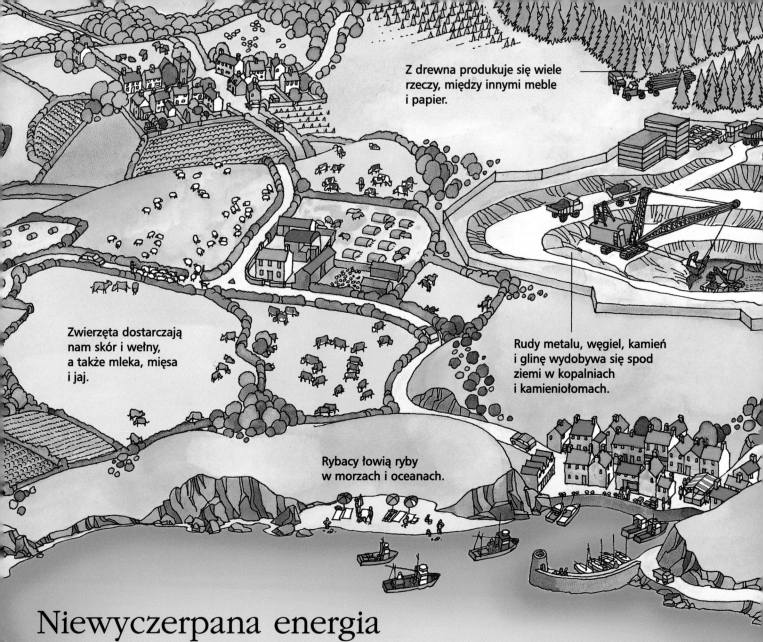

Z drewna produkuje się wiele rzeczy, między innymi meble i papier.

Zwierzęta dostarczają nam skór i wełny, a także mleka, mięsa i jaj.

Rudy metalu, węgiel, kamień i glinę wydobywa się spod ziemi w kopalniach i kamieniołomach.

Rybacy łowią ryby w morzach i oceanach.

Niewyczerpana energia

Zasoby ropy, gazu i węgla kiedyś się skończą. Energię jednak można też uzyskiwać ze źródeł, które nigdy się nie wyczerpią: z wiatru, wody lub światła słonecznego.

Turbiny wiatrowe to olbrzymie wiatraki, które wytwarzają energię elektryczną.

Baterie słoneczne gromadzą energię słoneczną, wykorzystywaną do ogrzewania wody.

Także turbiny napędzane wodą produkują energię elektryczną.

Świat w niebezpieczeństwie

Działalność człowieka jest często
zagrożeniem dla zwierząt i roślin,
a także dla niego samego.

Dym i spaliny samochodowe
zanieczyszczają powietrze.

Giną lasy deszczowe

Każdego roku wycina się lub wypala
wielkie połacie lasów deszczowych.
Ludzie trzebią je, by pozyskać drewno
i mieć więcej gruntów ornych. W ten
sposób jednak niszczą też domy
żyjących tam zwierząt.

Zanieczyszczenia

Zanieczyszczenia to śmieci, dym i spaliny
oraz ropa wyciekająca ze statków. Są
one zagrożeniem dla zwierząt i ludzi,
a także miejsc, w których żyją.

Na miejscu wypalonego lasu powstaną pola orne.

Śmieci wyglądają
okropnie i mogą być
niebezpieczne.

Chemikalia z fabryk
i gospodarstw wiejskich
przedostają się do wody
i gleby.

Jeśli z tankowca
wycieknie ropa,
zwierzętom morskim
grozi zagłada.

Zagrożone gatunki

Niektórym zwierzętom grozi zagłada: pozostało już ich bardzo mało i wkrótce mogą całkowicie wyginąć. Stało się tak, ponieważ ludzie polowali na nie lub niszczyli ich siedliska.

Nosorożce zabija się, by pozyskać ich rogi. To zwierzę już je straciło, więc kłusownicy zapewne pozostawią nosorożca w spokoju.

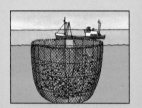

Lwiatkom złotym grozi wyginięcie, gdyż wycina się lasy deszczowe.

Na pantery ludzie polowali dla cennych skór.

Przełowienie

Kiedy rybacy łowią zbyt wiele ryb jednego gatunku, ich liczba zaczyna maleć. Taki stan rzeczy nazywamy przełowieniem. Jeśli będzie się utrzymywać, niektóre gatunki ryb całkowicie wyginą. Rybołówstwo może zagrozić życiu w oceanie także w inny sposób.

Sieci skonstruowane specjalnie do połowu tuńczyków są jak wielkie torby. Często zdarza się, że wpadają do nich również delfiny.

Trał to sieć, którą statek rybacki ciągnie za sobą. W morskiej toni zagarnia ona nie tylko ryby, lecz i rośliny, niszcząc siedlisko wielu morskich stworzeń.

Ocieplenie

Temperatura na całym świecie stopniowo wzrasta; to zjawisko nazywamy globalnym ociepleniem. Można wskazać kilka jego przyczyn. Naukowcy sądzą, że ocieplenie powodują przede wszystkim pewne gazy, zwane cieplarnianymi, które gromadzą się w ziemskiej atmosferze.

Gazy cieplarniane

Zatrzymują one ciepło wokół Ziemi, dzięki czemu na naszym globie panuje temperatura wystarczająco wysoka do życia. Jednak pewne działania ludzi sprawiają, że tych gazów jest coraz więcej. Zatrzymują one też więcej ciepła, stąd na Ziemi robi się cieplej.

Promienie słoneczne ogrzewają Ziemię. Część z nich ucieka z powrotem w przestrzeń kosmiczną.

Gazy cieplarniane nie pozwalają uciec części gazów, co powoduje ocieplenie na naszej planecie.

Elektrownie wytwarzają gazy cieplarniane, gdy spalają węgiel i ropę naftową.

Gazy cieplarniane powstają podczas wypalania lasów.

Takie gazy uwalniają się też ze stert gnijących odpadów.

Również spaliny samochodowe zawierają gazy cieplarniane.

Ta ilustracja przedstawia niektóre działania człowieka, których skutkiem jest zwiększenie ilości gazów cieplarnianych.

Warstwa gazów cieplarnianych (w rzeczywistości są bezbarwne).

50

Topnienie lodu

W miarę ocieplania się atmosfery, lód w Arktyce i na Antarktydzie powoli zaczyna topnieć. Woda napływa do oceanów, przez co podnosi się poziom wody.

Powietrze ociepla się.

Lód topnieje i spływa do morza.

Podnosi się poziom morza.

Czy czeka nas potop?

Jeśli cały lód na świecie stopniałby, świat nawiedziłaby straszliwa klęska: poziom morza bowiem podniósłby się wszędzie o ponad 60 m.

Możemy zapobiec takiemu potopowi, znajdując sposoby wytwarzania energii bez spalania paliw, takich jak węgiel i ropa (zob. str. 47).

Oto, co stałoby się z nadmorskim miastem, gdyby poziom morza podniósł się o 60 m.

Gdyby cały lód na świecie stopniał, wiele wysp zatopiłyby fale.

Kiedy na biegunach topnieje lód, jego wielkie odłamy wpadają do morza.

Pomóżmy naszej planecie

Każdy może zrobić coś, by pomóc Ziemi. Na przykład rządy państw mogą ściślej nadzorować przemysł i rolnictwo oraz przeciwstawiać się zanieczyszczaniu środowiska. Lecz i ty możesz pomóc, na wiele sposobów.

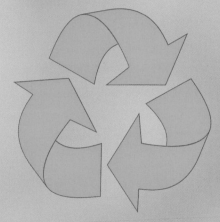

Jak chronić środowisko

Zwracaj uwagę na symbol recyklingu widniejący na opakowaniach – puszkach, butelkach i pudełkach.

Zanieś zużyte puszki, butelki i papier do punktu skupu. Metal, szkło, plastik i papier można przetworzyć na nowe materiały.

Oszczędzaj prąd, używając energooszczędnych żarówek i wyłączając światło, gdy wychodzisz z pokoju.

Krótkie odległości pokonuj pieszo lub rowerem, a dłuższe autobusem lub pociągiem. Rzadziej korzystając z samochodu, przyczynisz się do zmniejszenia ilości spalin.

W swoim ogródku postaw karmnik i posadź rośliny, które ptakom i innym zwierzętom dostarczą pożywienia i zapewnią schronienie.

Rządy niektórych państw afrykańskich pomagają zagrożonym gatunkom zwierząt – na przykład szympansom – tworząc rezerwaty. Są to wydzielone tereny, na których zwierzęta mogą żyć bezpiecznie.

Zwierzęta
i
rośliny

Żywe stworzenia

Na ziemi żyją miliony stworzeń: rośliny, zwierzęta i ludzie. Wszystkie żywe organizmy mają pewne cechy wspólne.

Żywe stworzenia potrzebują gazu, zwanego tlenem. Ryba czerpie go z wody, którą pobiera pyskiem.

Powietrze i pożywienie

Większość organizmów potrzebuje do życia gazu – tlenu, wszystkim zaś jest niezbędne pożywienie. Rośliny same wytwarzają pokarm, wykorzystując energię słoneczną. Pokarmem zwierząt są rośliny lub inne zwierzęta.

 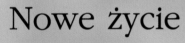 

Jaskrowi do wzrostu jest potrzebna energia słoneczna.

Pokarmem ślimaka może być jaskier.

Drozd zjada ślimaka i tak zyskuje energię potrzebną do życia.

Nowe życie

Żywe organizmy – zarówno zwierzęta, jak rośliny – dają życie swemu potomstwu. Nowe zwierzęta i rośliny żyją dalej po śmierci rodziców. Większość żywych stworzeń w miarę starzenia się rośnie i zmienia się.

Te młode pingwiny wyglądają jak miniatury swoich rodziców.

Niektóre zwierzęta rodzą żywe młode. Inne, w tym ptaki – między innymi pingwiny – składają jaja, z których wykluwa się potomstwo.

Ruch

Wszystkie żywe stworzenia mogą się poruszać. Większość zwierząt potrafi przemieszczać się z jednego miejsca w inne. Rośliny natomiast mogą poruszać jedynie częściami swych organizmów i zazwyczaj dzieje się to tak wolno, że tego ruchu nie zauważamy.

Niektóre zwierzęta, między innymi gepard, potrafią poruszać się bardzo szybko.

Wrażliwość

Żywe stworzenia są wrażliwe na zmiany zachodzące w otaczającym je świecie, takie jak zmiany natężenia światła lub temperatury. Zwierzęta zwykle reagują na nie szybciej niż rośliny.

Słonecznik powoli obraca się, tak że jego kwiat jest zawsze zwrócony ku słońcu.

Odchody

Rośliny i zwierzęta wytwarzają także produkty im niepotrzebne. Wszystkie mają sposoby pozbywania się tych odchodów.

Gnojak zjada stałe odchody innych zwierząt.

Mucha

Muchołówka

Kiedy mucha dotknie czułych włosków na liściach muchołówki, owadożernej rośliny, jej liście błyskawicznie się zamykają i więżą owada.

Komórki

Wszystkie żywe organizmy składają się z maleńkich cząstek, zwanych komórkami. Większość komórek jest tak mała, że można je zobaczyć tylko pod mikroskopem.

Mikroskopowe zdjęcie ludzkiego tłuszczu. Różowe kuleczki to komórki.

Co to jest komórka

Komórka to maleńki organizm, otoczony chroniącą go powłoką. Wewnątrz znajdują się jeszcze mniejsze części, zwane organellami. U wielu istot żywych, także u ludzi, miliony komórek łączą się, tworząc tkanki ciała – skórę, mięśnie i kości.

Roślina czy zwierzę?

Komórki zwierząt są otoczone powłoką – błoną komórkową. Części komórki pływają wewnątrz w wodnistej galarecie. Komórki roślin natomiast mają błonę i mocną ścianę komórkową, która nadaje im kształt. W jednych i drugich znajduje się jądro, które kieruje rozwojem komórki.

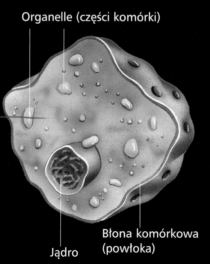

Organelle (części komórki)

Jądro

Błona komórkowa (powłoka)

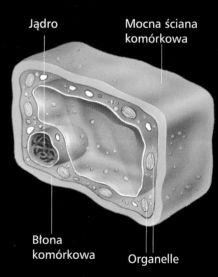

Jądro

Mocna ściana komórkowa

Błona komórkowa

Organelle

Na rysunkach pokazano komórki: po lewej – zwierzęcą, po prawej – roślinną. Zostały przecięte na pół, abyś mógł obejrzeć ich wnętrze.

56

Organizmy jednokomórkowe

Niektóre bardzo małe organizmy mają tylko jedną komórkę. Są to jednokomórkowe zwierzęta, zwane amebami, oraz rośliny – glony.

Bakterie to także organizmy jednokomórkowe. Nie są one ani zwierzętami, ani roślinami, tworzą odrębną grupę.

Bakterie są wszędzie wokół nas. Większość jest niegroźna, ale niektóre, jak widoczne tu bakterie salmonelli, mogą wywoływać choroby.

Bakterie są bardzo małe. To zdjęcie wykonano pod silnie powiększającym mikroskopem.

Oglądanie komórek

Dzięki mikroskopowi można oglądać bardzo małe przedmioty. Kiedy wynaleziono to urządzenie, ponad 300 lat temu, naukowcy zaczęli przyglądać się z bliska żywym stworzeniom i odkryli komórki.

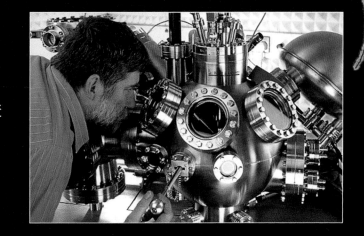

Dziś potężne mikroskopy elektronowe, jak ten na zdjęciu, umożliwiają uczonym wgląd we wnętrze komórek.

Świat zwierząt

Na świecie żyją miliony najrozmaitszych zwierząt, od maleńkich robaków po ogromne wieloryby. O wielu z nich przeczytasz na kolejnych stronach tej książki.

Kształt ciała ułatwia ptakowi szybkie poruszanie się w powietrzu.

Ssaki

Ssaki karmią potomstwo mlekiem. Niemal wszystkie mają sierść, w większości są ruchliwe i ciekawskie. Występują na całym świecie – od obszarów podbiegunowych po pustynie.

Te lwiątka, jak wszystkie młode ssaki, pozostają pod opieką matki.

Ptaki

Ptaki to jedyne zwierzęta opierzone. Wszystkie mają skrzydła, lecz nie każdy ptak potrafi latać. Niektóre za to są doskonałymi biegaczami lub pływakami. Wszystkie ptaki składają jaja i troskliwie opiekują się potomstwem.

Gady

Gady mają suchą, łuskowatą skórę i prawie wszystkie składają jaja. Spotyka się je niemal wszędzie, lecz większość żyje w cieplejszych częściach świata.

Ten gad to agama, jaszczurka żyjąca w Afryce. Ma szorstką, suchą skórę, a na grzbiecie kolce.

Płazy

Płazy to zwierzęta o miękkiej, wilgotnej skórze. Mogą oddychać na lądzie lub w wodzie. Aby przeżyć, płaz musi nieustannie nawilżać swoje ciało, także wówczas, gdy żyje na lądzie.

Żaby należą do gromady płazów. Są doskonałymi pływakami i mogą oddychać pod wodą.

Bezkręgowce

Na świecie jest mnóstwo małych stworzonek, takich jak owady, pająki i wije. Stanowią one cztery piąte znanych nam gatunków zwierząt. Najbardziej rozpowszechnione są owady. Wszystkie mają sześć odnóży, a większość – skrzydełka. Istnieją prawie dwa miliony gatunków owadów.

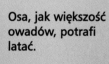

Osa, jak większość owadów, potrafi latać.

Życie w wodzie

Wiele zwierząt żyje w wodzie – ryby i ssaki, na przykład delfiny i foki, a także takie stworzenia, jak meduzy czy homary. Niektóre zwierzęta są przystosowane do życia w największych głębinach oceanów.

Zawilce morskie i ryby to zaledwie dwa spośród wielu gatunków zwierząt żyjących w wodzie.

Ssaki

Zwierzęta, które widzisz na tych dwóch stronach, różnią się wyglądem, żyją w morzu i na lądzie – lecz wszystkie należą do gromady ssaków. Na świecie są tysiące gatunków ssaków. Jesteśmy nimi i my – ludzie.

Szympansy zamieszkują lasy Afryki.

Utrzymać ciepło

Organizm ssaka wytwarza ciepło i dlatego temperatura jego ciała jest wciąż taka sama, niezależnie od temperatury otoczenia. Ta cecha nazywa się stałocieplnością.

Gęsta sierść pomaga szympansowi utrzymać ciepło, gdy spada temperatura otoczenia.

Pokarm dla potomstwa

Wszystkie młode ssaki żywią się mlekiem matki. Mleko wytwarzają gruczoły mleczne, umiejscowione na klatce piersiowej lub na brzuchu matki. Jest ono najlepszym pokarmem dla dziecka, a ponadto małemu łatwo je połykać.

Mały daniel pije mleko, które powstaje w ciele matki.

Latający ssak

Nietoperze to jedyne ssaki, które latają. Skrzydłami są ich przednie kończyny z kośćmi, także z palcami, obciągniętymi skórą.

Na ilustracji widać, jak jest ukształtowane ramię nietoperza: skóra skrzydła rozciąga się na szkielecie z długich palców.

Owocożerny nietoperz – rudawka

Pływacy

Niektóre ssaki, między innymi wieloryby, delfiny i foki, żyją w morzach. Jak wszystkie zwierzęta z tej grupy do oddychania potrzebują powietrza, muszą więc regularnie wynurzać się na powierzchnię.

Humbak (długopłetwiec)

Wieloryby to największe zwierzęta na świecie.

W skorupce jaja

Większość ssaków wydaje na świat już ukształtowane potomstwo, natomiast trzy gatunki – między innymi dziobaki – składają jaja. Samica dziobaka składa je w gnieździe, uwitym w jamie wygrzebanej na brzegu rzeki.

Dziobak

Młode ssaki

Większość ssaków po urodzeniu jest całkowicie
bezradna i potrzebuje opieki. Zwierzęta, które
mogą ukryć swe potomstwo w bezpiecznej
kryjówce – na przykład w gnieździe, na ogół
rodzą kilkoro młodych naraz. Inne wydają na
świat zazwyczaj jedno lub dwoje dzieci,
tak że mogą troskliwie ich strzec.

Żyrafiątko

Żyrafa rodzi zwykle jedno młode.
Matka musi bacznie go pilnować, gdyż
małe żyrafy łatwo padają ofiarą lwów.
W obronie dziecka samica potrafi jednak zadać
śmiertelny cios swymi silnymi nogami.

Liczne potomstwo

Myszy rodzą wiele małych
– nawet ośmioro naraz.
Potomstwo przychodzi
na świat w gnieździe, które
zapewnia im ciepło. Młode
myszy często stają się łupem
sów i kotów.

Matka starannie
wylizuje dziecko,
by jego zapach nie
przywabił napastnika.

Małe myszki
pozostają pod
opieką matki przez
niecały miesiąc.

Szkoła przetrwania

Młode niedźwiedzie polarne spędzają od dwóch do trzech lat pod opieką matki, ucząc się sztuki przetrwania w arktycznych warunkach. Odchodzą, gdy potrafią już samodzielnie polować.

Młody niedźwiedź polarny stale przebywa z matką.

Dom w worku

Ssaki zwane torbaczami, jak ten kangur, noszą małe w worku umiejscowionym na brzuchu matki. Kangurek ssie mleko z sutka wewnątrz worka. Chowa się tam, gdy jest przestraszony lub gdy potrzebuje wypoczynku.

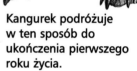

Kangurek podróżuje w ten sposób do ukończenia pierwszego roku życia.

Długie dzieciństwo

Słonie opiekują się potomstwem najdłużej ze wszystkich ssaków, poza człowiekiem. Słoniątko pozostaje pod pieczą matki do dziesiątego roku życia.

To słoniątko uczy się posługiwać trąbą podczas kąpieli i przy wodopoju.

Ptaki

Ptaki to jedyne
zwierzęta, które mają
pióra. Nie wszystkie ptaki
potrafią latać, te jednak,
które nie latają, zazwyczaj
doskonale pływają lub biegają.

Stworzone do latania

Wiele ptaków znakomicie lata.
Ich kości są wewnątrz puste,
toteż ptaki niewiele ważą. Silne
mięśnie klatki piersiowej nadają
mocy skrzydłom, a opływowy
kształt ciała pozwala na szybkie
poruszanie się w powietrzu.

Podczas
lądowania gęś
ma stopy wyciągnięte,
gotowe do zetknięcia się
z gruntem, a skrzydła rozpostarte,
by spowolnić opadanie.

Kształty ptaków

Ciała ptaków różnią się kształtem w zależności od
prowadzonego przez nie trybu życia. Silnie umięśniona
gęś doskonale radzi sobie z trudami długiego
przelotu do ciepłych krajów, na zimowisko.
Niewielki, kształtem przypominający strzałę
zimorodek z łatwością wślizguje się w wodę
i szybko wynurza się z niej podczas polowania.

Zimorodek łapie rybę
długim, ostrym dziobem.

Rodzaje piór

Ptaki mają trzy rodzaje piór. Delikatny puch, najbliżej ciała, zapewnia ciepło. Krótkie i silne pióra okrywowe chronią przed wilgocią. Długie pióra lotne – lotki – umożliwiają start, lądowanie i utrzymanie się w powietrzu.

Lotki na skrzydłach orła

Podróżnicy

Ptaki to najwięksi wędrowcy w świecie zwierząt. Połowa wszystkich pokonuje znaczne odległości, przemieszczając się z jednego łowiska lub miejsca lęgowego na inne. Taką wędrówkę nazywamy migracją.

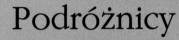

Zimą bernikle kanadyjskie w poszukiwaniu pokarmu przelatują z Kanady do Meksyku.

Puch porastający ciało pisklęcia sprawia, że nie marznie ono w gnieździe na szczycie urwiska.

Puszysta kołderka

Ciało piskląt porasta puch, dzięki czemu jest im ciepło. Pozostałe pióra wyrastają, gdy ptaki podrosną. Pióra stale się brudzą i wichrzą. Aby zachowały swe właściwości, ptaki muszą je czyścić i wygładzać dziobami.

Czapla czyści i porządkuje pióra.

Ciała i dzioby

Ptaki mają bardzo różnorodnie ukształtowane ciała i dzioby. Zawsze jednak są to takie kształty, które umożliwiają zdobycie i zjedzenie pożywienia najbardziej odpowiedniego dla danego gatunku.

Ptaki morskie

Maskonury żyją u wybrzeży morskich, polując na ryby. Przysadziste, muskularne ciało i krótkie skrzydła ułatwiają im swobodne poruszanie się w wodzie. Choć potrafią latać, w powietrzu są znacznie mniej zręczne niż w wodzie.

Skrzydła i pazury

Na wielkich skrzydłach bielik białogłowy bez wysiłku szybuje nad wodą, wypatrując ryb. Gdy wraca do gniazda ze zdobyczą, trzyma ją pewnie w ostrych szponach.

Bielik chwyta rybę ostrymi szponami.

Błoniastymi stopami maskonur wiosłuje w wodzie.

Kształty dziobów

Dziób to narzędzie służące ptakowi do zdobycia pożywienia. Tukan długim dziobem może sięgnąć po owoc pomiędzy gęstymi gałęziami.

Tukan ząbkowanym dziobem pewnie chwyta owoc.

Kopacze

Ibis szkarłatny, podobnie jak wiele ptaków wodnych, ma długi i cienki dziób. Z łatwością przeszukuje nim muliste brzegi rzek, polując na krewetki i małe robaki.

Dzidy i sieci

Wiele ptaków to drapieżniki. Niektóre są naprawdę groźne – potrafią zabić zwierzę wielkości małpy. Oto trzy ptaki mięsożerne, które różnorako używają dziobów.

Ibis szkarłatny

Czapla dziobem jak sztylet chwyta rybę.

Zakrzywiony dziób sępa umożliwia ptakowi rozdzieranie mięsa.

Pelikan ma dziób połączony z workiem. Łowi nim ryby jak siecią.

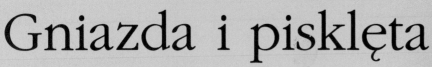

Gniazda i pisklęta

Wkrótce po zespoleniu się z partnerem samiczka składa jaja. Musi na nich siedzieć, by utrzymać jaja w cieple, inaczej rozwijające się w nich pisklęta zginą.

Bezpieczne schronienie

W gnieździe, które buduje większość ptaków, samiczka i jaja są bezpieczne przed napastnikami. Gniazdo jest schronieniem również dla piskląt.

Rodzaje gniazd

Każdy gatunek ptaków buduje gniazdo na własny sposób. Wiele kształtem przypomina filiżankę, powstają z mułu, włosia, piór i gałązek.

Jaskółka lepi gniazdo z gliny, przytwierdzając je do muru.

Ptak krawiec „zszywa" duże liście korzonkami.

Raniuszek wije gniazdo z mchu, porostów i pajęczyny.

Remiz buduje gniazdo z gałązek i włókienek trzciny. Zwisa ono z gałęzi.

Narodziny

Ptaki wysiadują jaja przez około dwa tygodnie, u większych ptaków trwa to dłużej. Kiedy pisklę jest gotowe do wyklucia się, przebija dziobkiem skorupkę. Większość piskląt wymaga troskliwej opieki.

Mała kokoszka wodna wydobywa się na świat.

Dudek karmi wiecznie głodne pisklę.

Wiecznie głodne

Wszystkie pisklęta są zawsze głodne i wymagają stałego dostarczania pożywienia. Dudek, na zdjęciu powyżej, przylatuje i wylatuje z gniazda setki razy dziennie. Znosi termity, gąsienice i owady, by wykarmić troje lub czworo piskląt.

Ochrona rodziny

Łabędzie budują wielkie gniazda tuż przy wodzie. Małe pozostają przy rodzicach przez około cztery miesiące. Rodzice ochraniają je i zapoznają z żerowiskami. Po opuszczeniu gniazda młode łabędzie przez jakiś czas żyją samotnie, po czym łączą się w pary.

Łabędzica i pisklęta gromadzą się obok gniazda.

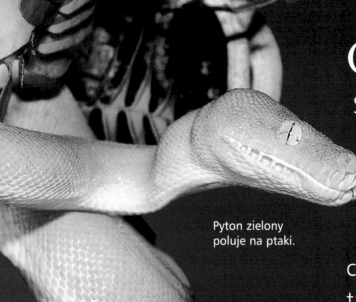

Gady

Swoiste cechy gada to pokryta łuską skóra, jajorodność i zmiennocieplność. Zmiennocieplność oznacza, że organizm zwierzęcia nie wytwarza ciepła, a temperatura jego ciała jest taka jak otoczenia. Gadami są jaszczurki, węże, żółwie i krokodyle.

Pyton zielony poluje na ptaki.

Węże

Wszystkie węże są mięsożerne. Niektóre żywią się owadami i robakami, inne potrafią zjeść zwierzę wielkości krokodyla. Węże spotykamy na całym świecie, oprócz Antarktydy.

Jaszczurki

Większość jaszczurek to małe, zwinne stworzenia, choć niektóre mogą mieć nawet trzy metry długości. Podobnie jak węże, występują na całym globie.

Agama wielobarwna zamieszkuje lasy południowych Indii.

Krokodyle

Krokodyle i ich bliscy krewniacy, aligatory, to groźne drapieżniki. Zasiedlają brzegi rzek na obszarach o gorącym klimacie. W odpowiednich warunkach mogą dożyć ponad stu lat.

Długi ogon pomaga zwierzęciu utrzymać równowagę na cienkich gałązkach.

Krokodyl nilowy

Żółw
szylkretowy

Żółwie morskie

Te gady niemal całe życie spędzają w płytkich wodach ciepłych mórz. Wychodzą na ląd tylko po to, by złożyć jaja. W poszukiwaniu odpowiedniego miejsca lęgowego niektóre żółwie płyną wiele tysięcy kilometrów.

Żółwie lądowe

Żółwie lądowe są podobne do wodnych, żyją jednak na lądzie, a nie w wodzie.

Żółwia lądowego dobrze chroni twarda skorupa.

Gorąco i zimno

Ponieważ gady są zmiennocieplne, przez cały dzień dostosowują się do temperatury otoczenia. Gdy jest zbyt zimno, stają się niemrawe, natomiast podczas upałów ciało gada może wyschnąć i wówczas zwierzę ginie.

Skórzasta powłoka chroni ciało legwana zielonego przed wyschnięciem.

Rankiem gad pławi się w słońcu, rozgrzewając ciało po chłodnej nocy.

W upalne południe chowa się w cieniu.

Popołudnie spędza na słońcu lub w cieniu, by utrzymać właściwą temperaturę ciała.

Płazy

Płazy wyglądem nieco przypominają gady, lecz mają miękką, wilgotną skórę. Składają galaretowate jaja w wodzie, tam też ich młode wykluwają się i rozwijają. Dorosłe osobniki mogą żyć na lądzie i w wodzie. Płazami są żaby i ropuchy.

Śliska skóra

Wiele płazów ma błyszczącą, śliską skórę. Muszą ją nieustannie nawilżać, także na lądzie, bowiem jeśli wyschnie, mogą umrzeć.

Ta żaba żyje wśród drzew lasów deszczowych. Tamtejszy klimat sprzyja zachowaniu odpowiedniej wilgotności jej skóry.

Oddychanie

Płazy mogą pobierać powietrze przez skórę, zarówno na lądzie, jak i pod wodą. Niektóre mają skrzela, tak jak ryby (zob. str. 81). Na lądzie wiele płazów oddycha, czerpiąc powietrze pyskiem.

W wodzie

Ciało płaza jest przystosowane tak do chodzenia, jak i pływania. Na przykład żaby mają błony między palcami. Płynąc, odpychają się nimi w wodzie jak płetwami.

Falbankowe narośle na głowie tego aksolotla to skrzela, służące do oddychania pod wodą.

Palce spięte błoną

72

Żaby i ropuchy

Żaby mają długie, silne tylne nogi. Takie odnóża umożliwiają im długie skoki na lądzie i pływanie w wodzie. Wiele żab ma piękną, jaskrawą skórę, skóra ropuchy natomiast jest bardziej sucha i pokryta brodawkami.

Ropuchy mają tylne nogi krótsze niż żaby.

Ropucha

Żaba

Salamandry

Salamandra ma długi ogon, jak jaszczurka. Skóra większości z nich jest niesmaczna, pokrywają ją jaskrawe wzory. To znak dla wrogów, który ostrzega przed zjedzeniem kąska o wstrętnym smaku.

Wzór na skórze salamandry ostrzega napastników przed jej zjedzeniem.

Młode

Wiele żab i ropuch składa mnóstwo jaj naraz. Młode po wykluciu w niczym nie przypominają rodziców. Najpierw żyją w wodzie, a kiedy dorastają, przenoszą się na ląd.

Te galaretowate kulki to jaja żaby, zwane skrzekiem. Wykluwają się z nich młode – kijanki.

Po kilku tygodniach kijankom wyrastają nogi: najpierw tylne, potem przednie.

W końcowej fazie przemiany ogon znika i kształtują się płuca. Kijanka może teraz oddychać na lądzie.

Zanim kijanka stanie się żabą, mija około 16 tygodni. Potem przez pewien czas mała żabka jeszcze rośnie.

Bezkręgowce

Świat jest pełen niewielkich stworzeń. Ponad cztery piąte ze znanych nam gatunków zwierząt to właśnie bezkręgowce. Oto kilkoro różnych przedstawicieli tego miniaturowego świata.

Rozmaitość gatunków

Choć różnią się wyglądem, zarówno pszczoła, jak i ważka są owadami. Zachowują się jednak bardzo odmiennie. Pszczoły żyją w dużych społecznościach, a ważki to samotnice.

Ważka (po lewej) i pszczoła (po prawej) różnią się wyglądem, lecz obie są owadami.

Ważka żagnica

Ciało owada

Głowa

Tułów

★

Odwłok

Wszystkie dorosłe owady mają po sześć nóg, a ich ciało dzieli się na trzy wyraźne segmenty: głowę, tułów i odwłok. W określonych stadiach życia większość ma skrzydła.

Trzmiel białoodwłokowy

Pająki

Pająki nie są owadami: należą
do gromady pajęczaków.
Mają po osiem nóg, a ich
ciało dzieli się na dwa
segmenty; są bezskrzydłe.
Wiele pająków tka sieci,
w które chwyta
zdobycz.

Prządka złocista to jeden
z największych pająków
australijskich. Samica może mieć
nawet 4,5 cm długości.

Mnóstwo nóg

Spośród wszystkich zwierząt
stonogi i wije mają najwięcej
odnóży. Ich ciała składają się
z głowy i wielu segmentów.
Wije mają do stu nóg,
a niektóre krocionogi nawet
700. Jak u wielu owadów, z głów
wyrastają im czułki, zwane też
antenami.

Dwa krocionogi

Śliskie ślimaki

Ślimaki mają twardą muszlę, w której mogą się
schować. To świetna ochrona przed wrogami.
Ślimaki lądowe, jak ten na zdjęciu po prawej,
skrywają się w wilgotnych miejscach, na przykład
pod liśćmi lub kamieniami. Niektóre
ślimaki mogą żyć w wodzie.

Zaatakowany
ślimak potrafi
cały wcisnąć się
w muszlę.

Ślimak gajowy, jak
wszystkie ślimaki, pełza
na śliskim brzuchu.

Motyle

Motyle to jedne z najbardziej
barwnych owadów. Większość żyje
zaledwie kilka tygodni. Łączą się
w pary, składają jaja i giną.

Skrzydła motyli

Powierzchnię motylich skrzydełek
pokrywają maleńkie, kolorowe
i błyszczące łuski. Motyle lśnią
w powietrzu, ponieważ łuski
odbijają promienie światła.

Motyle żywią się nektarem
kwiatów. W jego
poszukiwaniu przelatują
na coraz to inną roślinę.

Ten modraszek rozpostarł
skrzydła, by chłonąć
ciepło słoneczne.

W słońcu

Rozpostarte skrzydła motyla wchłaniają ciepło
słoneczne. Dzięki temu owad uzyskuje energię
niezbędną do latania. Odpoczywając, motyl
składa skrzydełka i zwraca się ku słońcu, by
rzucać jak najmniejszy cień. Dzięki temu
wrogom trudniej go dostrzec.

Motyl
z rozpostartymi…

i ze złożonymi
skrzydłami

Wzory na skrzydłach

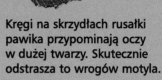

Przepiękne, wzorzyste skrzydła motyli to znaki rozpoznawcze przedstawicieli tego samego gatunku. Dzięki nim osobniki mogą dobrać się w pary i mieć potomstwo. Barwy i desenie pełnią też jeszcze inne funkcje.

Postrzępione skrzydła rusałki sprawiają, że na ziemi motyl wygląda jak zwiędły liść.

Kręgi na skrzydłach rusałki pawika przypominają oczy w dużej twarzy. Skutecznie odstrasza to wrogów motyla.

Motyl o nazwie afrykański monarcha jest trujący. Ptaki szybko uczą się, że nie należy go zjadać.

Dzięki ciemnej barwie skrzydeł motylowi arktycznemu łatwiej wchłaniać ciepło w zimnej okolicy, którą zamieszkuje.

Motyl naśladowca nie jest trujący. Wyglądem przypomina jednak afrykańskiego monarchę, toteż ptaki omijają go z daleka.

Wzorami na skrzydłach samiec rusałki pokrzywnika wabi samiczkę.

Od jaja do motyla

Samiczka składa jaja na jednej, określonej roślinie. Z jaja wylęga się gąsienica, dla której ta roślina jest pożywieniem. Kiedy gąsienica dojrzeje, zmienia się w poczwarkę, okrytą twardą powłoką. Pod nią dokonuje się przemiana poczwarki w motyla.

Gąsienica gotowa do zmiany w poczwarkę.

Wewnątrz ciała powstaje poczwarka i rozrywa skórę.

Powłoka twardnieje, wewnątrz następuje przemiana.

Po dwóch tygodniach z kokonu wydobywa się motyl.

Ciało motyla twardnieje – owad jest gotów do lotu.

Życie na wybrzeżu

Na morskim brzegu można zaobserwować wiele interesujących zjawisk. Każdego dnia po przypływie na plaży pozostają bajorka wody, uwięzionej między skałami. Rozwijają się w nich rośliny, a zwierzęta zakładają domy.

Miętus brodaty odnajduje drogę, posługując się czułkami rozmieszczonymi wokół pyska.

Krewetki oczyszczają wodę, zjadając wszystko, co w niej znajdą.

Chanos ma płaskie, śliskie ciało. Z łatwością może się wślizgnąć w wąskie skalne szczeliny i skryć przed wrogiem.

Ślizga, płynąc, szybko zmienia kierunek dużymi przednimi płetwami.

Wodorosty rosną wzdłuż całego brzegu.

Krab w pancerzu

Ciało kraba chroni twardy pancerzyk; to jego zewnętrzny szkielet. Kiedy zwierzę „wyrasta" z tej okrywy, wydostaje się z niej. Potem skóra kraba z wolna twardnieje, tworząc nowy, większy pancerz.

Krab

Muszle

Do góry dnem

Pąkle pokrywają skały wzdłuż całego wybrzeża. Odżywiają się, wysuwając odnóża przez wierzchołek muszli.

Małe pąkle przywierają do skał w wielkich koloniach. Mocne skorupy chronią ich miękkie ciała.

Aby zdobyć pokarm, otwierają wierzchołki muszli i wysuwają odnóża, którymi chwytają drobiny pożywienia z wody.

Pęcherzyki powietrza umożliwiają temu wodorostowi unoszenie się blisko powierzchni wody, gdzie jest światło.

Skorpiony morskie to groźni łowcy. Ich wielkie pyski mogą otwierać się bardzo szeroko.

Rozgwiazda ma pięć ramion. Jeśli straci jedno, na jego miejsce wyrasta nowe.

Krab pustelnik

Jeżowca morskiego chronią przed wrogami ostre kolce na skorupie.

Ślimak nagoskrzelny pożywienie zeskrobuje językiem ze skał.

Czaszołki

Ukwiał truskawkowy

Pąkle

Trąbik pofałdowany

W wodzie

Wody mórz i oceanów tętnią życiem.
Niektóre morskie stworzenia są
łagodne, inne natomiast to zawzięci
myśliwi.

Rekiny to w większości groźni
drapieżcy. Ich wielkie pyski są
pełne ostrych zębów.

Delfiny, zawsze skore
do zabawy, są jednymi
z najinteligentniejszych
zwierząt morskich.

Rafy koralowe to jakby piękne
podwodne budowle. Żyje wśród
nich wiele zwierząt.

Ślimaki morskie zbierają
truciznę wytwarzaną
przez inne zwierzęta
i potem wykorzystują ją
przeciwko swoim
wrogom.

Ryby

Ryby to liczna grupa zwierząt żyjących w wodzie. Istnieją tysiące ich gatunków, są różnego kształtu i wielkości, lecz wszystkie mają skrzela i płetwy. Skrzela służą im do oddychania pod wodą, a płetwy do pływania.

Płetwa ogonowa

Większość ryb ma płaski ogon, którym płynąc, poruszają na boki. Silne mięśnie ogonowe sprawiają, że poruszanie się w wodzie nie sprawia im trudu.

Górna płetwa, grzbietowa, służy rybom do utrzymania równowagi.

Ta część ciała, zwana pokrywą skrzelową, osłania skrzela ryb.

Skóra ryby jest śliska, co ułatwia poruszanie się w wodzie.

Te płetwy, piersiowe, umożliwiają zwroty w wodzie.

Linia boczna, narząd umożliwiający rybom orientację w przestrzeni

Płetwy brzuszne pozwalają na szybką zmianę kierunku ruchu.

Oddychanie

Ryby oddychają, pobierając tlen z wody. Proces ten przebiega tak:

Tu są skrzela

Kiedy ryba posuwa się naprzód, pyskiem nabiera wody. Woda przepływa przez skrzela.

Skrzela pobierają tlen z wody, która następnie przepływa pod pokrywą skrzelową.

Łuski

Ciało większości ryb jest pokryte malutkimi płytkami – łuskami. Są one wodoodporne, chronią też zwierzę przed pasożytami i drapieżnikami.

Łuski zachodzą na siebie, tworząc ochronną powłokę.

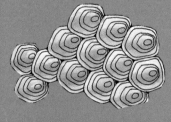

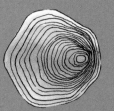

Po liczbie pierścieni na łusce można określić wiek ryby. Niektóre mogą dożyć nawet 80 lat.

Rafy koralowe

Koralowce żyją w ciepłych, płytkich morzach. Choć wyglądem przypominają rośliny, w istocie są utworzone z tysięcy małych zwierząt. Wielkie skupiska koralowców noszą nazwę raf koralowych.

Wśród raf koralowych żyją ustniczki. Dzięki jaskrawemu ubarwieniu łatwo wtapiają się w otoczenie.

Jak powstaje rafa

Zwierzęta tworzące rafy koralowe – polipy – chroni twardy szkielecik. Kiedy umierają, na szkieletach rosną nowe organizmy i z czasem formuje się z nich rafa koralowa.

W tej rafie koralowej skryło się pięć ryb. Czy potrafisz wszystkie odnaleźć?

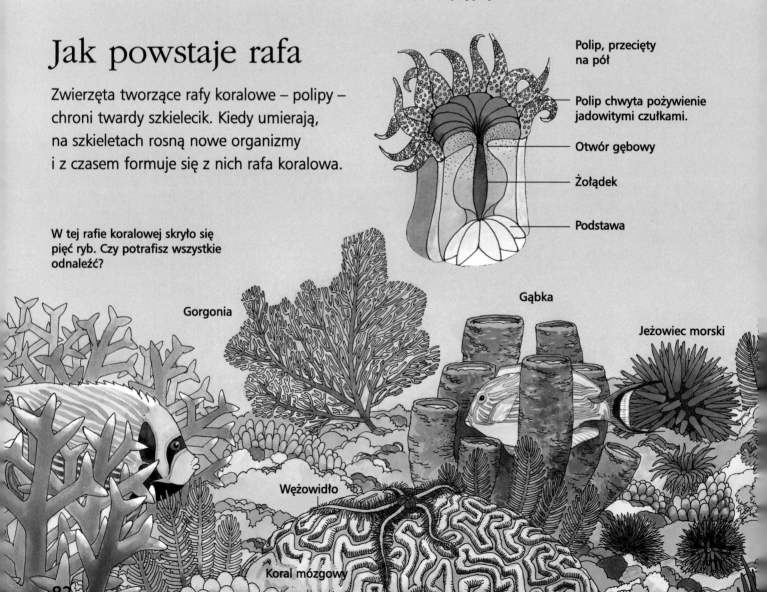

Polip, przecięty na pół

Polip chwyta pożywienie jadowitymi czułkami.

Otwór gębowy

Żołądek

Podstawa

Gorgonia

Gąbka

Jeżowiec morski

Wężowidło

Koral mózgowy

Życie wśród korali

Rafy koralowe są pełne zakamarków i szczelin, w których zwierzęta mogą się skryć i znaleźć dom. W tych sprzyjających warunkach żyje więc wiele morskich stworzeń.

Posiłek papugoryby

Polipy tworzące koralowiec chronią ich skorupy, lecz niektóre ryby, takie jak papugoryba, potrafią dobrać się do nich.

Złączone zęby papugoryby tworzą twardy dziób.

Papugoryba odłamuje kawałek koralowca i kruszy go dziobem.

Olbrzymi małż   Liliowiec

Zawilec morski

Rekiny

Rekiny żyją w oceanach
na całym świecie. Jest ich
ponad 300 gatunków.
Większość tych ryb to groźni
drapieżcy, o ostrych zębach,
które służą do polowania
i zabijania innych zwierząt.

Rekiny wielorybie nie są groźne dla ludzi. Nurkowie bez obawy mogą pływać w ich pobliżu.

Żarłacz ludojad

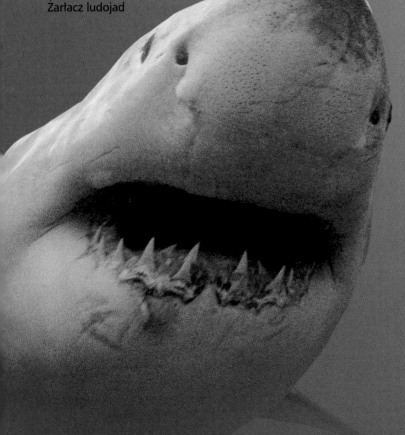

Ludożercy?

Żarłacze ludojady najczęściej zaskakują swoją ofiarę od dołu i, oszczędzając energię, zabijają ją jednym chwytem potężnych szczęk. Zdarza się, że atakują ludzi, lecz zdaniem uczonych – przez pomyłkę, biorąc pływaka za jakieś stworzenie morskie.

Ludojad zabija swą zdobycz, zagryzając ją. Może rozewrzeć szczęki bardzo szeroko.

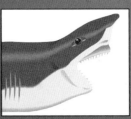

Kiedy rekin otwiera pysk, zęby wysuwają się naprzód, przez co chwyt szczęki jest pewniejszy.

Rekiny wielorybie są największymi rybami na świecie. Mogą mieć nawet 12 m długości.

Oczy rekina zwanego młotem są osadzone po obu stronach długiej, płaskiej głowy. Dzięki temu ryba widzi wszystko wokół siebie.

Rekiny pływają, poruszając ogonem na boki.

Kształty płetw

Rekiny, tak jak wieloryby i delfiny, niekiedy pływają tuż pod powierzchnią wody, z płetwą grzbietową wystawioną ponad toń. Płetwy grzbietowe różnych zwierząt wyglądają inaczej, co pokazano na rysunku poniżej.

Setki zębów

Większość rekinów ma co najmniej trzy rzędy zębów. Kiedy ryba traci któryś przedni, na jego miejsce przesuwa się ząb z tylnych rzędów.

Delfin ma małą, łagodnie zakrzywioną płetwę.

Trójkątna płetwa ludojada jest ostro zarysowana.

Płetwa orki może mieć wysokość człowieka.

Zęby żarłacza tygrysiego są skierowane do tyłu. Złapana nimi ryba nie może się wydostać z pułapki.

Wieloryby

Wieloryby to największe zwierzęta na świecie. Wyglądają jak ryby, ale są ssakami (o ssakach więcej przeczytasz na str. 60-61). Jednak, inaczej niż większość ssaków, wieloryby nie mają sierści.

Ten kaszalot waży tyle, co sześć słoni. Najcięższymi zwierzętami na ziemi są płetwale błękitne: jeden może mieć wagę 20 słoni.

Kształty fontann

Ssaki nie mogą oddychać pod wodą. Aby zaczerpnąć tchu, wieloryb wynurza się z toni oceanu; oddycha przez otwory na czubku głowy. Kiedy wydycha powietrze, wyrzuca w górę fontannę wody.

Długopłetwiec (humbak)

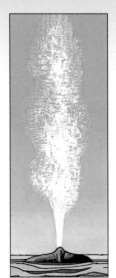

Płetwal błękitny

Wal biskajski

Kaszalot

Płetwal karłowaty

Różne wieloryby wyrzucają wodę w różny sposób. Patrząc na kształt fontanny, możesz odgadnąć, jaki to gatunek wieloryba.

Kaszaloty nurkują najgłębiej ze wszystkich wielorybów; przez ponad godzinę potrafią wytrzymać pod wodą bez oddychania. W głębinach polują na kalmary, którymi się żywią.

Pełne energii

Wieloryby, choć tak ogromne, nie zawsze są ociężałe. Na przykład wielkie humbaki często wyskakują ponad powierzchnię wody. Do dziś nie wiadomo, co jest przyczyną tych skoków.

Wieloryb wyskakuje z wody. Być może stara się w ten sposób pozbyć pąkli, które przywarły mu do skóry.

Gdy wieloryby nurkują, często wyrzucają ogon ponad powierzchnię wody. Ten manewr pomaga im zanurzyć się w oceanie.

Delfiny

Delfiny są ssakami. Żyją we wszystkich oceanach, często skupiają się w wielkie stada. To jedne z najinteligentniejszych zwierząt morskich.

Niektóre stada delfinów liczą nawet ponad 100 osobników.

Nauka oddychania

Delfiny, tak jak wieloryby, oddychają powietrzem. Gdy urodzi się młode, matka musi jak najszybciej wypchnąć je na powierzchnię wody i tam nauczyć oddychać, inaczej mały utonie. Czasami pomaga jej w tym inny delfin.

Właśnie urodził się mały delfin. Teraz jak najszybciej musi nauczyć się oddychać.

Matka płynie pod delfiniątkiem i delikatnie wypycha je na powierzchnię.

Mały delfin bierze pierwszy oddech. Odtąd będzie już wiedział, co robić.

Delfiny mogą płynąć
z prędkością do 40 km/h.

Zabawa

Delfiny są świetnymi pływakami i zręcznymi
akrobatami. Ta sprawność jest im pomocna
w polowaniu na ryby, lecz lubią też bawić się
i pokazywać prawdziwie cyrkowe sztuczki,
jak skoki ponad powierzchnią wody.

**Delfin białoboki potrafi wyskoczyć z wody
na wysokość trzech metrów, z siedmiokrotną
„śrubą" – obrotem wokół osi ciała.**

**Doglingi, zwane też walami
butelkonosymi, wynurzyły się z wody
i obserwują okolicę w poszukiwaniu
ewentualnego zagrożenia.**

Echosonda

Delfiny odnajdują drogę w morzu,
posługując się dźwiękiem. Wydają
odgłosy, które odbijają się od różnych
przedmiotów w wodzie i powracają jako
echo. Jego cechy orientują delfiny
w otoczeniu, echo naprowadza je także
na ławice ryb. Na takiej samej zasadzie
działa urządzenie zwane echosondą,
którego używa się do badania oceanów.

Delfin wydaje
urywane dźwięki,
które przemieszczają
się w wodzie.

Kiedy dźwięk
dociera do jakiejś
przeszkody, na
przykład do ławicy
ryb, odbija się o nią.

Delfin odbiera echo
i wie wówczas, gdzie
są ryby i jak liczna
jest ławica.

W głębinach

W morskich głębinach jest mroczno i bardzo zimno. Nie ma tam roślin, więc wszystkie ryby pływające głęboko w oceanie są drapieżnikami. Wśród nich żyją jedne z najstraszniejszych stworzeń na świecie.

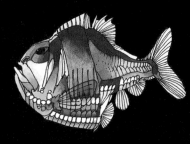

Topornik ma oczy osadzone na czubku głowy, widzi więc ryby przepływające nad nim.

Połykacz ma tak wielki pysk, że może zjeść zwierzę znacznie większe od niego.

Wampirnice

Te kalmary żyją na głębokości aż 900 m. Wielkie oczy umożliwiają im widzenie w mrocznej toni.

Wampirnice w niezwykły sposób bronią się przed wrogami: potrafią wywrócić swoje ciało na drugą stronę. Spodnie części ich czułek są pokryte ostrymi kolcami, co uniemożliwia połknięcie kalmara przez inne zwierzę.

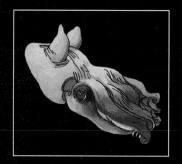

Wampirnice bronią się, osłaniając głowę czułkami.

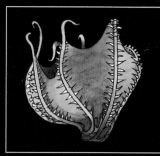

Najeżone czułki tworzą kolczastą tarczę.

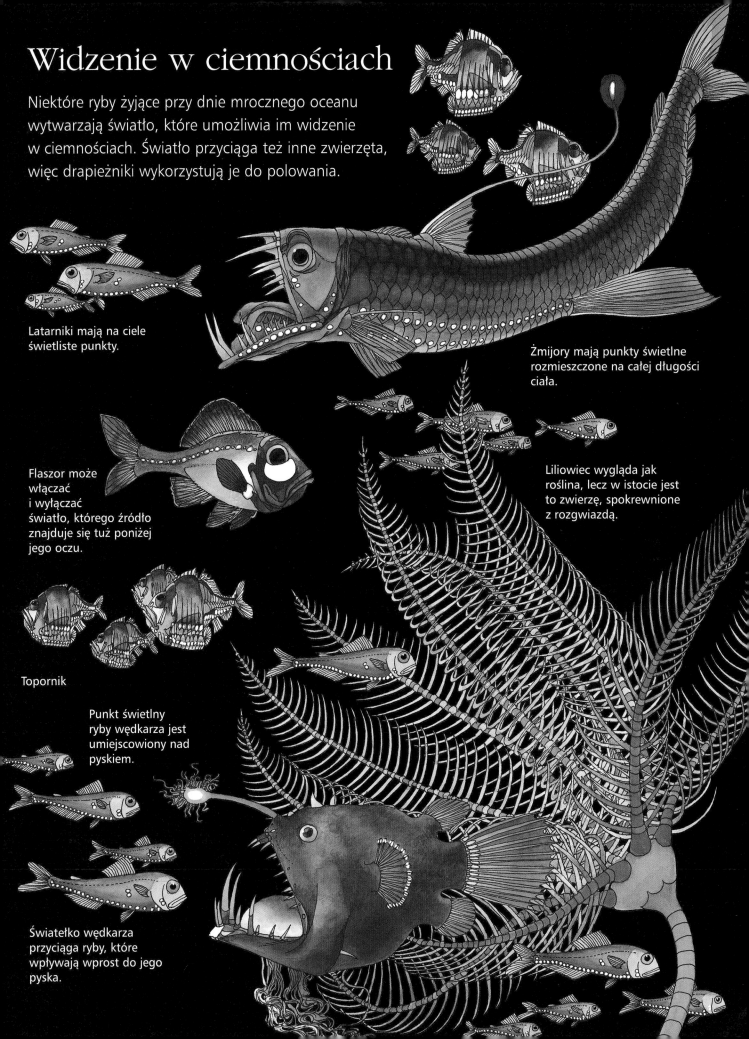

Widzenie w ciemnościach

Niektóre ryby żyjące przy dnie mrocznego oceanu wytwarzają światło, które umożliwia im widzenie w ciemnościach. Światło przyciąga też inne zwierzęta, więc drapieżniki wykorzystują je do polowania.

Latarniki mają na ciele świetliste punkty.

Żmijory mają punkty świetlne rozmieszczone na całej długości ciała.

Flaszor może włączać i wyłączać światło, którego źródło znajduje się tuż poniżej jego oczu.

Liliowiec wygląda jak roślina, lecz w istocie jest to zwierzę, spokrewnione z rozgwiazdą.

Topornik

Punkt świetlny ryby wędkarza jest umiejscowiony nad pyskiem.

Światełko wędkarza przyciąga ryby, które wpływają wprost do jego pyska.

Królestwo roślin

Rośliny różnią się od zwierząt pod kilkoma względami. Nie mają zdolności przemieszczania się w przestrzeni, a większość z nich bardzo powoli reaguje na zmiany zachodzące w otoczeniu. W przeciwieństwie do zwierząt rośliny same wytwarzają pokarm.

Grupy roślin

Istnieje ponad 270 tysięcy różnych gatunków roślin. Dzielimy je na grupy według podobieństwa pewnych cech.

Paprocie mają łodygi, liście i korzenie, natomiast nie mają kwiatów.

Iglaste mają liście o kształcie igieł, ich nasiona powstają w szyszkach.

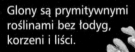

Glony są prymitywnymi roślinami bez łodyg, korzeni i liści.

Kwiatowe (inaczej: nasienne) mają korzenie, liście i łodygę. Ich nasiona rozwijają się z kwiatu.

Mchy mają małe listki, lecz są pozbawione właściwego korzenia. Rosną tuż przy ziemi w wilgotnych miejscach.

Wytwarzanie pożywienia

Rośliny wykorzystują energię słoneczną do wytwarzania pokarmu w liściach. Przetwarzają one wodę i minerały czerpane z gleby oraz dwutlenek węgla z powietrza w cukier. Właśnie cukier jest pokarmem roślin. W tym procesie, noszącym nazwę fotosyntezy, powstaje także tlen.

Dwutlenek węgla z powietrza

Podczas fotosyntezy powstaje cukier i tlen.

Energia słoneczna

Woda i minerały z gleby

Rośliny kwiatowe

Największą gromadą w królestwie roślin są kwiatowe. Zaliczają się do nich również niektóre drzewa. Ich główne części to liście, łodyga i korzenie.

Wewnątrz kwiatu

Kwiaty mają części wytwarzające nasiona, z których wyrastają nowe rośliny. Aby powstało nasienie, z jednego kwiatu na inny musi zostać przeniesiony żółty proszek, zwany pyłkiem kwiatowym. Kwiaty może zapylić wiatr lub zwierzęta.

Liście zawierają zielony barwnik – chlorofil, który uczestniczy w procesie fotosyntezy.

Poprzez łodygę woda i sole mineralne są rozprowadzane po całym organizmie rośliny.

Korzenie utrzymują roślinę w glebie oraz pobierają z niej wodę i minerały.

Pyłek zsypuje się na głowę kolibra, gdy ptak spija nektar.

Pyłek przykleja się do ciała pszczoły. Potem jego drobinki owad przeniesie na inny kwiat.

Wiele kwiatów ma jaskrawą barwę i wydziela silną woń. Kolor i zapach wabią owady, które przylatują pożywiać się słodkim nektarem wydzielanym przez kwiat.

Wzrost roślin

Wiele roślin wyrasta z nasion. Są w nich maleńkie drobinki, z których rozwija się nowa roślina. W nasieniu znajduje się też zgromadzony pokarm dla niej.

Owoce platana mają skrzydełka. Wirując w podmuchach wiatru, odlatują daleko od drzewa.

Owoce i nasiona

Nasiona powstają w części rośliny – owocu. Istnieje wiele rodzajów owoców, wszystkie jednak ochraniają nasiona i wspomagają ich rozprzestrzenianie w takie miejsca, w których mogą wyrosnąć nowe rośliny. Na rysunku pokazano, jak może to przebiegać.

Ptaki zjadają jagody, a wraz z nimi mnóstwo nasion.

Nasiona brodawnika (dmuchawca) są bardzo lekkie i ulatują na wietrze.

Gdy wiatr kołysze rośliną, nasiona maku wypadają z otworów w owocu.

Owoce ostu przywierają do sierści zwierząt, które roznoszą je po okolicy.

Wiewiórki zakopują orzechy na zapas, lecz później często nie potrafią ich odnaleźć. Z pozostawionych w ziemi orzechów mogą wykiełkować nowe rośliny.

Zwierzęta wydalają wiele zjedzonych nasion. Mogą z nich wykiełkować nowe rośliny.

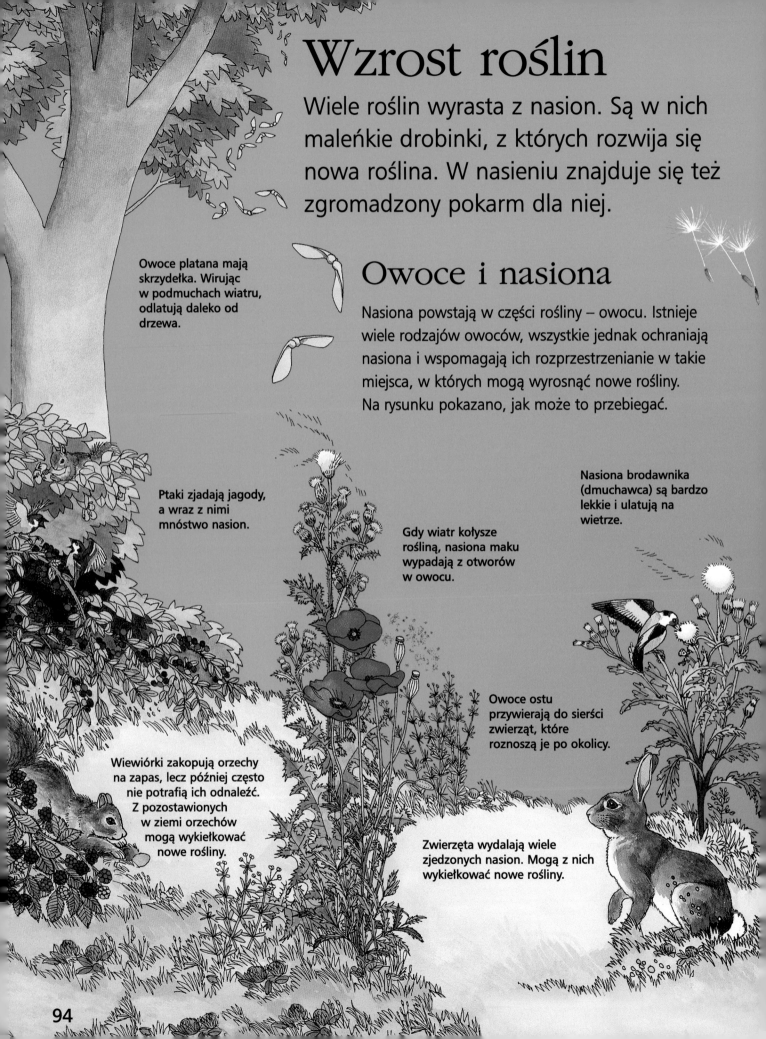

Początek wzrostu

Nasienie do wzrostu potrzebuje wody, ciepła i tlenu. Gdy jest dostatecznie ciepło, pojawiają się korzenie i maleńki pęd. Mówimy wówczas, że roślina kiełkuje.

Nasienie

Korzeń rośnie w dół.

Pęd rozwija się w górę.

Cykl życiowy

Zmiany zachodzące w żywym organizmie podczas jego rozwoju nazywamy cyklem życiowym. Ma on różną długość, w zależności od gatunku rośliny.

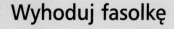

Naparstnice żyją przez wiele lat, wciąż wytwarzając nasiona.

Wyżlin, potocznie zwany lwią paszczą, kwitnie, wytwarza nasiona i umiera w ciągu jednego roku.

Od kiełka do rośliny

Nowa roślinka żywi się pokarmem zgromadzonym w nasieniu. Jest tak do czasu, aż wyrosną jej liście, które będą wytwarzać pożywienie. Gdy roślina dojrzeje, wytworzy kwiaty, a potem nasiona, z których wykiełkuje jej potomstwo.

Leciutkie nasiona mniszka lekarskiego z łatwością unosi powiew wiatru.

Wyhoduj fasolkę

PRZYGOTUJ: szklany słoik, papierowy ręcznik, ziarna fasoli, doniczkę i nieco nawozu.

1. Wyłóż słoik wilgotnym papierowym ręcznikiem. Na nim, tuż przy szkle, ułóż kilka ziaren fasoli.

2. Po kilku dniach powinny się pokazać pierwsze pędy i małe korzonki.

3. Kiełkującą roślinę przenieś do doniczki z nawozem, a potem starannie ją podlewaj.

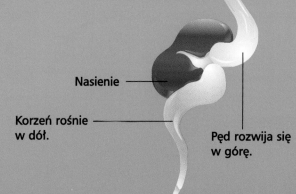

Drzewa i liście

Drzewo jest rośliną o grubej, zdrewniałej łodydze, czyli pniu. Większość drzew może rosnąć przez setki lat. Niektóre są małe, lecz wiele jest wyższych niż dom.

Kora

Kiedy drzewo rośnie, jego zewnętrzne tkanki twardnieją. Obumierając, tworzą twardą warstwę – korę. Jest wiele różnych jej rodzajów.

Buk ma gładką, cienką korę.

Dąb ma korę popękaną i pobrużdżoną.

Cyprysy są drzewami wiecznie zielonymi. Takie rośliny nigdy nie tracą wszystkich liści.

Wzrost

Przypatrz się słojom – kręgom widocznym na ściętym pniu drzewa. Jeśli je policzysz, będziesz wiedział, ile drzewo ma lat.

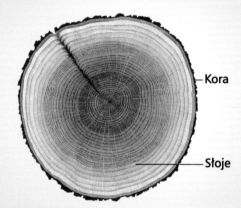

Kora

Słoje

Drzewo rozrasta się od środka na zewnątrz. Co roku przybywa jeden słój i pogrubia pień.

Korzenie

Drzewo korzeniami pobiera wodę z gleby. Są one także jakby kotwicą, która stabilizuje roślinę w ziemi. Wysokie drzewa, takie jak widoczne niżej cyprysy, nie ustałyby bez mocnych korzeni.

Jesienne liście

Liście zawierają chlorofil, zielony barwnik niezbędny w procesie fotosyntezy – wytwarzania przez roślinę pożywienia (zob. str. 92). Kiedy jesienią obumierają, chlorofil rozkłada się i liście zmieniają kolor.

Ostrokrzew ma liście twarde i kolczaste.

★ Liść kasztanowca tworzy siedem odrębnych blaszek.

W listopadzie

Wiele gatunków drzew każdej jesieni traci wszystkie liście. Opadają one na przykład z brzozy czy z topoli. Natomiast drzewa wiecznie zielone, jak świerk lub cis, nie tracą naraz wszystkich igieł.

Cienkie, ostre igły cedru rosną w kępkach.

Dąb ma miękkie liście o falistych krawędziach.

Jesienią, zanim opadną z drzew, liście mienią się pięknymi odcieniami purpury i złota.

Nasiona i owoce

Wszystkie drzewa wytwarzają kwiaty, potem kwiaty przekształcają się w owoce. Są w nich nasiona, z których mogą wyrosnąć nowe drzewa.

Żołądź – owoc dębu

W jabłku jest kilka nasion.

Grzyby

Grzyby nie są roślinami, gdyż same nie wytwarzają pożywienia. Ich pokarmem są inne żywe organizmy lub ich szczątki.

Rodzaje grzybów

Grzyby występują w tysiącach różnych kształtów i mają różną wielkość.

Wiele grzybów rośnie w lesie. Są wśród nich zarówno jadalne, jak i śmiertelnie trujące.

Zielony, puszysty nalot, który niekiedy można dostrzec na owocu lub na serze, to również grzyb, potocznie zwany pleśnią.

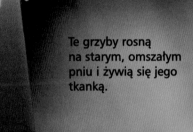

Te grzyby rosną na starym, omszałym pniu i żywią się jego tkanką.

Zarodniki

Grzyby nie wytwarzają nasion ani pyłku. Rozmnażają się poprzez zarodniki – malutkie kuleczki, które wypadają z grzyba. Roznosi je wiatr i potem z zarodników wyrastają nowe rośliny.

Zarodniki grzyba w powiększeniu mikroskopowym

Pożyteczne grzyby

Niektóre grzyby są bardzo pożyteczne. Na przykład jeden z ich rodzajów – drożdże – wykorzystuje się podczas przygotowywania ciasta na chleb i do wyrobu wina. Inne służą do produkcji lekarstw.

Twoje ciało

Organizm

Czy zastanawiałeś się kiedyś nad tym, co znajduje się wewnątrz twojego ciała? Składa się ono z wielu odrębnych części. Wszystkie pełnią określone funkcje, których ogół utrzymuje cię przy życiu.

Narządy

Narządy to ważne części organizmu, takie jak serce, płuca, żołądek czy mózg. Znajdują się w górnej części ciała i w głowie. Niektóre narządy pokazano na ilustracji.

Każdy z nich pełni określoną funkcję. Na przykład żołądek przechowuje pokarm, który zjadasz, a płuca zaopatrują ciało w tlen.

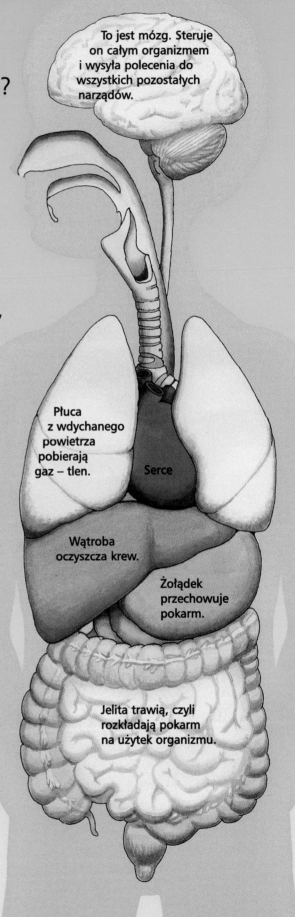

To jest mózg. Steruje on całym organizmem i wysyła polecenia do wszystkich pozostałych narządów.

Płuca z wdychanego powietrza pobierają gaz – tlen.

Serce

Wątroba oczyszcza krew.

Żołądek przechowuje pokarm.

Jelita trawią, czyli rozkładają pokarm na użytek organizmu.

Ile powietrza mieści się w płucach?

PRZYGOTUJ: plastikową butelkę z zakrętką, giętką słomkę i miskę z wodą.

1. Napełnij butelkę wodą i zakręć. Trzymając ją w misce do góry dnem, odkręć zakrętkę.

2. Włóż słomkę w szyjkę butelki. Weź głęboki wdech, a potem mocno dmuchaj w słomkę, tak długo, aż całkowicie opróżnisz płuca z powietrza.

Powietrze, które wypuścisz z płuc, zostanie uwięzione w górnej części butelki. Właśnie tyle mieści się go w twoich płucach.

Krew

Oprócz narządów w ciele człowieka jest około pięciu litrów krwi. Serce zaopatruje w nią całe ciało poprzez tysiące rurek – naczyń krwionośnych. Przepływając naczyniami, krew dostarcza tlen i składniki odżywcze do każdej części ciała.

Krew składa się z krwinek. To komórki (zob. str. 56), które unoszą się w płynie zwanym osoczem. Na ilustracji obok pokazano różne rodzaje krwinek.

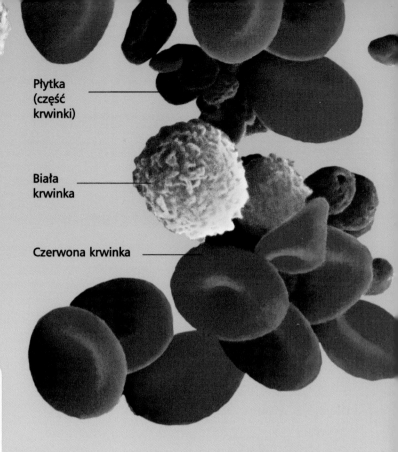

Płytka (część krwinki)

Biała krwinka

Czerwona krwinka

Zmierz sobie puls

Jeśli chcesz poczuć, jak krew przepływa przez twoje ciało, przyciśnij dwa palce do wewnętrznej części nadgarstka. Bicie, które wyczujesz, to puls.

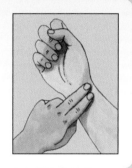

Skóra

Skóra to wodoodporna powłoka, która okrywa całe ciało i chroni jego wnętrze przed zanieczyszczeniami oraz bakteriami. Składa się z dwóch głównych warstw.

Warstwy skóry człowieka w powiększeniu

Włos – część widoczna ponad skórą

Górna warstwa skóry to naskórek.

Pod naskórkiem znajduje się grubsza warstwa – skóra właściwa.

Mieszek włosa

Korzeń włosa

Cebulka włosa

W niektórych miejscach naskórek sięga głęboko w skórę właściwą i tworzy mieszek włosa. Włos może wyrosnąć z każdej cebulki.

Kości i mięśnie

Kości i mięśnie tworzą układ kształtujący ciało. Dzięki nim możesz się wyprostować i poruszać. Bez kości i mięśni twoje ciało byłoby bezkształtną masą.

Szkielet

Ogół kości to szkielet – jakby rusztowanie dla ciała. Stawy giętkie w miejscach, w których stykają się kości, umożliwiają ci przyjmowanie różnych pozycji.

Kości również chronią wnętrze ciała. Na przykład żebra w klatce piersiowej zapobiegają zmiażdżeniu narządów wewnętrznych.

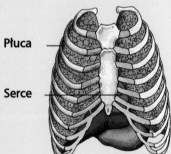

Płuca

Serce

Miękkie kości

Kości dziecka częściowo są zbudowane z giętkiego tworzywa, zwanego chrząstką. Podczas wzrastania większa część chrząstki zmienia się w twardą kość.

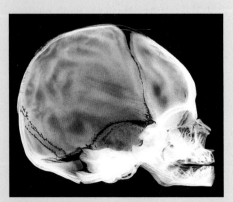

Obok widać zdjęcie rentgenowskie czaszki noworodka. Wraz z rozwojem dziecka przerwy między kośćmi zamykają się, a czaszka twardnieje.

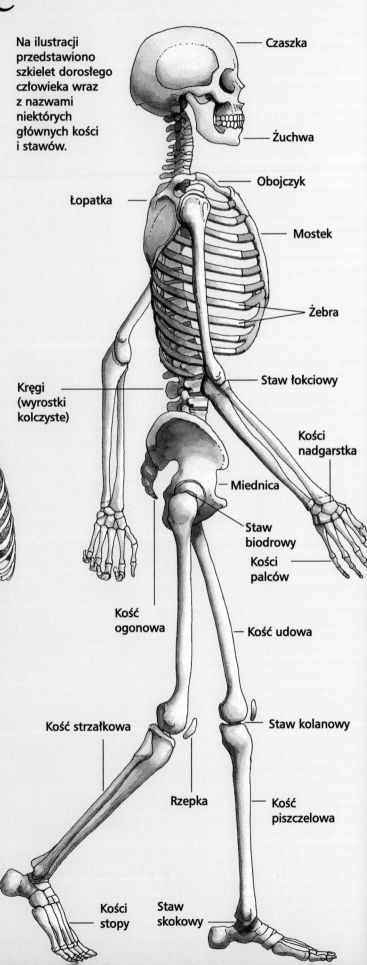

Na ilustracji przedstawiono szkielet dorosłego człowieka wraz z nazwami niektórych głównych kości i stawów.

Czaszka

Żuchwa

Obojczyk

Łopatka

Mostek

Żebra

Staw łokciowy

Kręgi (wyrostki kolczyste)

Kości nadgarstka

Miednica

Staw biodrowy

Kości palców

Kość ogonowa

Kość udowa

Staw kolanowy

Kość strzałkowa

Rzepka

Kość piszczelowa

Kości stopy

Staw skokowy

Mięśnie

Kości szkieletu poruszają się dzięki mięśniom. Tak więc właśnie mięśnie umożliwiają ci wszelki ruch: od chodzenia lub pływania po włączenie magnetofonu i obsługiwanie komputera.

Masz także inne mięśnie – mięśniem jest między innymi serce – które działają nawet wtedy, kiedy o tym nie myślisz.

W ciele człowieka jest ponad 600 mięśni. Na ilustracji obok pokazano najważniejsze z nich.

Mięsień trójgłowy (triceps)

Mięsień czworoboczny

Mięsień naramienny

Mięsień dwugłowy (biceps)

Mięsień pośladkowy wielki

Mięsień prosty brzucha

Mięsień brzuchaty łydki

Mięsień czworogłowy

Mięsień smukły

Działanie mięśni

Mięśnie działają, kurcząc się. Kiedy mięsień się kurczy, przyciąga kości, do których jest przyczepiony, co powoduje ich ruch. Na ilustracji obok widać, jak mięśnie kurczą się, gdy zginasz i prostujesz rękę.

Mięsień dwugłowy

Mięsień trójgłowy

Mięsień dwugłowy

Mięsień trójgłowy

Gdy zginasz rękę, kurczy się mięsień dwugłowy i przyciąga przedramię.

Gdy prostujesz rękę, kurczy się mięsień trójgłowy i opuszcza przedramię.

Co się dzieje z jedzeniem

Pokarm, który zjadasz, daje ci energię potrzebną do życia. Aby ją zgromadzić, twój organizm musi zmienić pokarm w składniki odżywcze. Ten proces nazywa się trawieniem.

Droga pokarmu

Gdy pokarm dostanie się do organizmu i wędruje w nim, jest coraz bardziej rozdrabniany. Na dużym rysunku obok prześledź krok po kroku drogę, którą przebywa.

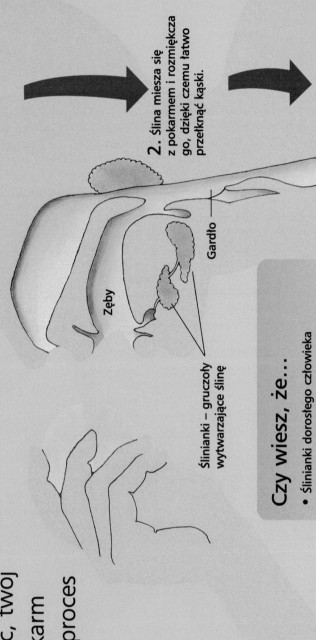

Ślinianki – gruczoły wytwarzające ślinę

Zęby

Gardło

Przełyk

1. Zęby tną i miażdżą jedzenie, kiedy je przeżuwasz.

2. Ślina miesza się z pokarmem i rozmiękcza go, dzięki czemu łatwo przełknąć kąski.

3. Pokarm przesuwa się przez gardło do rurki zwanej przełykiem.

4. Mięśnie w przełyku przepychają jedzenie do żołądka.

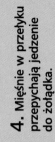

Czy wiesz, że...

• Ślinianki dorosłego człowieka wytwarzają około półtora litra śliny dziennie.

• Twój żołądek może pomieścić do czterech litrów jedzenia i rozciągnąć się do wielkości dużego melona.

• Jelito cienkie, zwinięte w pętle, ma 9 m długości.

• Musi minąć od 18 do 48 godzin, aby pokarm przebył całą drogę przez twoje ciało.

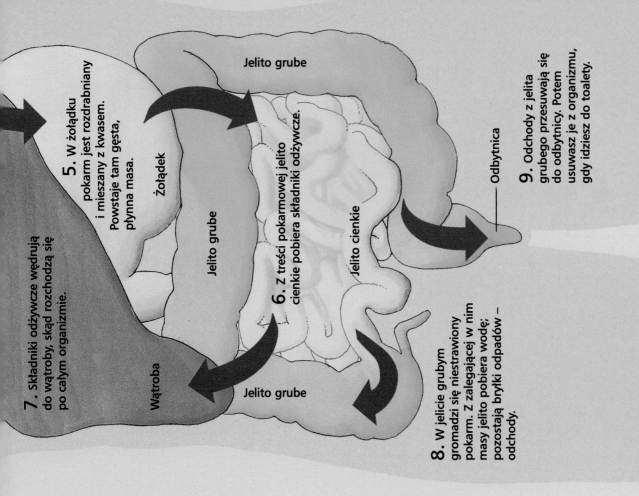

Jelito grube

5. W żołądku pokarm jest rozdrabniany i mieszany z kwasem. Powstaje tam gęsta, płynna masa.

Żołądek

7. Składniki odżywcze wędrują do wątroby, skąd rozchodzą się po całym organizmie.

Jelito grube

Wątroba

Jelito grube

6. Z treści pokarmowej jelito cienkie pobiera składniki odżywcze.

Jelito cienkie

8. W jelicie grubym gromadzi się niestrawiony pokarm. Z zalegającej w nim masy jelito pobiera wodę; pozostają bryłki odpadów – odchody.

Odbytnica

9. Odchody z jelita grubego przesuwają się do odbytnicy. Potem usuwasz je z organizmu, gdy idziesz do toalety.

Pokarm dla komórek

Po rozłożeniu pokarmu na składniki odżywcze krew rozprowadza je po całym organizmie. Część pożywienia zostaje przekształcona na energię, której komórki potrzebują, by funkcjonować – na przykład, by wprawiać w ruch mięśnie. Część natomiast służy do budowy nowych komórek i naprawy komórek uszkodzonych.

Gdy jesz więcej, niż potrzeba, twój organizm przechowuje nadmiar pokarmu w postaci tłuszczu. Dlatego wówczas tyjesz, zwłaszcza jeżeli masz za mało ruchu.

Odpady

Większość pożywienia zawiera składniki, które nie zostaną strawione, na przykład pestki i skórki owoców. Przedostają się one do jelita grubego i tam skupiają w bryłki, które potem wydalasz w toalecie.

W jelitach żyją miliony maleńkich bakterii, takich jak pokazane obok pałeczki E. coli. Korzystają one z trawionego pokarmu, lecz zazwyczaj są nieszkodliwe.

Mózg i zmysły

Całym organizmem kieruje mózg. Pięć zmysłów –
wzrok, słuch, dotyk, smak i węch – przesyła do niego
informacje o wszystkim, co dzieje się wokół ciebie.
Mózg analizuje te dane i podejmuje decyzje.

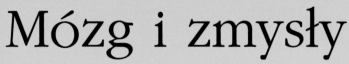

Sieć w mózgu

Mózg to wielka sieć utworzona z komórek
zwanych neuronami. Kiedy myślisz, neurony
przekazują sobie sygnały. Łączą też mózg
z narządami zmysłów i innymi
częściami ciała.

Na ilustracji pokazano
sygnał (kolor zielony)
przeskakujący między
dwoma neuronami.

Zdjęcie głowy wykonane
specjalną techniką;
widać na nim mózg
wewnątrz czaszki.

Czaszka, tutaj
oznaczona kolorem
niebieskim, chroni
mózg.

Mózg to niebiesko-żółty
obszar. Zwoje na jego
powierzchni są tu
widoczne jako żółte linie.

Pień mózgu łączy ten organ
z rdzeniem kręgowym,
a poprzez niego – z całym
ciałem.

Wzrok

Widzisz, ponieważ światło odbija się od przedmiotów i wpada do twoich oczu. Te zaś odbierają bodźce świetlne, po czym zmieniają je w sygnały, które potrafi zrozumieć mózg.

4. Nerw wzrokowy, utworzony z neuronów, przekazuje sygnał do mózgu.

1. Światło odbija się od przedmiotu.

3. Fala świetlna pada na siatkówkę. To obszar światłoczułych komórek wewnątrz oka.

2. Wpada do oka przez źrenicę – czarny punkt pośrodku gałki ocznej.

Słuch

Drgania sprężystych przedmiotów wprawiają też w drganie powietrze: jego cząsteczki poruszają się rytmicznie tam i z powrotem. Słyszysz, kiedy te drgające cząsteczki docierają do twoich uszu. Potem drgania zostają zmienione w sygnały, a te z kolei są przesyłane do mózgu.

1. Dźwięki przemieszczają się w powietrzu jako jego drgania.

2. Docierają do błony bębenkowej.

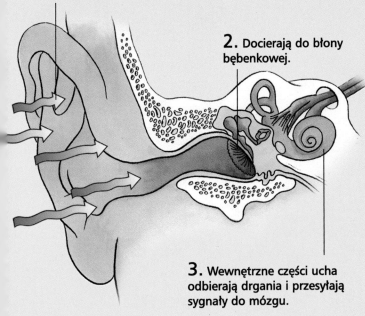

3. Wewnętrzne części ucha odbierają drgania i przesyłają sygnały do mózgu.

Smak i zapach

Kubki smakowe – punkciki rozmieszczone na języku – potrafią odczuć i rozróżnić kilka prostych smaków. Podobnie komórki węchowe w nosie: rozpoznają one różne zapachy, a także pomagają rozróżnić smaki.

Maleńkie różowe grudki na języku mieszczą w sobie kubki smakowe. Te uwypuklenia zobaczysz wyraźniej, gdy przed oględzinami języka wypijesz nieco mleka.

Dotyk

Na skórze są rozsiane miliony czułych zakończeń nerwowych. Potrafią one odczuwać ciepło i zimno, ucisk i ból.

Wielu niewidomych czyta, posługując się opuszkami palców. Tekst jest zapisany specjalnymi znakami, zwanymi pismem Braille'a. Są to małe wypukłości ułożone na papierze w różne wzory.

107

Dzieci

Dziecko przez dziewięć miesięcy rośnie w ciele matki. Potem jest już na tyle rozwinięte, że może żyć poza jej organizmem.

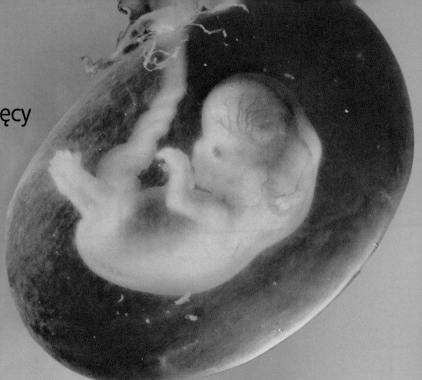

To dziecko rozwija się w ciele matki od ośmiu tygodni.

Poczęcie

Dziecko poczynają dorosły mężczyzna i dorosła kobieta. Kobieta ma w swoim ciele komórki jajowe. Organizm mężczyzny natomiast wytwarza maleńkie, ruchliwe komórki, zwane plemnikami.

Plemniki przedostają się do ciała kobiety. Kiedy plemnik połączy się z jajem, zaczyna rosnąć dziecko.

W ciele matki

Dziecko rozwija się w narządzie kobiety zwanym macicą. Wypełnia ją wodnisty płyn, który chroni płód. Dziecko z matką łączy pępowina. To rurka, która doprowadza tlen, pokarm i wodę z organizmu matki do ciała dziecka.

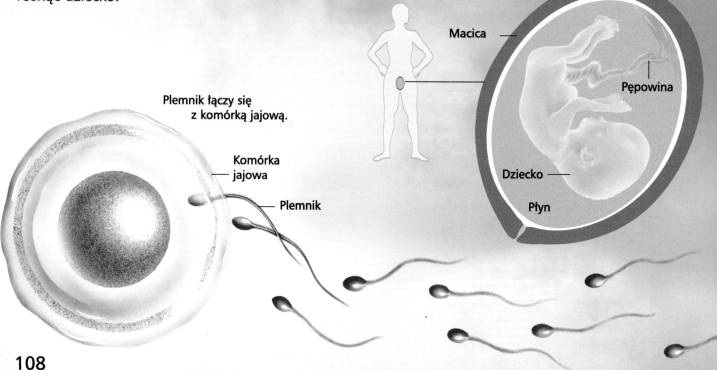

Plemnik łączy się z komórką jajową.

Komórka jajowa

Plemnik

Macica

Pępowina

Dziecko

Płyn

Rozwój i ruch

Po około czterech miesiącach dziecko jest tak duże, że zaznacza się wypukłością na brzuchu matki. Nosząca je kobieta często czuje ruchy dziecka, kiedy ono kopie i wierci się w macicy.

Dziecko w łonie matki po czterech miesiącach od poczęcia

Po sześciu miesiącach

Po dziewięciu miesiącach dziecko jest gotowe do narodzin.

Ten chłopczyk ma cztery dni.

Narodziny

Kiedy dziecko jest gotowe do narodzin, macica matki zaczyna je wypychać. Noworodek wydostaje się na świat przez otwór między nogami kobiety. Poród może trwać wiele godzin, dla matki jest bardzo męczący.

Do kogo podobne?

Dziecko może być podobne do ojca, matki lub do obydwojga rodziców. Zależy to od jego genów. Tak nazywamy polecenia zapisane w komórkach dziecka, które mówią ciału, jak ma rosnąć. Geny dziecka pochodzą z plemnika ojca i komórki jajowej matki.

Każdy plemnik ma połowę genów potrzebnych do poczęcia dziecka. Pozostałe pochodzą z jaja matki.

109

Zdrowie

Kiedy twoje ciało nie działa sprawnie, możesz czuć się źle. Trzeba więc dbać o zdrowie – o prawidłowe funkcjonowanie całego organizmu.

Co jeść?

Aby zachować zdrowie, należy jeść pokarmy różnego rodzaju. Poniższy rysunek ilustruje twoją dietę: jakie pokarmy i ile powinieneś codziennie spożywać.

Higiena

Przestrzeganie higieny zapobiega gromadzeniu się bakterii na twoim ciele i w nim, a więc zachorowaniom. Nie zapominaj o umyciu rąk po wyjściu z toalety i przed jedzeniem. Pamiętaj o myciu zębów. Podczas tej czynności usuwasz bakterie, które robią w nich dziury.

Jedz niewiele pokarmów tłustych i słodkich, takich jak masło, ciastka i cukierki, pij niewiele słodkich napojów.

Jedz dwie porcje pokarmów nabiałowych. Do tej grupy zaliczamy między innymi: mleko, jogurt i ser.

Jedz dwie porcje pokarmów mięsnych. W tej grupie są także ryby, a ponadto jaja, orzechy i fasola.

Jedz trzy porcje warzyw, na przykład marchew, groszek i brokuły.

Jedz dwie porcje owoców – świeżych, suszonych lub z puszki – albo pij w odpowiedniej ilości sok owocowy.

Jedz sześć porcji pokarmów zbożowych. Są to między innymi: chleb, makaron, ryż i płatki zbożowe.

Dbałość o formę

Ruch nie tylko podnosi sprawność twojego ciała, ale może być też doskonałą zabawą. Do dyspozycji masz rozmaite ćwiczenia ruchowe, które różnorako oddziaływają na twój organizm.

Pływanie to doskonały sposób na utrzymanie w formie całego ciała.

Biegi i skoki wzmacniają serce i płuca, to zaś sprawia, że jesteś bardziej wytrzymały.

Sen

Sen jest bardzo ważny dla organizmu. Kiedy śpisz, tkanki ciała mogą rosnąć i odnawiać się. Dzieci jeszcze rosną, dlatego potrzebują więcej snu niż dorośli.

Wiosłowanie wzmacnia mięśnie, tak że mogą one działać bez większego wysiłku.

Gimnastyka i taniec ćwiczą mięśnie i stawy, nadają ciału gibkość i giętkość.

U lekarza

Kiedy jesteś chory, możesz pójść do lekarza. Po badaniu powie on, co ci dolega, i określi sposób leczenia. Doradzi również, jak zapobiegać chorobom.

Badanie

Gdy udasz się do lekarza, wypyta cię o samopoczucie, a potem zbada. Badanie to szukanie oznak i przyczyn choroby. Niekiedy ich znalezienie wymaga przeprowadzenia dodatkowych, bardziej szczegółowych oględzin twojego ciała.

Leczenie

Ilustracje niżej pokazują, jak lekarz może pomóc ci w odzyskaniu zdrowia. Niekiedy poprzestanie tylko na zaleceniu odpoczynku lub zmiany diety.

W wielu wypadkach chory musi zażywać lekarstwa. Podaje się je w płynie lub w tabletkach.

Zastrzyk to wprowadzenie lekarstwa do organizmu przez cienką igłę.

Przy złamaniu kości często nie obejdzie się bez gipsowego opatrunku. Usztywnia on złamaną rękę lub nogę; kości nie przemieszczają się wtedy i dzięki temu równo się zrastają.

Posługując się aparatem Roentgena, można zobaczyć kości wewnątrz ciała. Na tym zdjęciu rentgenowskim widać złamaną rękę.

Świat dinozaurów

Zwierzęta żyły na Ziemi już długo przed pojawieniem się człowieka. W różnych okresach czasu naszą planetę zamieszkiwały różne gatunki. Przez pewien czas największymi zwierzętami były dinozaury.

Ta grupa gadów obejmowała wiele odmian. Niżej pokazano jednego z największych i jednego z najmniejszych dinozaurów. Możesz porównać ich wielkość ze wzrostem człowieka.

Czym były dinozaury

Dinozaury należały do grupy zwierząt zwanych gadami (zob. str. 70). Wszystkie gady mają łuskowatą skórę. Łuski pokrywają również część skóry ptaków, toteż naukowcy sądzą, że są one spokrewnione z dinozaurami.

Wszystkie dinozaury żyły na lądzie. Niektóre, zdobywając pożywienie, polowały na inne zwierzęta, lecz wiele żywiło się roślinami. Większość dinozaurów wyginęła 65 milionów lat temu, długo przed pojawieniem się pierwszych ludzi. Przetrwały jedynie ptaki.

Młode dinozaury rozwijały się w jajach składanych przez matkę. Potem wydostawały się ze skorupy, czyli wykluwały się.

W morzu i pod niebem

Gdy na ziemi żyły dinozaury, pod niebem szybowały gady latające – pterozaury. Inne wielkie gady pływały w morzu.

Diplodok – ogromny, roślinożerny dinozaur był dłuższy niż dwa autobusy ustawione jeden za drugim.

Triceratops potężnymi rogami odstraszał napastników.

Ten morski gad to ichtiozaur. Był świetnym pływakiem.

Pterozaury, jak ten pteranodon, miały wielkie skrzydła obciągnięte skórą.

Ogromne zwierzę było wyższe od słonia.

Długimi, ostrymi zębami bez trudu rozdzierał kawały mięsa.

Ten groźnie wyglądający dinozaur to mięsożerny tyranozaur.

Tyranozaur potężnymi pazurami chwytał zdobycz.

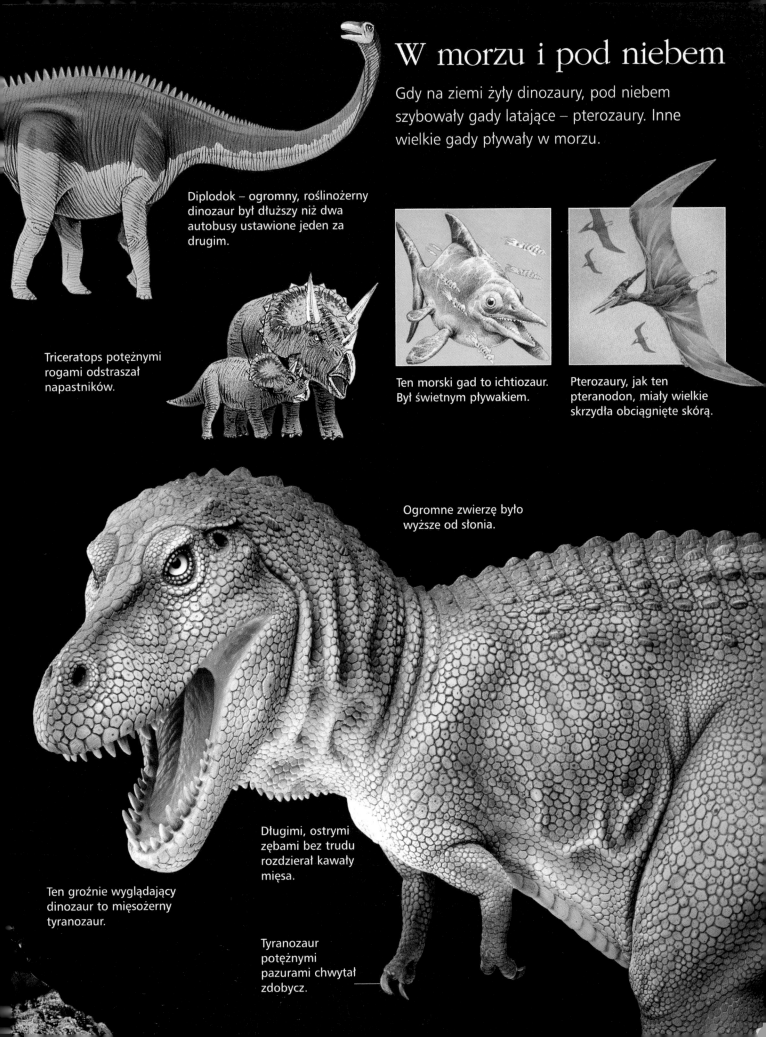

Pierwsi ludzie

Pierwsi ludzie zdobywali pożywienie, polując na zwierzęta, łowiąc ryby i zbierając rośliny. Wraz ze zmieniającymi się porami roku w poszukiwaniu żywności wędrowali w coraz to inne miejsca.

Latem ludzie mieszkali w szałasach, budowanych z gałęzi i skór zwierzęcych.

Zimą, kiedy przychodziły chłody, często chronili się w jaskiniach.

Myślistwo i zbieractwo

Te poszukiwania zabierały naszym praprzodkom wiele czasu. Polowali na jelenie, konie, bizony i dzikie świnie. Żywili się również wszelkimi jadalnymi roślinami i małymi zwierzętami, jakie udało im się znaleźć.

Oto niektóre z tych pokarmów:

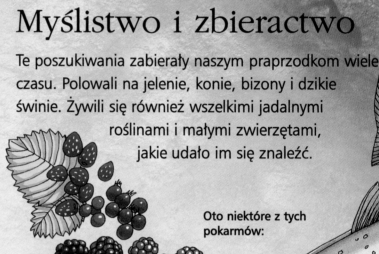

Jagody

Ryba

Ślimak

Liść mniszka lekarskiego

Orzechy

Grzyby

Krab

Ptasie jaja

Skorupiaki

Jaszczurka

Te wizerunki zostały namalowane
na ścianie jaskini w Lascaux, we Francji.
Czy odgadniesz, jakie zwierzęta przedstawia rysunek?
(Odpowiedź znajdziesz na str. 320).

Malowidła naskalne

We wnętrzach najgłębszych,
najciemniejszych jaskiń ludzie malowali
sylwetki zwierząt, na które polowali.
Może sądzili, że te malowidła mają
magiczną moc i zapewnią im
pomyślne łowy.

Kamienne
narzędzia

Pierwsi ludzie używali narzędzi
wykonanych z kamienia, zwanego
krzemieniem. Polowali, używając
włóczni zakończonych ostrymi
krzemiennymi grotami.
Wytwarzali też siekiery i noże
do krojenia mięsa.

Później używali strzał z takimi
krzemiennymi grotami.

Początki rolnictwa

Rolę zaczęto uprawiać, gdy ludzie nauczyli się siać rośliny i je hodować. Zarazem oswoili też zwierzęta – najpierw owce i krowy. Wtedy nie musieli już przemieszczać się w poszukiwaniu pożywienia, mogli pozostać w jednym miejscu.

Ten gliniany dzban służył pierwszym rolnikom osiadłym na terenie dzisiejszej Turcji.

Uprawa roślin

Około 12000 lat temu rolnicy na Bliskim Wschodzie zaczęli uprawiać pszenicę i jęczmień. Ziarno mielili na mąkę i wypiekali z niej chleb.

Kłosy pszenicy bogate w ziarna

Początki rzemiosła

Rolnicy nie musieli już spędzać całego dnia na poszukiwaniu pożywienia, mieli więc czas na zdobywanie nowych umiejętności. Lepili naczynia z gliny, w których przygotowywali i przechowywali jedzenie. Nauczyli się też prząść wełnę i tkać.

Oto część rolniczej osady na Środkowym Wschodzie. Mur wokół wioski chronił jej mieszkańców przed dzikimi zwierzętami.

Składanie darów przed posągiem wioskowej bogini

Narzędzia z metalu

Pierwsi rolnicy używali narzędzi z kamienia, kości i drewna. Później ludzie nauczyli się wytwarzać przedmioty z metalu. Pierwsze metalowe narzędzia wykonywano z miedzi.

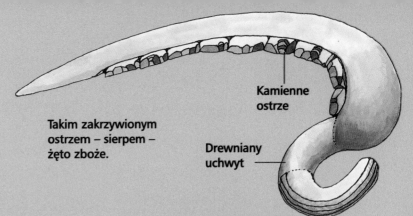

Takim zakrzywionym ostrzem – sierpem – żęto zboże.

Kamienne ostrze

Drewniany uchwyt

Kobiety nosiły wodę ze strumienia w dużych dzbanach.

Dojrzałe zboże żęto sierpami.

Cegły do budowy domu wyrabiano z mulistego błota.

Dachy domów kryto słomą.

Krowy hodowano dla mięsa, mleka i skór.

119

Starożytny Egipt

Starożytni Egipcjanie byli rolnikami. Uprawiali ziemie nad brzegami Nilu, wody tej rzeki użyźniały ich pola. Egipcjanami władał potężny król, zwany faraonem.

Złota maska z grobowca faraona Tutanchamona

Faraonowie i piramidy

Piramidy w Gizie. Pochowano w nich trzech faraonów i ich żony.

Niektórych faraonów chowano w czeluściach wielkich piramid z kamienia, wznoszonych na skraju pustyni. Budowa jednej trwała przynajmniej 20 lat. Zwłoki spoczywały w specjalnym pomieszczeniu pośrodku piramidy; drogę do niego znali tylko nieliczni wtajemniczeni. Do dziś zachowało się w Egipcie około 80 tych budowli.

Ta budowla była grobowcem faraona Mykerinosa.

Piramidę Cheopsa wzniesiono z ponad dwóch milionów kamiennych bloków.

Trzy zmarłe żony Mykerinosa spoczęły w tych mniejszych piramidach.

Mumie i trumny

Egipcjanie próbowali powstrzymać rozkład ciał zmarłych. Wierzyli, że dzięki temu po śmierci czeka człowieka drugie życie. Wyjmowali wnętrzności zmarłego, osuszali ciało i zawijali w bandaże. Tak zachowane zwłoki nazywamy mumią.

Wnętrzności składano do takich słoi.

Mumia spoczywała w drewnianej trumnie, bogato malowanej.

Pismo obrazkowe

Egipskie pismo składało się z wielu obrazków lub symboli, zwanych hieroglifami. Istniało ponad 700 różnych symboli. Oto kilka z nich:

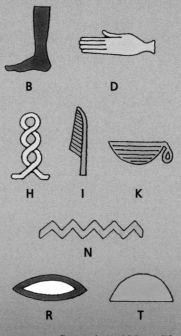

B

D

H

I

K

N

R

T

Czy potrafisz wskazać hieroglify oznaczające I, N, R i T na tym egipskim malowidle?

Starożytna Grecja

W czasach starożytnych Grecja nie była jednym państwem, jak dzisiaj. Istniało wówczas wiele odrębnych, choć ściśle z sobą powiązanych miast. Największe były Ateny, słynące wielkimi uczonymi i wspaniałymi przedstawieniami teatralnymi.

Świątynia Partenon była najświetniejszym budynkiem w Atenach.

Świątynie

W każdym greckim mieście na cześć bogów i bogiń wznoszono ogromne kamienne świątynie. Taka budowla zazwyczaj miała trójkątny dach, wspierający się na rzędach wysokich kolumn.

Rozpoznaj kolumnę

Grecy wznosili kolumny trzech rodzajów. Czy rozpoznasz te, które dźwigają Partenon?

Kolumna dorycka

Kolumna jońska

Kolumna koryncka

Na wzgórzu, wysoko ponad miastem Ateny, zachowały się ruiny świątyni Partenon.

Ściany i kolumny wzniesiono z ozdobnego kamienia – marmuru.

Porównaj wysokość kolumn ze wzrostem człowieka.

Początki teatru

Pierwsze wielkie dramaty w naszych dziejach powstały właśnie w starożytnej Grecji. Ludzie wierzyli wówczas, że wystawianie sztuk sprawia przyjemność bogom. Przedstawienia odbywały się przez kilka dni. Był to konkurs, w którym nagradzano najlepszy dramat i jego autora.

Aktorzy grający bogów mogli szybować w powietrzu dzięki takiemu dźwigowi.

Muzycy

Na ilustracji pokazano, jak wyglądało przedstawienie teatralne w starożytnej Grecji.

Dekoracje

Scena

Olimpiada

Grecy lubowali się w sporcie i we wszystkich miastach organizowali zawody. Najsłynniejsze były igrzyska, które odbywały się co cztery lata na półwyspie Peloponez, w okręgu Olimpia.

Aktorzy grali w kostiumach, na twarzach mieli maski, co wyraźnie określało wykonywane przez nich role.

Ci aktorzy to chór. Taki zespół śpiewał pieśni i tańczył; słowo i ruch objaśniały widzom, co się dzieje na scenie.

To greckie malowidło przedstawia sportowca ćwiczącego skok w dal przed olimpiadą.

Starożytny Rzym

Dwa tysiąclecia temu Rzym był jednym z największych miast świata, a jego władzy podlegały wszystkie ziemie wokół Morza Śródziemnego. Ten olbrzymi obszar tworzył cesarstwo rzymskie.

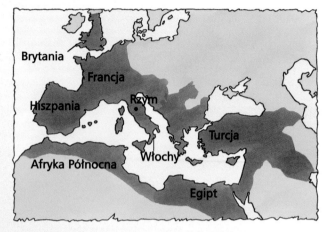

Wszystkie tereny oznaczone na mapie kolorem czerwonym wchodziły kiedyś w skład cesarstwa rzymskiego.

Żołnierze rzymscy nosili żelazne hełmy, osłaniali się drewnianymi tarczami.

Armia

Rzymianie dysponowali ogromną armią dobrze wyszkolonych żołnierzy. Wojsko podbijało nowe terytoria i broniło imperium przed wrogami. Większość żołnierzy walczyła pieszo, ich bronią były włócznie, miecze i sztylety.

Rzymscy żołnierze budowali też długie drogi, łączące miasta całego cesarstwa.

Domy mieszkalne

Bogaci Rzymianie mieszkali wśród rozległych ogrodów w wygodnych domach. W niektórych z nich były nawet toalety, bieżąca woda i centralne ogrzewanie.

Dom w starożytnym Rzymie. Na ilustracji niektóre części zostały usunięte, aby można było obejrzeć wnętrze.

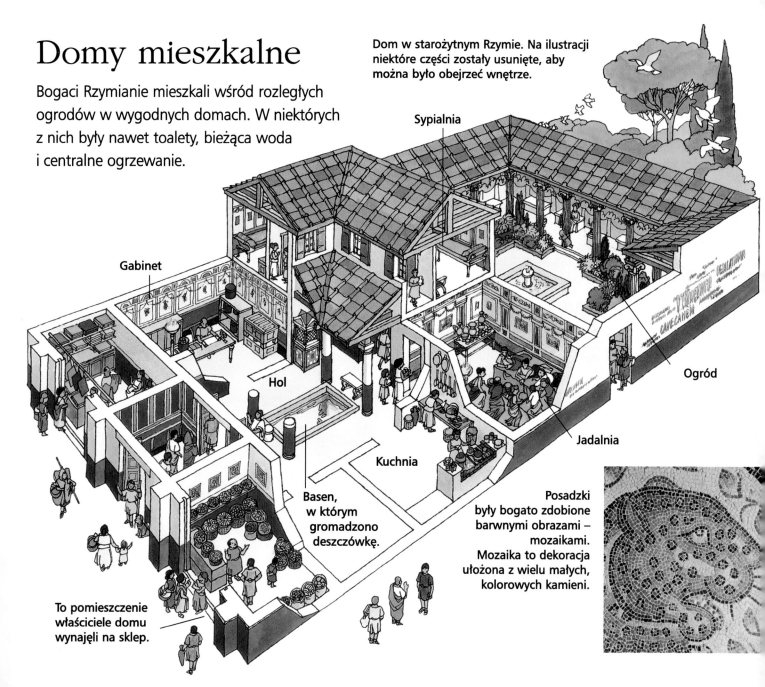

Sypialnia

Gabinet

Hol

Ogród

Jadalnia

Kuchnia

Basen, w którym gromadzono deszczówkę.

Posadzki były bogato zdobione barwnymi obrazami – mozaikami. Mozaika to dekoracja ułożona z wielu małych, kolorowych kamieni.

To pomieszczenie właściciele domu wynajęli na sklep.

Rozrywki

Rzymianie pasjonowali się wyścigami rydwanów. Urządzano je na ogromnym torze otoczonym trybunami dla widzów, zwanym cyrkiem.

Ulubioną rozrywką były także walki gladiatorów, którzy podczas tych krwawych zmagań często ginęli.

Większość Rzymian codziennie chodziła do łaźni publicznych. Służyły one nie tylko do kąpieli, ale też do odpoczynku, były miejscem spotkań towarzyskich.

Najazdy wikingów

Wikingowie pochodzili z terenów dzisiejszej Norwegii, Szwecji i Danii. Byli świetnymi żeglarzami, a także groźnymi wojownikami. Napadali i grabili wioski u wybrzeży całej Europy.

Tak wyglądał wiking-wojownik.

Grenlandia
Islandia
Tutaj żyli wikingowie.
Ameryka Północna
Francja
Wyspy Brytyjskie
Hiszpania
Włochy

Do tych wszystkich miejsc dopłynęli wikingowie.

Łódź wikingów

Podboje na łodzi

Wikingowie dokonywali najazdów na wielkich, długich łodziach. Były one tak mocne, że mogły pływać po wzburzonych morzach. Zarazem miały niewielkie zanurzenie, toteż wikingowie mogli nimi pływać również po płytkich rzekach.

Rzeźbiona głowa smoka miała odstraszać wrogów.

Wikingowie płyną na podbój kolejnego wybrzeża...

Duże wiosło z tyłu okrętu służyło za ster.

Domy

Wodzowie wikingów mieszkali w dużych domach o podłużnym kształcie. W takiej chacie była tylko jedna, obszerna izba, w której wszyscy domownicy jedli, pracowali i spali. Nie miała okien, toteż wewnątrz musiało być bardzo ciemno.

Na ilustracji część ścian została usunięta, aby można było obejrzeć wnętrze domu.

Dach kryty słomą

Ściany z drewnianych bali

Dym z paleniska wydobywał się przez otwór w dachu.

Sypialnia wodza

Kobiety tkały na drewnianej ramie – krośnie.

Toaleta

Domownicy spali na ławach ustawionych pod ścianami.

Zimą również zwierzęta gospodarskie trzymano w izbie.

Rzemiosło

Wikingowie wyrabiali piękne brosze, bransolety i klamry ze złota, srebra i brązu. Z kości i rogów zwierząt rzeźbili łyżki i grzebienie.

Takimi broszami kobiety spinały odzież.

Na zamku

W średniowieczu – tj. w okresie między V a XV wiekiem – królowie Europy i możni panowie często walczyli z sobą o ziemię. Budowali więc potężne zamki z kamienia, by w ich murach chronić się przed wrogami.

Budowla zamkowa

Możnowładca mieszkał w zamku ze swoją rodziną oraz wszystkimi żołnierzami i służbą. W takiej budowli musiało być bardzo zimno, ponieważ pierwsze zamki nie miały szyb w oknach.

Na ilustracji pokazano wnętrze zamku. Niektóre ściany zostały usunięte, aby można było obejrzeć pomieszczenia.

Wszyscy mieszkańcy zamku jedli razem w wielkiej sali.

Sypialnia pary królewskiej

Ta wysoka wieża warowna była najbezpieczniejszym miejscem na zamku.

Kuchnia

Tutaj przechowywano broń.

Loch dla więźniów

Spiżarnia

Rycerze

Rycerze byli żołnierzami walczącymi na koniach. Mogli nimi zostać jedynie chłopcy ze szlacheckich rodzin. Prawdziwy rycerz był silny i dzielny, przysięgał też walczyć tylko dla swego pana.

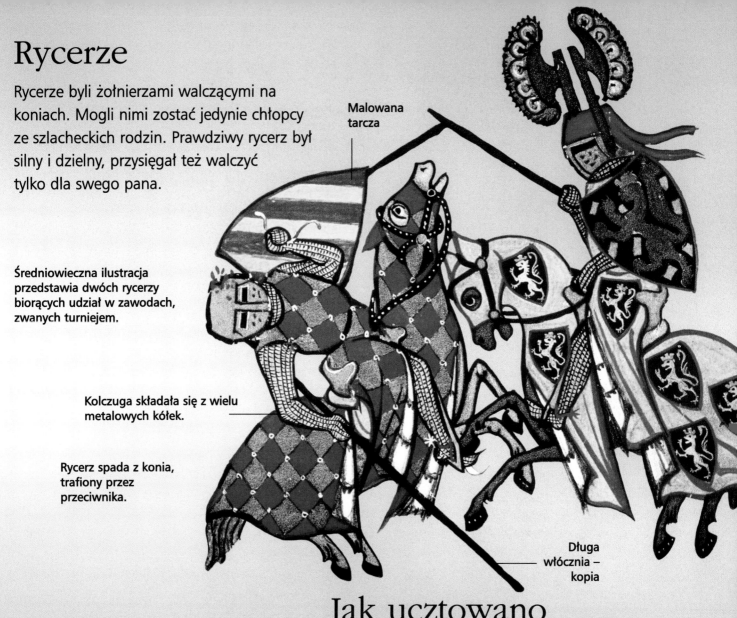

Malowana tarcza

Średniowieczna ilustracja przedstawia dwóch rycerzy biorących udział w zawodach, zwanych turniejem.

Kolczuga składała się z wielu metalowych kółek.

Rycerz spada z konia, trafiony przez przeciwnika.

Długa włócznia – kopia

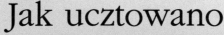

Jak ucztowano

Ucztowano w wielkiej sali zamku. Na stole pojawiały się wymyślne potrawy: pieczony łabędź, wieprzowina z przyprawami korzennymi, potrawka z wiewiórki, makrela w cukrze. Na deser podawano na przykład szarlotkę lub ciastka miodowe.

Mury chroniły przed wrogiem.

Na wieży strażnicy wypatrywali nieprzyjaciół.

Błazen rozweselał gości.

Muzycy, zwani minstrelami, grali na instrumentach i śpiewali.

Dawny inkaski rytuał w czasach nam współczesnych. Zdjęcie z miasta Cuzco w Peru.

Inkowie

Inkowie żyli w Andach – górach w Ameryce Południowej. Większość z nich uprawiała rolę, lecz byli też doskonałymi budowniczymi. Państwem władał król, zwany inką.

Miasta z kamienia

Inkowie budowali wielkie miasta z potężnych kamiennych bloków. Kamiennymi młotami kształtowali budulec tak, by głazy dobrze do siebie pasowały. W każdym mieście wznosili świątynie, pałace i obserwatoria, w których badali gwiazdy.

Machu Picchu leży 2350 m n.p.m.

Ruiny Machu Picchu, miasta Inków, wysoko w Andach

Drogi

Inkowie budowali drogi utwardzane kamieniem, które łączyły miasta imperium. Tymi doskonałymi traktami posłańcy roznosili wiadomości. Z dróg korzystali też żołnierze, kupcy i rolnicy dostarczający do miast żywność.

Lam używano jako zwierząt jucznych.

Ponad dolinami i rzekami Inkowie budowali mosty z trzciny.

Rolnictwo i hodowla

Inkascy rolnicy uprawiali kukurydzę, ziemniaki, paprykę, fasolę, pomidory i odmianę dyni. Hodowali świnki morskie; ich mięso było przysmakiem. Kobiety robiły napój alkoholowy, zwany chicha; powstawał on z przeżutych owoców wyplutych do ciepłej wody.

Odmiana dyni

Papryka

Pomidory

Fasola

Kukurydza

Rolnicy uprawiali rośliny na szerokich półkach, zwanych tarasami, które wykopywali w zboczach gór.

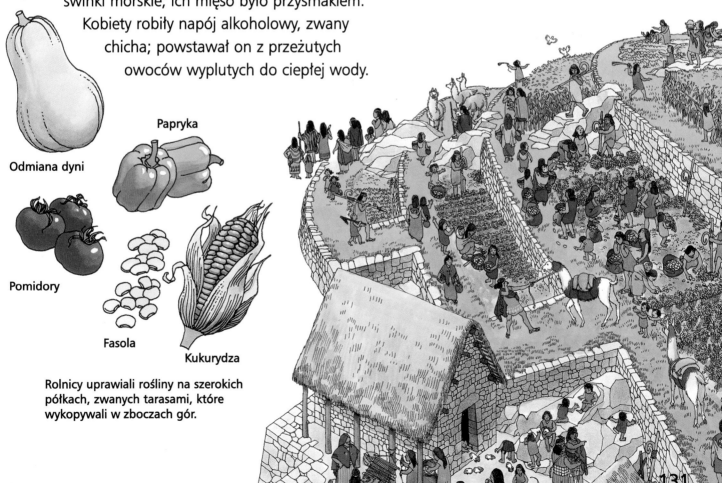

Chiny epoki Ming

Około 500 lat temu Chinami władała dynastia cesarzy Ming. Stolicą państwa uczynili oni miasto Pekin. Mieszkali w ogromnym pałacu, zwanym Zakazanym Miastem.

Chińczycy wynaleźli proch strzelniczy. Używali go do wyrobu sztucznych ogni oraz jako materiału wybuchowego.

Zakazane Miasto

Ten olbrzymi kompleks składał się z wielkich pawilonów, świątyń, dziedzińców i ogrodów. Zakazane Miasto otaczały mur i fosa – szeroki rów wypełniony wodą. Wstęp do niego miała jedynie rodzina cesarza i służba.

Ilustracja przedstawia uroczysty pochód przed Pawilonem Najwyższej Harmonii w Zakazanym Mieście.

Budynki z drewna i cegieł, spajanych zaprawą, którą wyrabiano z gotowanego ryżu i białek jajek.

Pałac miał 9999 pokoi, był tak wielki, jak boisko do piłki nożnej. Milion robotników budowało go przez 14 lat.

Urzędnicy i żołnierze

Porcelana, jedwab...

W czasach dynastii Ming Chińczycy wytwarzali piękne przedmioty. Rzemieślnicy słynęli zwłaszcza z doskonałych wyrobów garncarskich, zwanych porcelaną. Wyrabiali także bardzo drogie tkaniny z jedwabiu.

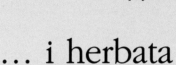

Waza z porcelany

Drewniane pudełko z powłoką ze lśniącej laki

Malowidło na jedwabiu przedstawia chińskich urzędników.

... i herbata

Chińczycy zaczęli uprawiać herbatę około 1700 lat temu. Z początku jej liście stosowali tylko do wyrobu leków, później herbata stała się popularnym napojem. Chińczycy parzyli ją w dzbankach i pili z miseczek.

Cesarz podróżował w karecie ciągniętej przez słonie.

Zbiór liści herbacianych

Anglia Tudorów

Tudorowie byli dynastią królów
i królowych. Władali Anglią przez
ponad sto lat, a kraj za ich
panowania stał się bogaty
i potężny.

Monety
wydobyte
z wraku okrętu
Tudorów

Henryk VIII

Henryk VIII został królem w wieku 17 lat. Był
sześciokrotnie żonaty, jednak miał tylko troje dzieci.
Po kłótni z papieżem założył własny kościół, zwany
anglikańskim.

Portret króla Henryka VIII. Władca rozwiódł się
z dwiema żonami (miał ich kolejno sześć) i obydwie
kazał ściąć.

Odkrywcy
i piraci

W czasach Tudorów wielu
żeglarzy dopłynęło
do Ameryki Północnej
i Południowej. Z tych
wypraw przywozili do
Europy nieznaną tam
żywność, między innymi
ziemniaki. Niektórzy
angielscy żeglarze byli
także piratami. Rabowali
kosztowności z okrętów
hiszpańskich u wybrzeży
Ameryki.

Elżbieta I

Elżbieta I była ostatnią i najznamienitszą królową z rodu Tudorów. Władała państwem przez 45 lat. Za jej panowania Anglia odparła atak Wielkiej Armady – floty okrętów hiszpańskich.

Portret Elżbiety I. Królowa lubowała się w strojach, miała ponad 260 sukien.

Teatr elżbietański

Za panowania Elżbiety I rozkwitła sztuka teatralna. Najsławniejszym teatrem był wówczas londyński „Globe". Na tej scenie wystawiał swoje dramaty William Shakespeare.

Na ilustracji niżej pokazano przedstawienie w teatrze „Globe".

Podczas spektaklu na wieżyczce powiewała chorągiew.

Dach chronił aktorów przed deszczem.

Dach kryty słomą

Na ilustracji niektóre ściany budynku usunięto, aby można było obejrzeć jego wnętrze.

Scena

Dębowe belki

Majętni widzowie oglądali przedstawienie z miejsc siedzących.

Biedniejsi stali na placu wokół sceny.

135

W Ameryce

W 1620 roku grupa Anglików, zwanych Pielgrzymami lub Ojcami Pielgrzymami, przybyła do Ameryki Północnej i osiedliła się tam. Pielgrzymi byli bardzo religijni. Opuścili swój kraj, bo chcieli czcić Boga w sposób, na jaki nie pozwalano im w Anglii.

Pielgrzymi popłynęli do Ameryki na statku, który zwał się „Mayflower". Na zdjęciu widać jego kopię.

Trudne początki

Pielgrzymi wylądowali w miejscu, które nazwali Plymouth. Pierwsza zima była bardzo ciężka: połowa osadników zmarła z zimna i głodu.

Wiosną przybysze zaprzyjaźnili się z Indianami. Rdzenni Amerykanie nauczyli ich uprawiać kukurydzę, fasolę i dynię.

Święto Dziękczynienia

Po pierwszych żniwach Pielgrzymi zaprosili Indian na ucztę. Odtąd co roku w listopadzie, na pamiątkę tego wydarzenia, Amerykanie obchodzą Święto Dziękczynienia.

Dachy kryto trzciną.

Domy budowano z desek.

Tak osadnicy suszyli ryby.

Ilustracja przedstawia wioskę Pielgrzymów w Plymouth. Pierwsi osadnicy przygotowują się do dziękczynnej uczty.

Płot chronił wioskę przed dzikimi zwierzętami.

W ogródkach uprawiano fasolę, cebulę, rzepę i dynię.

Na ucztę kobiety przygotowują dzikie indyki.

Chłopiec miele kukurydzę na chleb.

Indianie niosą upolowanego jelenia.

Z duszonej dyni powstanie placek.

Nowe państwo

Z czasem coraz więcej Europejczyków przybywało do Ameryki Północnej. Wszyscy osadnicy, mieszkający na wschodnim wybrzeżu tego kontynentu, z początku byli poddanymi Anglii.

W 1783 roku wygrali oni wojnę z Anglią i powołali własny rząd. Nowe państwo nazwali Stanami Zjednoczonymi Ameryki.

George Washington (Jerzy Waszyngton) – pierwszy prezydent Stanów Zjednoczonych Ameryki

137

Francuski szyk

350 lat temu najpotężniejszym władcą w Europie był król Francji Ludwik XIV. Zasiadł na tronie, mając zaledwie pięć lat; panował przez 72 lata. Był bajecznie bogaty i wiódł życie w przepychu.

Sala Zwierciadlana w pałacu wersalskim. Jedną z jej ścian zdobi 17 wielkich, łukowatych luster.

Pałac królewski

Ludwik wzniósł nowy, wspaniały pałac w Wersalu, niedaleko Paryża. Zapełnił go kosztownymi meblami, obrazami i posągami. Król mieszkał tam wraz ze swoją rodziną i doradcami. Stałymi gośćmi pałacu w Wersalu było też wielu bogatych francuskich szlachciców. Na rozkazy tak licznych domowników pozostawało ponad 1500 służących.

Pałac ma 700 pokoi i 67 klatek schodowych.

Pałac Ludwika XIV w Wersalu. Jego budowa trwała 47 lat.

Fontanny zużywały tyle wody, że mogły być czynne tylko przez trzy godziny na dzień.

Paryska moda

W drugiej połowie XVIII wieku bogata francuska szlachta nosiła stroje najmodniejsze w Europie. Szyto je z najlepszego jedwabiu, zdobiono pięknymi haftami, koronkami i wstążkami oraz biżuterią.

Tak ubierali się francuscy szlachcice w latach siedemdziesiątych XVIII stulecia.

Mężczyźni nosili peruki wytwarzane z włosów ludzkich lub końskiego czy koziego włosia.

Koronkowy krawat

Fryzury kobiet miały wysokość nawet 1 m.

Jedwabne spodnie

Jedwabne pończochy

Bogaci i biedni

W 1789 roku biedniejsi Francuzi zbuntowali się przeciwko bogaczom. Zabili króla, królową i setki szlachciców, po czym sami zaczęli rządzić krajem. To wydarzenie zwiemy Wielką Rewolucją Francuską.

Niektóre suknie były tak szerokie, że przez drzwi damy musiały przechodzić bokiem.

Amerykański Zachód

Z początku Europejczycy przybywający do Ameryki Północnej osiedlali się na jej wschodnim wybrzeżu. Gdy z czasem zaczęło brakować uprawnej ziemi, w jej poszukiwaniu całymi rodzinami udawali się na Zachód.

Szlak oregoński

Szlak kalifornijski

Szlak Santa Fe

USA

Większość rodzin rozpoczynała wędrówkę w Missouri. Mapa pokazuje główne szlaki wiodące na Zachód.

Takie widoki oglądali wędrowcy na szlaku oregońskim. Pionierzy musieli pokonywać góry, rzeki i pustynie.

W drodze

Wędrowców udających się na Zachód zwano pionierami. Podróżowali wozami ciągniętymi przez woły. Wyprawa była długa i uciążliwa, a także niebezpieczna, gdyż na karawanę niekiedy napadali Indianie.

Pionierzy w drodze na Zachód

Przed deszczem i słońcem chroniła tkanina rozpięta na drewnianych obręczach.

Wozy wiozły cały dobytek przesiedleńców i prowiant na drogę.

Gorączka złota

W 1848 roku na zachodnim wybrzeżu, w Kalifornii, odkryto złoto. Tysiące ludzi ruszyło tam w nadziei zdobycia fortuny. To wydarzenie nazwano kalifornijską gorączką złota.

Bryłek złota poszukiwano na dnie strumieni.

Kowboje i bydło

Trawiaste równiny Zachodu były doskonałymi pastwiskami dla bydła. Wyhodowane na nich krowy kowboje pędzili stadami do stacji kolejowych i tam ładowali do wagonów, które jechały na Wschód.

Kowboj – pasterz bydła i koni

Chusta chroniła usta i nos przed kurzem.

Na lasso kowboje chwytali krowy, które odłączyły się od stada.

Kapelusz z szerokim rondem

Skórzane getry osłaniały nogi.

Zwierzęta gospodarskie – krowy i konie – wędrowały za wozami.

Beczka z wodą

Dla bezpieczeństwa rodziny łączyły się w grupy i podróżowały razem.

Walka o ziemię

Osadnicy, zakładając na Zachodzie wielkie gospodarstwa, zabierali ziemię żyjącym tam Indianom. Ci rdzenni Amerykanie długo walczyli o swoje terytorium, lecz w końcu stracili jego większą część.

Siedzący Byk, słynny wódz Indian

Epoka wiktoriańska

Czasy, kiedy Anglią władała królowa
Wiktoria, zwiemy epoką wiktoriańską.
Powstało tam wówczas wiele fabryk, które
zatrudniały licznych robotników. Osiedlali
się oni w miastach, toteż ośrodki miejskie
były coraz bardziej zaludnione.

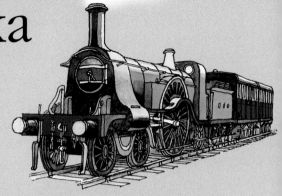

Pociąg stał się podstawowym środkiem transportu ludzi i towarów.

Życie w mieście

Bogaci mieli okazałe kamienice, wznoszone na obrzeżach miast. Robotnicy natomiast
mieszkali w szeregowych domach, bez bieżącej wody i toalet. Nad brudnymi ulicami
unosił się dym z kominów. W tych warunkach ludzie często chorowali i umierali.

Tak w czasach wiktoriańskich wyglądała
robotnicza dzielnica wielkiego miasta.
Czy odnajdziesz na ilustracji policjanta,
który właśnie schwytał złodzieja?

Robotnicy pracowali
w takich fabrykach
sukienniczych. Dzień
roboczy był bardzo
długi.

Ulice
oświetlały
latarnie
gazowe.

W każdym domu
mieszkało do 20 osób.

Zimą mieszkania ogrzewano piecami
na węgiel. Z kominów unosiły się
kłęby dymu.

Dzieci

Dzieci z bogatych rodzin uczyły się: chłopcy chodzili do szkoły, a dziewczęta zazwyczaj pobierały naukę w domu.

Dzieci z biednych rodzin musiały ciężko pracować w kopalniach i fabrykach.

Dzieci, które nie miały własnego domu, mieszkały w przytułkach.

Moda

W połowie XIX wieku damy nosiły suknie bardzo szerokie u dołu. Podtrzymywało je okrągłe rusztowanie, zwane krynoliną. Aby talia była węższa, kobieta mocno ściskała ją gorsetem.

Damska bielizna w czasach wiktoriańskich

Idealny wówczas obwód talii to zaledwie 45 cm

Gorset

Krynolina

Ta ilustracja pokazuje, jak ubierały się kobiety w połowie XIX stulecia.

Czepek z wiązaniem pod brodą

I wojna światowa

Rozpoczęła się w 1914 roku. Niemcy i Austria walczyły wówczas ze sprzymierzonymi siłami czterech państw: Wielkiej Brytanii, Francji, Belgii i Rosji. Później wojna ogarnęła wiele innych krajów.

Maki wyrastające na polach bitewnych stały się symbolem pamięci o wojnie.

W okopach

Wiele bitew rozegrało się we Francji. Żołnierze po obu stronach frontu kopali głębokie rowy, zwane okopami, mające chronić ich przed pociskami wroga.

Żołnierze przebywali w okopach całymi tygodniami. Podczas bitwy wybiegali z nich i ruszali do ataku. Te krwawe walki pochłonęły wiele ofiar tak z jednej, jak i z drugiej strony.

Brytyjscy żołnierze w okopach

Żołnierze odpoczywali w ziemiankach – dziurach wykopanych w ziemi.

Na dno okopu kładziono drewniane ruszty, by żołnierze nie zapadali się w błoto.

Oficerowie mieszkali w podziemnych schronach.

Gdy spadł deszcz, w okopach było bardzo wilgotno.

Nowa broń

Każdy z przeciwników próbował nowych technik wojennych i broni. Niemcy pierwsi użyli trującego gazu, a Brytyjczycy skonstruowali czołg.

Niemiecki myśliwiec

Czołgi były odporne na ogień z broni maszynowej, z łatwością pokonywały zasieki z drutu kolczastego, ale często się psuły.

Niemieckie łodzie podwodne atakowały okręty płynące do Wielkiej Brytanii i Francji.

Obie strony używały samolotów. Lotnicy szpiegowali okopy wroga i walczyli z nieprzyjacielskimi samolotami.

Przed trującym gazem żołnierzy chroniły maski.

Niemieckie okopy

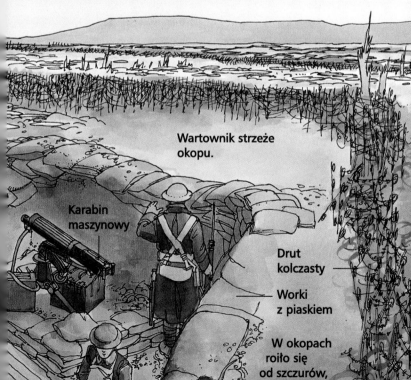

Wartownik strzeże okopu.

Karabin maszynowy

Drut kolczasty

Worki z piaskiem

W okopach roiło się od szczurów, pcheł i wszy.

Koniec wojny

W 1917 roku Stany Zjednoczone Ameryki przyłączyły się do wojny po stronie państw sprzymierzonych, co przyczyniło się do ich zwycięstwa. Wojna zakończyła się 11 listopada 1918 roku. Pochłonęła ponad 16 milionów ofiar.

Co roku 11 listopada wielu ludzi na całym świecie oddaje cześć poległym.

II wojna światowa

Wybuchła w 1939 roku, kiedy Niemcy napadły na Polskę. Później Japonia zaatakowała Stany Zjednoczone. Do walki przeciwko najeźdźcom przyłączyło się wiele państw.

Podczas wojny brakowało żywności. Brytyjski plakat z tamtych lat nawołuje ludzi do uprawiania roli.

Blitzkrieg

W zaledwie kilka miesięcy Niemcy zajęli większość miast zachodniej Europy. Potem rozpoczęli bombardowanie Anglii. Jak głosili agresorzy, miała to być wojna krótkotrwała – błyskawiczna, po niemiecku „Blitzkrieg".

W Wielkiej Brytanii dzieci z wielkich miast wysyłano na wieś, by uchronić je przed nalotami.

Nieco później Brytyjczycy zrzucili bomby na miasta niemieckie. Tak wyglądało jedno z nich, Kolonia, po nalotach bombowych.

Pearl Harbor

W 1941 roku japońskie samoloty zaatakowały amerykańskie okręty wojenne w porcie Pearl Harbor na Hawajach. Stany Zjednoczone przyłączyły się wówczas do wojny. Niebawem walki ogarnęły również Daleki Wschód i wody Oceanu Spokojnego.

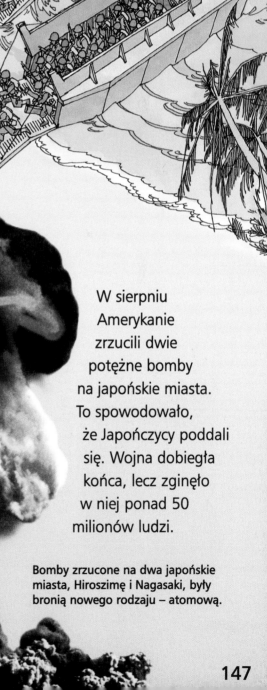

Amerykańscy żołnierze lądują na jednej z wysp Pacyfiku.

Płonące amerykańskie okręty w Pearl Harbor. Cztery z nich zostały zniszczone, a wiele znacznie uszkodzonych.

Holocaust

Przywódca Niemiec, Adolf Hitler, powziął plan zgładzenia wszystkich Żydów w Europie. Podczas wojny z jego rozkazu zamordowano sześć milionów osób narodowości żydowskiej. Ta straszliwa zbrodnia nosi nazwę Holocaust.

Koniec wojny

Niemcy i Japonia nie miały dość wojska i broni, by wygrać wojnę. Ostatecznie sprzymierzeni zmusili armię niemiecką do poddania się w maju 1945 roku.

Radziecka flaga nad Berlinem, stolicą Niemiec, w 1945 r.

W sierpniu Amerykanie zrzucili dwie potężne bomby na japońskie miasta. To spowodowało, że Japończycy poddali się. Wojna dobiegła końca, lecz zginęło w niej ponad 50 milionów ludzi.

Bomby zrzucone na dwa japońskie miasta, Hiroszimę i Nagasaki, były bronią nowego rodzaju – atomową.

ponad 70 lat temu do dziś

Współczesny świat

Na tej stronie przeczytasz o niektórych najważniejszych odkryciach i wynalazkach, dokonanych po II wojnie światowej.

1952 Start pierwszego odrzutowca pasażerskiego.

1957 W Stanach Zjednoczonych uruchomiono pierwszą elektrownię atomową.

1958 Wynaleziono układ scalony, dziś podstawowy element konstrukcji komputera.

1961 Pierwszy człowiek w kosmosie – Jurij Gagarin.

1962 Pierwsza transmisja obrazu telewizyjnego ze Stanów Zjednoczonych do Europy.

1967 Chirurg Christian Barnard dokonał pierwszego przeszczepu serca.

1969 Neil Armstrong jako pierwszy Ziemianin postawił stopę na Księżycu.

1972 „Pong" – pierwsza gra komputerowa.

1975 W Stanach Zjednoczonych sprzedano pierwsze domowe komputery.

1976 Rozpoczął loty „Concorde" – pierwszy ponaddźwiękowy samolot pasażerski.

1979 W Japonii pojawiły się w sprzedaży pierwsze telefony komórkowe.

1981 Skonstruowano pierwszy komputer osobisty.

1981 Pierwsza wyprawa w kosmos amerykańskiego wahadłowca.

1982 W sprzedaży pojawiły się pierwsze płyty kompaktowe (CD).

1982 Pierwsze wszczepienie sztucznego serca.

1989 Powstał Internet – światowa sieć komputerowa umożliwiająca szybki i łatwy dostęp do informacji.

1990 W kosmos wysłano olbrzymi teleskop, zwany teleskopem Hubble'a.

1994 Otwarcie podmorskiego tunelu łączącego Wielką Brytanię z Francją.

1997 Sklonowano pierwsze duże zwierzę – owcę Dolly. Klonowanie polega na stworzeniu wiernej kopii zwierzęcia z pobranych od niego komórek.

Statek kosmiczny, którym w lipcu 1969 roku Neil Armstrong wyprawił się na Księżyc.

Jak
żyją
ludzie

Na ziemskim globie

Na świecie żyje dziś ponad sześć miliardów ludzi. W tej wielkiej masie nie znajdziemy jednak dwóch osób, które wyglądałyby, myślały i czuły tak samo.

Każdy z 13,5 miliona ludzi mieszkających w Szanghaju, w Chinach, różni się od pozostałych wyglądem, sposobem myślenia i odczuwania.

Kim jesteśmy

Ludzie to zapewne najinteligentniejsze stworzenia na Ziemi. Potrafimy wytwarzać różne przedmioty, rozwiązywać problemy i podziwiać dzieła sztuki. Większość badaczy sądzi, że upłynęło bardzo wiele czasu, zanim staliśmy się tak zadziwiającymi istotami, jakimi jesteśmy dziś.

Jak wyglądamy

Nie ma na świecie dwóch osób wyglądających dokładnie tak samo. Ludzie są więc wyżsi i niżsi, mają ciemniejszą albo jaśniejszą skórę lub oczy innego kształtu. Nawet bliźniaki jednojajowe nie są identyczne.

Każde z tych dzieci ma inny kolor skóry i włosów oraz odmienny kształt oczu, nosa i ust.

Wyobrażenia o świecie

Ludzie mają różne wyobrażenia o otaczającym ich świecie i swoim przeznaczeniu. Niektóre takie przekonania nazywamy religiami. Więcej o nich dowiesz się na str. 178-179.

Ci mali Aborygeni z Australii biorą udział w ceremonii, która ze świata dzieciństwa wprowadzi ich w dorosłe życie. Wzory namalowane na skórze chłopców mają pomóc im w dojrzewaniu.

Języki

Ludzie na całym świecie mówią co najmniej pięcioma tysiącami języków. Niektórych używa zaledwie garstka, innymi – na przykład mandaryńskim, odmianą chińskiego – mówi wiele milionów.

Sześciomiesięczne dziecko może nauczyć się mówić każdym językiem.

Zachowanie

Mieszkańcy każdej części świata mają własne sposoby postępowania. Nazywa się je tradycjami i zwyczajami. Wraz z religiami kształtują one odrębne wzory zachowania się ludzi, ubierania, a nawet dobór pokarmu i sposób jego przygotowywania.

Na przykład zwróć uwagę na to, w jak różny sposób ludzie się pozdrawiają – w zależności od tego, gdzie żyją.

W wielu krajach, między innymi w Niemczech, witając się, ludzie zazwyczaj podają sobie dłonie.

Francuzi często witają się i żegnają kilkoma pocałunkami w policzki.

W Indiach witający się składają dłonie i pochylają głowy.

151

Domy i mieszkania

Domy to nasze siedliska.
Mieszkamy w nich – śpimy, jemy
i przechowujemy dobytek.
Mieszkaniem może być okazały
budynek, skromna chata
i sklecony z gałęzi szałas.

Jak powstają domy

W wielu krajach domy stawiają budowniczowie,
wznosząc je z cegieł, drewna czy betonu. Gdzie
indziej sami mieszkańcy budują swe domostwa.
Wykorzystują wtedy łatwo dostępne materiały,
takie jak gałęzie drzew, błoto czy trawa.

Ściany tych okrągłych domów na pustyni Kalahari
w Botswanie powstały ze splecionych gałęzi pokrytych
błotem. Dachy to czapy z trawy.

Słońce, śnieg i woda

Domy muszą być tak zbudowane, by chroniły
ich mieszkańców przed niekorzystnymi
warunkami pogodowymi.

W gorących krajach wiele
domów ma okiennice, które
nie wpuszczają do środka słońca
i zapewniają mieszkańcom
chłód.

Warstwa śniegu na dachu tego
domu w Szwecji sprawia, że
uchodzi z niego mniej cennego
ciepła.

Na terenach nawiedzanych
przez powodzie domy często
stawia się na palach.

Konstrukcja i wyposażenie

W domu jego mieszkańcy śpią, przygotowują posiłki, jedzą
i odpoczywają. W niektórych domach służy do tego tylko jedna izba,
w innych natomiast dla każdej czynności jest wyodrębnione osobne
pomieszczenie. W większości domów jest także łazienka.

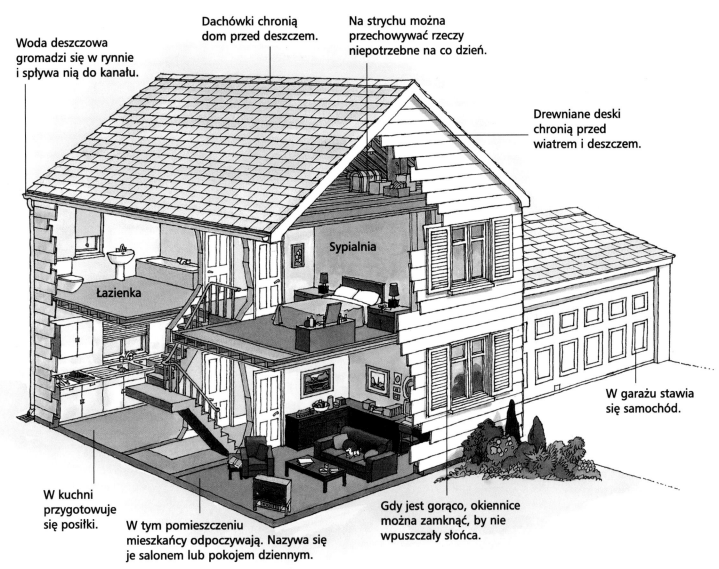

Woda deszczowa
gromadzi się w rynnie
i spływa nią do kanału.

Dachówki chronią
dom przed deszczem.

Na strychu można
przechowywać rzeczy
niepotrzebne na co dzień.

Drewniane deski
chronią przed
wiatrem i deszczem.

Sypialnia

Łazienka

W garażu stawia
się samochód.

W kuchni
przygotowuje
się posiłki.

W tym pomieszczeniu
mieszkańcy odpoczywają. Nazywa się
je salonem lub pokojem dziennym.

Gdy jest gorąco, okiennice
można zamknąć, by nie
wpuszczały słońca.

Koczownicy

Niektórzy ludzie nie żyją ciągle w jednym miejscu.
Przemieszczają się na coraz to nowe tereny, zabierając
swe domy ze sobą. Wędrują tak w poszukiwaniu
zajęcia lub pożywienia i wody dla siebie oraz zwierząt,
które hodują. Takich ludzi nazywamy koczownikami.

Ta koczownicza rodzina z Azji Środkowej
mieszka w dużym namiocie.

W mieście

Miasto to duża, ruchliwa miejscowość, w której mieszka i pracuje wielu ludzi. Połowa ludzi na świecie to mieszkańcy większych i mniejszych miast. Z powodu braku gruntów w wielu takich miejscowościach wzniesiono wysokie budynki.

Życie we wspólnocie

Ludzie żyjący w miastach muszą mieć mieszkania. Potrzebują również szkół, szpitali i sklepów, a także miejsc rozrywki, takich jak parki czy kina. Trzeba też zapewnić im pracę, by mogli utrzymać siebie i swoje rodziny.

W centrum miasta najczęściej znajdują się duże sklepy i przedstawicielstwa wielkich firm.

W miejskich restauracjach, kinach i teatrach ludzie mogą zażyć rozrywki.

Jak w wielu miastach, te budynki w Nowym Jorku, w USA, mają wiele pięter. Budując wzwyż, oszczędza się powierzchnię gruntu zajmowaną przez dom. W większości miast są parki; niżej widzisz nowojorski Central Park.

Miejskie kłopoty

Wielu ludzi lubi życie w mieście. Toczy się ono wartko, a sklepy, szkoły czy teatry są na wyciągnięcie ręki. Lecz miejskie życie nie zawsze jest łatwe. Na przykład czasem trudno znaleźć pracę lub mieszkanie, na które stać najemcę.

Zapadające się ulice

Około 23 milionów ludzi mieszka w Meksyku, stolicy państwa Meksyk. Aby zaopatrzyć mieszkańców w wodę, tak wiele jej wypompowano z podziemnych jezior pod miastem, że teraz ulice każdego roku coraz bardziej się zapadają.

Problemem wielu dużych miast jest komunikacja. Na ulicach tworzą się korki, a powietrze zatruwają spaliny.

Rząd i władza

To, jak rządzi się państwem i jaka jest postawa jego przywódców, ma dla obywateli niemałe znaczenie. Rząd bowiem podejmuje ważne decyzje, na przykład ile pieniędzy przeznaczyć na utrzymanie szkół, ile zaś na rozbudowę i naprawę dróg.

Kto rządzi

Ludzi, którzy kierują państwem, nazywamy rządem. Państwo demokratyczne to takie, w którym rząd wybierają wszyscy obywatele.

Jego przeciwieństwem jest państwo autokratyczne. W takim ustroju społecznym krajem rządzi jedna osoba lub wąska grupa osób bez przyzwolenia ogółu obywateli.

Prezydent jest głową państwa. W latach 1993-2001 ten urząd w Stanach Zjednoczonych sprawował Bill Clinton.

W 1994 roku po raz pierwszy wszyscy mieszkańcy Republiki Południowej Afryki mogli wybrać rząd. Ludzie godzinami stali w kolejkach, by móc oddać głos w wyborach.

Wybory

W państwie demokratycznym ludzie wybierają rząd w głosowaniu.

W dniu wyborów dorośli głosują, stawiając znak na karcie przy nazwisku kandydata, którego popierają.

Nie pokazując nikomu, na kogo oddał głos, wyborca wrzuca kartę do zamkniętej urny.

Gdy wybory się zakończą, komisja liczy wszystkie głosy. Wygrywa kandydat, który zyskał największe poparcie.

Nelson Mandela walczył o wprowadzenie demokracji w Republice Południowej Afryki. W 1994 roku wybrano go na prezydenta tego państwa.

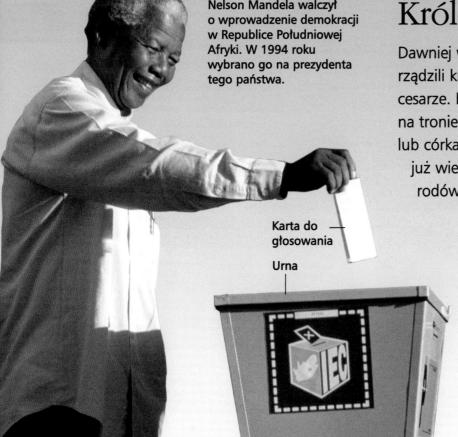

Karta do głosowania

Urna

Podział władzy

W 1783 roku Amerykanie dokonali w swoim państwie podziału władzy na trzy organy. Stany Zjednoczone mają więc prezydenta wybieranego w głosowaniu. Ponadto mieszkańcy każdego stanu wybierają swoich przedstawicieli do Kongresu. Sędziowie Sądu Najwyższego natomiast dbają o to, by w państwie przestrzegano prawa.

Siedziba prezydenta Stanów Zjednoczonych w Waszyngtonie, zwana Białym Domem

Królewskie rody

Dawniej wieloma państwami rządzili królowie, królowe lub cesarze. Kiedy władca umierał, na tronie zasiadał zwykle jego syn lub córka. Dziś na świecie nie ma już wielu naprawdę potężnych rodów królewskich.

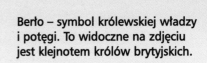

Berło – symbol królewskiej władzy i potęgi. To widoczne na zdjęciu jest klejnotem królów brytyjskich.

Kuchnia

Żywność jest nam niezbędna do życia. W różnych częściach naszego globu spożywa się różne pokarmy, odmiennie przygotowane. Nie wszędzie jednak jest dostatek jedzenia: co najmniej 800 milionów ludzi na świecie cierpi głód.

Ciemny chleb, orzechy i jaja oraz wiele owoców i warzyw – taki może być przepis na zdrową dietę.

Podstawa wyżywienia

W różnych częściach świata różne produkty są podstawą wyżywienia. Dla połowy ludzi zamieszkujących nasz glob takim podstawowym produktem jest ryż. Inne to: zboża, ziemniaki i kukurydza. Wielu ludzi kupuje żywność w sklepach i na rynkach. Pozostali natomiast sami uprawiają pola i zbierają plony.

Rynek warzywny w Hongkongu, w Chinach

158

Przygotowanie posiłku

Odpowiednio przygotowane jedzenie smakuje lepiej i dłużej zachowuje świeżość. Podczas gotowania lub pieczenia giną też chorobotwórcze bakterie. Ponadto tak przyrządzany pokarm jest łatwiej strawny (zob. str. 104). Istnieje wiele sposobów przyrządzania potraw.

W Indiach posiłki często przygotowuje się, podgrzewając potrawę w specjalnym piecu z gliny.

W Chinach do gotowania i smażenia służy wok – głęboka metalowa patelnia.

Ta smakowicie wyglądająca potrawa to hiszpańska paella. Przygotowuje się ją w płytkim rondlu, najlepiej – na ogniu płonącego drewna.

Jak jemy

Jemy na wiele różnych sposobów. Niektórzy ludzie posilają się, klęcząc na podłodze, inni siadają przy wysokich stołach. Wielu z nas posługuje się sztućcami, lecz ludzie jedzą też, nabierając potrawę pałeczkami lub wprost ręką.

W Chinach już małe dzieci sprawnie posługują się drewnianymi pałeczkami.

Święta i uczty

Jedzenie jest ważną częścią obchodzonych przez nas świąt i uroczystości, ma także wielkie znaczenie w niektórych religiach. Na przykład podczas świętego miesiąca ramadanu muzułmanie nic nie jedzą i nie piją od wschodu słońca do zmierzchu. Kiedy zaś post się kończy, wyprawiają wielką ucztę.

Ubiory i moda

W początkach naszych dziejów ludzie odziewali się dla ochrony przed chłodem. Potem odzież zaczęła pełnić również inne funkcje: wskazywać, skąd pochodzi noszący ją człowiek, jaką pracę wykonuje i jak jest zamożny. I dziś ubiór może nam wiele powiedzieć o tym, kto go nosi.

Kobiety z zachodniego Tybetu w tradycyjnych sukniach

Czym jest moda

Moda to styl ubierania się, a także czesania i malowania twarzy. Jeden styl jest popularny tylko przez krótki czas, bo moda nieustannie się zmienia. Niektóre ubiory sprzedawane w sklepach są wzorowane na stylach, które podpatrzono na wielkich pokazach mody – w Nowym Jorku, Paryżu czy Mediolanie.

W pogoni za modą

Ludzie, którzy chcą dotrzymać kroku modzie, dostosowują się do panującego stylu – choć niekiedy może się on wydać dziwaczny. Na przykład tak dziś oceniamy olbrzymie peruki, kiedyś bardzo popularne.

Te dziewczęta, chcąc nadążyć za modą, ufarbowały sobie włosy i noszą jaskrawe stroje.

Wierność tradycji

W wielu zakątkach naszego globu ludzie ubierają się w stylu obowiązującym tam od stuleci. Pozostają więc wierni tradycji, a nie modzie. Ubiór tradycyjny w jakimś kraju zwiemy strojem narodowym.

Częścią tradycyjnego stroju kobiet i dziewcząt z afrykańskiego plemienia Masajów jest naszyjnik z koralików.

Japonka w tradycyjnej sukni – kimonie

Głowę tego Marokańczyka zdobi tradycyjny kapelusz.

Narodowym strojem kobiet w Indiach jest sari.

Ubiór a klimat

Ludzie zazwyczaj ubierają się stosownie do swojego sposobu życia. Tak więc dobierają ubiór odpowiedni do klimatu, w którym żyją, i pracy, jaką wykonują. O strojach roboczych przeczytasz na str. 162.

Tam, gdzie panują chłody, ludzie noszą wiele warstw odzieży. Powietrze uwięzione pomiędzy nimi chroni przed zimnem.

Mieszkańcy gorących, wilgotnych terenów – takich jak lasy deszczowe – na ogół są ubrani skąpo, aby było im chłodniej.

W gorącym i suchym, pustynnym klimacie ludzie noszą luźne szaty, chroniące ich przed palącym słońcem.

Zawód i praca

Ludzie pracują zawodowo przede wszystkim po to, by zarobić pieniądze, dzięki którym mogą utrzymać siebie i rodzinę. Wielu ludzi lubi swą pracę. Dla innych natomiast jest ona tylko sposobem na przeżycie.

Ten chłopiec pracuje codziennie przed pójściem do szkoły – rozwozi gazety.

Zmiana przez wieki

W bogatszych częściach świata sposoby pracy zmieniały się wraz z rozwojem społeczeństw.

Przez stulecia większość ludzi uprawiała niewielkie poletka ziemi.

Około 200 lat temu ludzie zaczęli pracować w fabrykach.

Dziś wiele osób pracuje w biurze lub w domu, używając komputera.

Chirurdzy

Ubrania robocze

Podczas wykonywania niektórych prac ludzie muszą mieć specjalne ubiory. Takim ubiorem jest mundur, dzięki któremu noszący go jest lepiej widoczny. Częścią ubioru roboczego mogą być kask i okulary, które chronią ciało przed urazem.

Czapka kucharska sprawia, że do potrawy przygotowywanej przez kucharza nie wpadają włosy. Fartuch chroni jego ubranie.

Kurier na motocyklu

Spawacz

Czy odgadniesz, dlaczego pokazani tu ludzie mają na sobie specjalne ubiory?

Robotnik

Policjanci

Praca w zespole

Wielu ludzi pracuje w zespołach. Każdy w takiej grupie ma do wykonania inne zadanie. Ten zespół robotników buduje dom z cegieł.

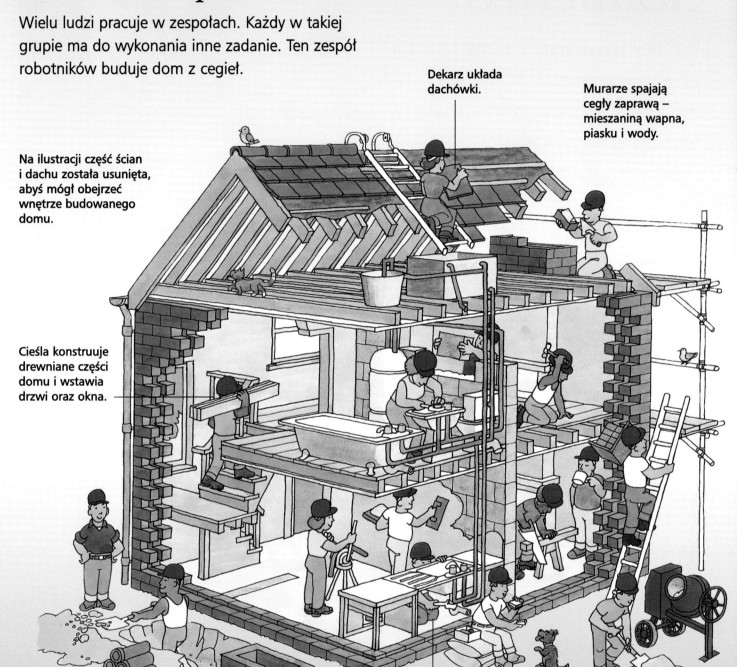

Dekarz układa dachówki.

Murarze spajają cegły zaprawą – mieszaniną wapna, piasku i wody.

Na ilustracji część ścian i dachu została usunięta, abyś mógł obejrzeć wnętrze budowanego domu.

Cieśla konstruuje drewniane części domu i wstawia drzwi oraz okna.

Rury doprowadzające wodę i odprowadzające ścieki kładzie się pod ziemią. Robotnicy przygotowują wykop dla tych instalacji.

Hydraulik zakłada instalację wodną i ściekową.

Tutaj przygotowuje się zaprawę.

Zatrudnianie dzieci

W wielu krajach młodzi ludzie podejmują pracę w wieku 16 lub 18 lat, po ukończeniu szkoły. Gdzie indziej dzieci zaczynają pracować znacznie wcześniej. Ponad 350 milionów dzieci na świecie wykonuje jakąś pracę.

Rolnictwo

Rolnicy uprawiają ziemię i hodują zwierzęta, abyśmy mieli co jeść. Wielu sprzedaje żywność, którą potem kupujemy w sklepach. Niektórzy rolnicy natomiast produkują ją tylko na potrzeby swojej rodziny.

Rolnicy w Tajlandii sadzą pędy ryżu.

W wielkich gospodarstwach rolnicy sieją i zbierają plony, używając maszyn.

Kombajn ścina i młóci zboże.

Ciągnik rolniczy, zwany traktorem, może wykonywać wiele prac. Tutaj ciągnie przyczepę, na którą sypią się z kombajnu ziarna pszenicy.

Uprawa roli

Rolnicy uprawiają różne rośliny. Wybór uprawy zależy od rodzaju gleby i klimatu. Na przykład ryż wymaga gorącego, wilgotnego klimatu. Pszenica natomiast rośnie najlepiej w klimacie chłodniejszym i na bardziej suchych terenach.

Hodowla zwierząt

Zwierzęta hoduje się dla mleka, wełny, jaj, skóry oraz mięsa. Niektórzy rolnicy hodują nie wszystkie, lecz tylko jeden gatunek zwierząt, na przykład krowy lub kury.

Owce dostarczają mięsa, wełny i mleka.

Kury znoszą jaja, trzyma się je również dla mięsa.

Kozy hoduje się dla mleka, mięsa i skóry.

Krowy dostarczają mleka, mięsa i skór. Jedna krowa może dać nawet 12 tysięcy litrów mleka rocznie.

Środki chemiczne

Część rolników musi wyprodukować jak najwięcej żywności w krótkim czasie. W takich gospodarstwach uprawy opryskuje się środkami chemicznymi. Te preparaty wspomagają wzrost roślin oraz niszczą ich szkodniki i choroby.

Samolot opryskuje słoneczniki środkiem, który sprawi, że rośliny lepiej się rozwiną. Wielu ludzi obawia się jednak, że środki chemiczne stosowane w rolnictwie są szkodliwe.

Rolnictwo ekologiczne

Rolnictwo bez stosowania środków chemicznych nazywamy ekologicznym. W gospodarstwie tego rodzaju wprawdzie trudniej wyprodukować dużo żywności, jednak znaczna część ludzi uważa, że ekologiczna żywność jest zdrowsza.

Wielu rolników uprawia owoce i warzywa w gospodarstwach ekologicznych, bez użycia środków chemicznych.

165

W szkole

Dzieci chodzą do szkoły, aby zdobyć wiadomości potrzebne im w dorosłym życiu. Trzeba jednak wiedzieć, że uczy się tylko połowa dzieci na świecie.

Umiejętności praktyczne

W biedniejszych krajach wiele dzieci nie może chodzić do szkoły. Muszą pracować, aby pomóc rodzicom. Te dzieci nie uczą się czytać ani pisać, lecz zdobywają inne, bardzo potrzebne im umiejętności, na przykład w dziedzinie rolnictwa.

Ta dziewczynka pomaga matce: razem przygotowują posiłek dla całej rodziny. Pochodzi z plemienia Kpelle, żyjącego w Liberii, w Afryce.

Rodzaje szkół

Na świecie dzieci uczą się różnorakimi sposobami, niekiedy nawet nie korzystając z książek. Różne są też warunki nauki: niektóre szkoły nie mają ścian i uczniowie nie siedzą w ławkach.

Dzieci z górskiej wioski w Nepalu uczą się nie w klasie, lecz na dworze. W tej szkole nie ma ławek.

Ten chłopiec z Australii mieszka bardzo daleko od szkoły. Uczy się więc w domu, korzystając z Internetu.

Twoja klasa wygląda zapewne podobnie jak w tej amerykańskiej szkole.

Czego możesz się nauczyć

Wszystkie szkoły uczą najpierw podstawowych umiejętności, przede wszystkim czytania i pisania oraz liczenia. Potem, gdy będziesz starszy, możesz się uczyć jeszcze innych przedmiotów. W szkole, poza nauką, można też uprawiać sport lub korzystać z komputera.

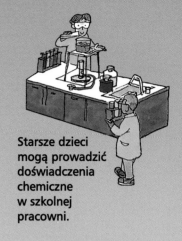

Starsze dzieci mogą prowadzić doświadczenia chemiczne w szkolnej pracowni.

W niektórych szkołach można uczyć się śpiewu i gry na instrumentach muzycznych.

Komputer jest bardzo przydatny w wielu dziedzinach. To urządzenie może pomóc ci zarówno w nauce, jak i później, w wykonywaniu różnych prac. Więcej informacji o komputerze znajdziesz na str. 226-227.

Wiele szkół ma własne zespoły sportowe. Możesz wraz z kolegami grać w nich po lekcjach.

Sprawdziany

W większości szkół uczniowie co pewien czas piszą sprawdzian. To rodzaj egzaminu, którego wyniki pokazują, czy rozumiesz to, czego się uczyłeś. Jeśli sprawdzian nie wypadnie dobrze, uczeń powinien powtórzyć materiał.

167

Sport

Ludzie uprawiają sport z różnych powodów: dla rozrywki, by utrzymać tężyznę fizyczną, a także dlatego, że lubią wygrywać. Istnieją dziesiątki dyscyplin sportowych. Uprawianie wielu z nich wymaga siły, wytrzymałości i zręczności.

Indywidualnie i w zespole

Niektóre dyscypliny, na przykład łucznictwo, uprawia się indywidualnie, czyli w pojedynkę. Inne, na przykład piłka nożna albo hokej, to gry zespołowe. W drużynie sportowej wszyscy muszą współpracować, by odnieść zwycięstwo.

W grze zespołowej, takiej jak hokej na lodzie, każdy zawodnik ma do wykonania określone zadanie. Tutaj bramkarz stara się nie dopuścić do zdobycia bramki przez przeciwników.

Pożytek ze sportu

Uprawianie sportu przynosi wiele korzyści. Dzięki ćwiczeniom będziesz w dobrej kondycji fizycznej, pomogą ci one zachować zdrowie. Gry zespołowe natomiast uczą ponadto współdziałania z innymi ludźmi.

Sport, na przykład piłka nożna, jest też wspaniałą zabawą.

Olimpiada

Najważniejszym wydarzeniem sportowym na świecie jest olimpiada. Pierwsze takie igrzyska odbyły się w starożytnej Grecji, w miejscu zwanym Olimpią. Zawodnicy popisywali się wówczas umiejętnościami w kilku dyscyplinach, między innymi w biegach i zapasach. Obecnie igrzyska olimpijskie, letnie i zimowe, są organizowane co cztery lata w różnych miastach na całym świecie.

Zwycięzców starożytnych olimpiad wieńczono gałązkami lauru (inaczej: wawrzynu).

Dziś symbolem olimpijskiego zwycięstwa są medale. Złoty medal przyznaje się za zajęcie pierwszego miejsca, a za kolejne – srebrny i brązowy.

Sport dla wszystkich

Każdy może czerpać radość ze sportu. Na przykład sportowcy niepełnosprawni mogą ścigać się na specjalnie przystosowanych do tego celu wózkach inwalidzkich. Najważniejszym wydarzeniem w dziedzinie sportu dla niepełnosprawnych jest paraolimpiada.

Na zdjęciu: sportowcy ścigają się podczas eliminacji do paraolimpiady.

Porozumiewanie się

Wymianę informacji między ludźmi nazywamy porozumiewaniem się albo komunikowaniem. Przekazujemy sobie wiadomości na wiele różnych sposobów: za pomocą dźwięków – na przykład używając syreny, lub znaków – takich jak światła na skrzyżowaniu ulic. Jednak główne sposoby porozumiewania się to: mowa, pismo i obraz.

Niektóre znaki rozumieją wszyscy, bez względu na różnice języka. Czy i ty wiesz, co oznaczają te symbole?

Co słychać

Telewizja, telefon i Internet umożliwiają szybkie i łatwe przekazywanie informacji. Ludzie oddaleni od siebie o tysiące kilometrów mogą skontaktować się w kilka sekund, telefonując do siebie lub wysyłając wiadomość przez Internet. Dzięki telewizji zaś wiemy, co się dzieje w najodleglejszych zakątkach naszego globu.

:-) Radość   I-O „Ziewam…"

:-o Zdziwienie   :-D Uśmiech

:-(Smutek   ;-) Mrugnięcie

Pokazane tu znaki to emotikony, popularnie zwane „buźkami". Korzystają z nich użytkownicy Internetu, gdy chcą powiadomić kogoś o swych doznaniach i uczuciach.

Pasterz bydła w Kenii rozmawia przez telefon komórkowy.

Zapis mowy

Pismo powstało po to, by można
było utrwalić, zapisać słowo
mówione. Najpierw ludzie
stworzyli znaki, które oznaczały
całe wyrazy. Były to obrazki
ilustrujące przedmioty, do których
się odnosiły. Potem powstały
z nich litery, oznaczające dźwięki.

**W starożytnym
Egipcie
wiadomości
zapisywali
skrybowie, czyli
pisarze.**

**Około 1450 roku
w Europie po raz
pierwszy użyto
prasy drukarskiej.**

**Dziś informacje
zapisujemy,
w większości
posługując się
komputerem.**

Rozpowszechnianie słowa

Informacje można rozpowszechniać za
pośrednictwem książek i gazet. Pierwsze
książki drukowano w Chinach, już ponad
1000 lat temu. W Europie natomiast
jeszcze przed 550 laty jedynym sposobem
powielenia książki było jej
ręczne przepisanie.

Pierwszą w Europie prasę drukarską
skonstruował Niemiec Johann Gutenberg.
Wykorzystując to urządzenie, można było
drukować wiele egzemplarzy tej samej
książki. Dziś najbardziej poczytne tytuły
tłumaczy się na różne języki i powiela
w milionach kopii. Dzięki temu takie książki
mogą czytać ludzie na całym świecie.

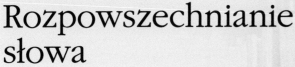

**Chłopiec wybiera książki, które chce
wypożyczyć z biblioteki. W wielkich
bibliotekach są tysiące książek
o różnej tematyce.**

Malarstwo i rzeźba

Każde dzieło sztuki jest niepowtarzalne. Artyści, chcąc przekazać innym swe uczucia, tworzą różne dzieła – wzruszające i szokujące. I my, gdy je oglądamy, doznajemy jakichś przeżyć, obrazy i rzeźby podobają się nam lub nie.

Czym jest sztuka

Ludzie mają różne poglądy na to, co jest dziełem sztuki, a co nie. Wielu artystów twierdzi, że sztuką może być dosłownie wszystko. Niekiedy jednak trudno zrozumieć dzieło sztuki komukolwiek poza jego twórcą.

Ten obraz namalował słynny francuski artysta Paul Gauguin (żył w latach 1848-1903). Płótno przedstawia matkę z córką na Tahiti, nosi zaś tytuł *Kiedy bierzesz ślub?*

Tworzywo artystyczne

Nie tylko obrazy malarskie są dziełami sztuki. Artyści tworzą, używając też kamienia, gliny, drewna, metalu i jeszcze innych materiałów. Przestrzenne dzieło sztuki nazywamy rzeźbą.

Wiele rzeźb stoi na placach i w parkach miejskich. To dzieło, autorstwa Henry'ego Moore'a, można podziwiać w pobliżu rzeki Tamizy w Londynie.

Różne style

W malarstwie i rzeźbie istnieje wiele stylów. Niektórzy twórcy artystyczne pomysły czerpią wprost z życia i w swych dziełach pokazują to, co widzą wokół siebie. Inni, na odwrót, nie przedstawiają rzeczywistości, operując tylko kolorami, liniami i abstrakcyjnymi kształtami.

Sztuka tradycyjna

Niektóre rodzaje sztuki określa się mianem tradycyjnych. Oznacza to, że artyści tworzą w tym samym stylu od tysiące lat. Na świecie istnieje wiele rodzajów sztuki tradycyjnej.

Sztuka australijskich Aborygenów to najczęściej malowidła na korze drzew lub skałach. Przedstawiają one jakieś fragmenty rzeczywistości – tak jak na ilustracji obok, wyobrażającej krokodyla i rybę o nazwie barramunda (inaczej: rogoząb).

Czy to sztuka?

Artyści nieustannie proponują nowe metody tworzenia sztuki, lecz widzowie nie zawsze je akceptują. Dziś wielu twórców w swych artystycznych działaniach posługuje się komputerem. Inni w kompozycji dzieła sztuki wykorzystują liście, światło lub nawet stare samochody.

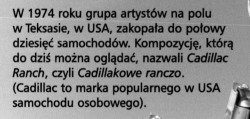

W 1974 roku grupa artystów na polu w Teksasie, w USA, zakopała do połowy dziesięć samochodów. Kompozycję, którą do dziś można oglądać, nazwali *Cadillac Ranch*, czyli *Cadillakowe ranczo*. (Cadillac to marka popularnego w USA samochodu osobowego).

Aktorstwo i taniec

Na całym świecie ludzie grają, na scenie lub w filmie, i tańczą dla rozrywki innych. Przedstawieniami i tańcem uświetnia się też ważne wydarzenia, za ich pomocą opowiada o czymś, przekazuje innym myśli i uczucia.

Teatr

Opowieść przedstawianą na scenie nazywamy dramatem. Tworzą je dramaturgowie. Niektórzy opisują w nich prawdziwe wydarzenia, inni zaś wymyślają coś, co naprawdę się nie zdarzyło. Dramaty, zwane też sztukami teatralnymi, najczęściej wystawia się w budynkach specjalnie przystosowanych do tego celu – w teatrach.

Zdjęcie pokazuje, jak powstaje film: po lewej widać kamerę, która filmuje grę aktorów. Zdarza się, że podczas kręcenia filmu aktorzy muszą powtarzać scenę wiele razy, zanim wypadnie ona dobrze.

Film

Film to przedstawienie, podobne do tego w teatrze, które zapisuje się na taśmie, dzięki czemu można je oglądać wiele razy. Aby obejrzeć film, widzowie idą do kina albo oglądają go w domu, korzystając z odtwarzacza wideo lub DVD.

Na zdjęciu po lewej aktorzy teatralni występują w słynnej komedii *Sen nocy letniej* autorstwa Williama Szekspira*.

W teatrze pomocne w uzyskaniu różnych nastrojów, obok gry aktorów, są także inne elementy: kostium, charakteryzacja, maska, dekoracja, światło i muzyka.

* zob. str. 135
Shakespeare

Taniec

Istnieje wiele rodzajów tańca, a każdy wymaga innych umiejętności. Niektóre tańce są szybkie, inne zaś powolne i pełne wdzięku. Tanecznych kroków i ruchów można się nauczyć lub stworzyć swoje własne. Większość tańców wykonuje się przy akompaniamencie muzyki.

W balecie ruch składa się z wielu ściśle zaplanowanych elementów. Nauka tańca baletowego zajmuje całe lata.

Dlaczego tańczymy

Właściwie nie wiadomo, dlaczego ludzie tańczą i jakie były początki tańca. Pierwotnie mógł on być sposobem świętowania, formą oddawania czci bogom lub opowieści o życiu człowieka. Dziś wielu ludzi tańczy, by zachować kondycję fizyczną lub po prostu dla rozrywki.

Tancerze na wyspie Bali, tańcząc, wyrażają swe uczucia całym ciałem – także ruchem oczu, twarzy, szyi i dłoni.

Muzyka

Muzyka to szereg dźwięków połączonych ze sobą, które tworzą melodię i rytm. Ludzie mają wiele różnych wyobrażeń o tym, które dźwięki są, a które nie są muzyką.

Dźwięki w muzyce

Muzykować można, wykorzystując tylko naturalny instrument, jakim jest ciało – a więc śpiewając czy gwiżdżąc i klaszcząc w dłonie. Instrumenty muzyczne natomiast umożliwiają tworzenie wielu innych dźwięków. Oto kilka grup instrumentów.

W instrumentach strunowych dźwięk wydobywa się, szarpiąc struny lub pociągając je smyczkiem.

Instrumenty dęte drewniane: dźwięk powstaje po zadęciu w rurę.

Instrumenty perkusyjne brzmią, gdy uderza się w nie, potrząsa nimi lub je pociera.

Instrumenty dęte blaszane: dźwięk wydobywa się przez wdmuchnięcie powietrza w ustnik.

Chłopcy muzykujący podczas hinduskiego święta Bahag Bihu poświęconego wiośnie. Śpiewają i grają na rogu, rytm podkreśla głos bębna i talerzy oraz klaskanie w dłonie.

Po co nam muzyka

Muzyka sprawia, że chce nam się tańczyć, śpiewać lub nawet płakać. Często służy do wyrażenia uczuć. Towarzyszy też doniosłym wydarzeniom w życiu człowieka, na przykład jest częścią obrzędów religijnych i uświetnia śluby.

W muzyce afrykańskiej ważniejszy od melodii jest rytm. Te kobiety z jednego z plemion żyjących w Gambii tańczą w rytm bębna.

Wspólne muzykowanie

Muzykę niektórych rodzajów można wykonywać indywidualnie. Inne wymagają zespołu – grupy ludzi, która gra na instrumentach lub śpiewa. Gdy śpiewa razem wiele osób, mówimy o chórze.

Grupę muzyków grających razem na różnych instrumentach nazywamy orkiestrą.

Rodzaje muzyki

Istnieją dwa główne rodzaje muzyki: klasyczna, zwana też poważną, i popularna. Każdy rodzaj jest bogaty w różnorakie style i odmiany.

Jazz to jedna z odmian muzyki popularnej. Zaczął się rozwijać w początkach XX wieku w Nowym Orleanie, w USA. Ten muzyk jazzowy gra na saksofonie.

Religie

Religia to wiara w istotę potężniejszą od człowieka. Na świecie istnieje wiele religii. W jednych czci się jednego Boga, w innych – kilku. Wielu ludziom religia wyznacza sposób życia.

Ten chłopiec wiele czasu poświęca modlitwom i medytacjom, podobnie jak jego rówieśnicy w krajach, w których wyznaje się buddyzm.

Buddyzm

Religia buddyjska uczy jej wyznawców myśleć o sensie życia i o tym, co naprawdę jest w nim ważne. Takie rozmyślania nazywamy medytacjami. Buddyzm opiera się na nauce wyłożonej przez hinduskiego księcia, który głosił ją pod imieniem Buddy.

Chrześcijaństwo

Chrześcijanie wierzą w jednego Boga. Wierzą, że Bóg czuwa nad ludźmi i pragnie, by byli dobrzy. Przyjmują, że Synem Bożym był człowiek, imieniem Jezus. Świętą księgą chrześcijan jest *Biblia*.

Chrześcijanie co rok w grudniu obchodzą przyjście Jezusa na świat – Boże Narodzenie.

Hinduizm

W hinduizmie jest wielu bogów i wierzeń; najważniejszy bóg to Brahma. Wyznawcy tej religii wierzą, że ludzie mają wiele żyć, które następują jedno po drugim. Ten cykl dobiega końca dopiero wówczas, gdy człowiek przybliży się do Brahmy.

Hinduski bóg Kriszna na swych wizerunkach ma zazwyczaj niebieską skórę. Tutaj gra na flecie.

Islam

Wyznawców islamu nazywamy muzułmanami. Przestrzegają oni praw danych przez Boga – Allacha. Boskich praw Allacha nauczał człowiek, imieniem Mahomet. Zostały one spisane w świętej księdze muzułmanów – *Koranie*.

Ta dziewczynka w rytualnym stroju modli się do Allacha.

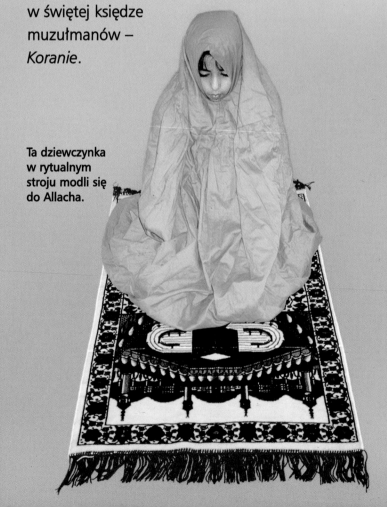

Judaizm

Wyznawcy judaizmu to żydzi. Oddają oni cześć Bogu w świątyni zwanej synagogą. Żydowskie święto, szabat, trwa od zachodu słońca w piątek do zachodu w sobotę.

Chłopiec czyta z żydowskich świętych pism, znajdujących się w synagodze. Na głowie i ramionach ma rytualne okrycia – jarmułkę i tałes.

Sikhizm

Wyznawców tej religii nazywamy sikhami; „sikh" znaczy „uczeń". Wierzą oni w jednego Boga, którego czczą w świątyni zwanej gurdwara. Słuchają tam czytań ze świętej księgi sikhizmu – *Guru Granth Sahib*.

Khanda – symbol sikhizmu

179

Mity

Mity to opowieści o bogach,
zadziwiających wydarzeniach
i niezwykłych stworzeniach.
Często mówią o dobru
i złu.

Neptun, bóg morza w mitologii
rzymskiej, władał oceanami.

Mity i bogowie

Ludzie tworzyli mity, chcąc w tych opowieściach
wyjaśniać niezrozumiałe dla nich zjawiska, zanim
zaczęła je badać nauka. Na przykład Rzymianie
wierzyli, że przypływy i odpływy oraz trzęsienia ziemi
występowały z woli zagniewanego boga morza,
Neptuna.

Mity i potwory

W mitach powstałych w różnych częściach świata
znajdziemy opisy straszliwych potworów.

Yeti to stworzenie przypominające
małpę, które ponoć żyje w górach
Himalajach. Czy jego istnienie to tylko
mit? Do dziś nie zdołano tego
rozstrzygnąć.

Smoki pojawiają się
w licznych mitach
z wielu stron świata.
Ten wizerunek potwora
pochodzi z Chin.

Stworzenie świata

Częstokroć to samo zjawisko czy
wydarzenie próbują wyjaśnić mity, które
powstały w różnych regionach naszego
globu. Na przykład istnieje wiele mitów
objaśniających, jak powstał świat.

Nauka

Czym jest nauka

Nauka to wiedza o otaczającym nas świecie. Pytamy: dlaczego wulkany wybuchają? Co to jest grawitacja? Czy na innych planetach istnieje życie? Jak działa mózg człowieka? Nauka stara się znaleźć odpowiedzi na te pytania i wiele innych.

Naukowcy

Ludzie zajmujący się nauką to naukowcy. Badają oni różne zjawiska; aby je wyjaśnić, stawiają pytania i przeprowadzają doświadczenia.

Naukowcy wyjaśnili, dlaczego jesienią liście stają się czerwone lub brązowe.

Ludzie nauki mogą wykorzystywać swą wiedzę do konstruowania różnych użytecznych urządzeń, takich jak ten telefon komórkowy.

Naukowcy, którzy badają zwierzęta – takie jak ta papuga ara – to zoolodzy.

Badania nad arami wykazały, że jaskrawe pióra tych ptaków pomagają im znaleźć partnera.

Zoolodzy odkryli, że na świecie żyje 17 różnych gatunków papug.

182

Gałęzie nauki

Istnieją setki różnych dziedzin, czyli gałęzi nauki, którymi zajmują się naukowcy. Oto kilka przykładów.

Biolodzy badają żywe organizmy.

Botanicy zajmują się roślinami.

Chemicy badają związki chemiczne.

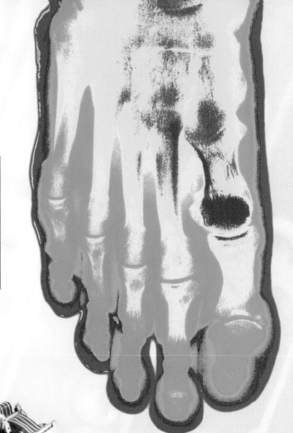

Technika

Dzięki swej wiedzy naukowcy mogą projektować lub konstruować wynalazki. Gdyby nie nauka, nie mielibyśmy wielu urządzeń i leków, z których dziś korzystamy. Takie zastosowanie nauki nazywa się techniką.

Dzięki aparatowi rentgenowskiemu lekarz może zobaczyć wnętrze ludzkiego ciała. Ilustracja wyżej przedstawia zdjęcie rentgenowskie stopy. Czy widzisz na nim kości?

Ta maszyna to robot. Takie urządzenie może się poruszać i podejmować proste prace.

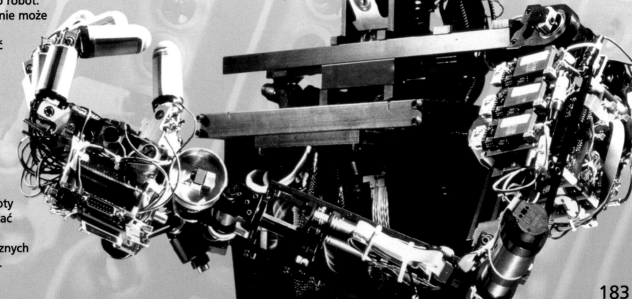

Niektóre roboty mogą wyręczać człowieka w niebezpiecznych czynnościach.

Czym zajmują się naukowcy

Aby poznać zjawiska, naukowcy przeprowadzają doświadczenia. Tak nazywamy badania, które pokazują, jak zachowują się żywe organizmy i jak funkcjonują różne przedmioty.

Stawianie pytań

Dzięki doświadczeniom naukowcy znajdują odpowiedzi na stawiane pytania, na przykład: czy muzyka sprzyja wzrostowi roślin?

W tym wypadku doświadczenie mogłoby polegać na odtwarzaniu muzyki w obecności jednej z dwóch grup roślin. Pozwoliłoby ono przekonać się, które rośliny rozwijają się szybciej.

Te ilustracje przedstawiają proste doświadczenie z roślinami.

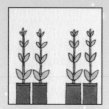
Naukowiec hoduje dwie takie same grupy roślin.

Tylko w obecności jednej z grup odtwarza się muzykę.

Następnie badacz porównuje obie grupy.

Teorie

Badacze formułują teorie, które mogą wyjaśniać pewne zjawiska. Następnie prowadzą doświadczenia, aby swoje teorie sprawdzić. Na przykład stworzyli teorię, że pingwiny przenoszą się z jednego obszaru na inny, ponieważ jest tam więcej pożywienia.

Naukowcy notują wyniki swoich badań i dla pewności powtarzają doświadczenia.

— Nadajnik

Ten pingwin bierze udział w doświadczeniu. Naukowcy wyposażyli go w kamizelkę z nadajnikiem. (Dla zwierzęcia jest to całkowicie nieszkodliwe i bezbolesne).

Nadajnik wysyła sygnały, które odbierają naukowcy. To umożliwia im śledzenie ruchów pingwina.

Obserwacja

Obserwowanie polega na przyglądaniu się zjawisku i dokonywaniu dokładnych pomiarów. To bardzo ważna część pracy naukowca.

Badacze do obserwacji często używają przyrządów. Na przykład astronomowie, którzy badają kosmos – planety, gwiazdy i galaktyki – posługują się potężnymi teleskopami.

Oto kometa. Komety to kule z lodu i pyłu, przemierzające przestrzeń kosmiczną. Obserwacja toru, po którym przemieszcza się taka bryła, pozwala przewidzieć, dokąd zawędruje ona w przyszłości.

Teleskopy sprawiają, że odległe obiekty wydają się znajdować bliżej. W tym budynku umieszczono ogromny teleskop, który służy astronomom do obserwacji nocnego nieba.

Jajko w wodzie

Przekonaj się, czy dodanie soli do wody wpłynie na unoszenie się przedmiotów na jej powierzchni.

PRZYGOTUJ: 2 szklanki do połowy napełnione wodą, 2 świeże jaja i 10 czubatych łyżeczek soli.

1. Wsyp sól do jednej ze szklanek i mieszaj, aż całkowicie się rozpuści.

2. Do każdej szklanki włóż po jajku. Czy obydwa jajka unoszą się na powierzchni? Czy zachowują się tak samo?

O unoszeniu się przeczytasz więcej na str. 200-201.

Atomy i cząsteczki

Naukowcy odkryli, że wszystko składa się
z maleńkich drobin, zwanych atomami.
Atomy mogą łączyć się w grupy – cząsteczki.

Czym jest atom

Atom przypomina malutką kulkę. Ma
środek, czyli jądro, oraz zewnętrzne
warstwy, zwane powłokami. Istnieje
około 100 rodzajów atomów.

Atomy są tak małe, że nie można ich
zobaczyć. Arkusz papieru, taki jak ten,
ma około miliona atomów grubości.

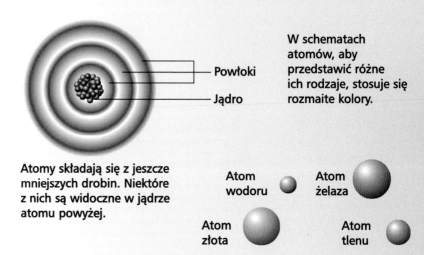

Powłoki

Jądro

W schematach
atomów, aby
przedstawić różne
ich rodzaje, stosuje się
rozmaite kolory.

Atomy składają się z jeszcze
mniejszych drobin. Niektóre
z nich są widoczne w jądrze
atomu powyżej.

Atom
wodoru

Atom
żelaza

Atom
złota

Atom
tlenu

Powstawanie cząsteczek

Czasami atomy łączą się, tworząc większe jednostki –
cząsteczki. Łączenie to nazywa się wiązaniem.

Czy wiesz, że...

• Większa część atomu to pusta przestrzeń.

• Atomy niektórych rodzajów, na przykład frans,
nie występują w przyrodzie. Mogą powstawać
jedynie w laboratoriach naukowych.

• Atomy, nawet w ciałach stałych, nieustannie
się poruszają, drgają i zderzają ze sobą.

Te ilustracje pokazują łączenie się dwóch rodzajów
atomów, z których powstaje cząsteczka wody.

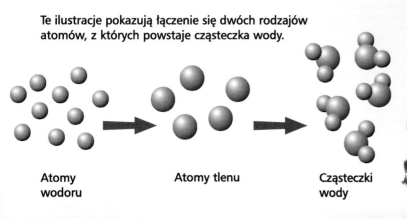

Atomy
wodoru

Atomy tlenu

Cząsteczki
wody

Woda

Woda składa
się z wielu
cząsteczek.

Materia

Wszystko, co nas otacza – skały, powietrze, woda, piasek, szkło, drewno, plastik, a nawet nasze ciała – składa się z atomów i cząsteczek. Ten ogół przedmiotów, ukształtowanych z różnego rodzaju substancji, naukowcy nazywają materią.

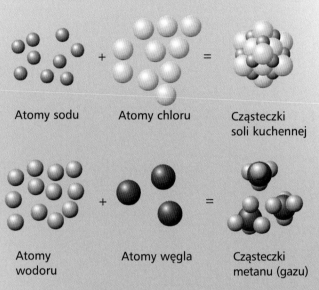

Atomy sodu   Atomy chloru   Cząsteczki soli kuchennej

Atomy wodoru   Atomy węgla   Cząsteczki metanu (gazu)

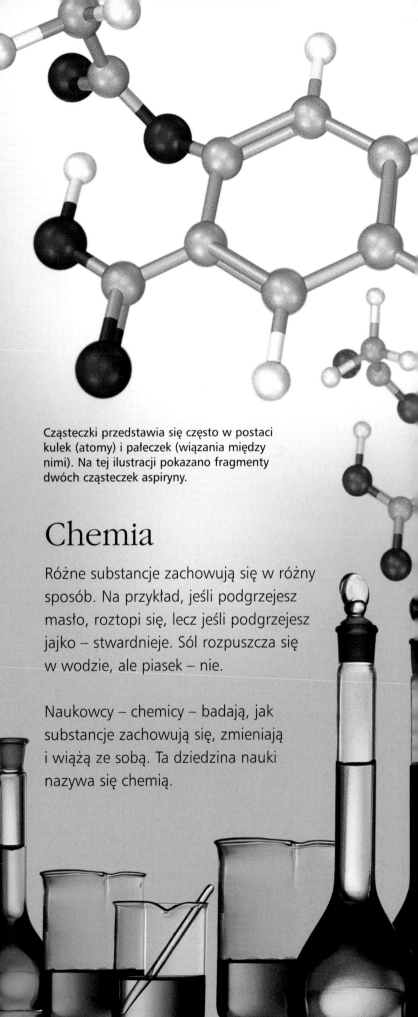

Cząsteczki przedstawia się często w postaci kulek (atomy) i pałeczek (wiązania między nimi). Na tej ilustracji pokazano fragmenty dwóch cząsteczek aspiryny.

Wokół ciebie

Poszukaj w domu lub w klasie przedmiotów wykonanych z różnych substancji:

 Papier   Porcelana

 Plastik   Drewno

 Szkło   Metal

Chemia

Różne substancje zachowują się w różny sposób. Na przykład, jeśli podgrzejesz masło, roztopi się, lecz jeśli podgrzejesz jajko – stwardnieje. Sól rozpuszcza się w wodzie, ale piasek – nie.

Naukowcy – chemicy – badają, jak substancje zachowują się, zmieniają i wiążą ze sobą. Ta dziedzina nauki nazywa się chemią.

Chemicy mieszają różnego rodzaju substancje w takich szklanych zlewkach i kolbach.

Ciała stałe, ciecze i gazy

Większość materii może występować w trzech stanach skupienia: stałym, ciekłym i lotnym (gazowym). W ciałach stałych cząsteczki znajdują się blisko siebie. W cieczach i gazach są bardziej rozproszone.

Złoto jest ciałem stałym.

Ciała stałe

Cząsteczki w ciałach stałych ciasno do siebie przylegają i poruszają się w niewielkim stopniu. Z tego powodu większość ciał stałych zachowuje ten sam kształt.

Cząsteczki w ciałach stałych ciasno do siebie przylegają.

Ciecze

Napoje to ciecze. Wypełniają każdą część naczynia.

Cząsteczki w cieczach nie są tak zwarte i nie przylegają do siebie tak ciasno. Mogą się bardziej przemieszczać. Dlatego ciecze mogą płynąć, pryskać i rozlewać się.

Cząsteczki w cieczach nie są tak zwarte.

Gazy

Cząsteczki w gazach w ogóle do siebie nie przylegają i przemieszczają się nieustannie z dużą prędkością. Dlatego gazy szybko się rozprzestrzeniają, wypełniając przestrzeń, w której się znajdują. Nie mają własnego kształtu.

Cząsteczki w gazach w ogóle nie przylegają do siebie.

Wiele gazów jest niewidocznych. Widać je tylko wówczas, gdy się palą.

Wytwórz gaz

Sam możesz wytworzyć dwutlenek węgla i napełnić nim balon.

PRZYGOTUJ: dość wąski słoik, trochę sody i octu, balonik oraz łyżeczkę.

1. Napełnij jedną czwartą słoika octem. Łyżeczką wsyp sodę do balonika.

2. Naciągnij kołnierzyk balonika na słoik. Uważaj, by nie dostało się do niego ani trochę sody.

3. Szybko wsyp całą sodę do słoika, podnosząc balonik. Gdy to zrobisz, ocet wejdzie w reakcję z sodą – zaczną się tworzyć bąbelki.

Kiedy ocet i soda reagują ze sobą (zob. str. 191), wytwarzają gaz – dwutlenek węgla, który wypełnia balon i nadmuchuje go.

Trzy stany

Ta sama materia może występować jako ciało stałe, ciecz lub gaz. Na przykład woda występuje jako ciecz, w postaci stałego lodu lub jako gaz – para wodna.

Para wodna, czyli woda w stanie lotnym, znajduje się w powietrzu. Gdy się ochładza, tworzy chmury, z których może padać deszcz (ciecz).

Lód to zamarznięta woda. Jest ciałem stałym.

Woda w rzekach i morzach jest ciekła.

Jak zmienia się materia

Materia nieustannie się zmienia. Otaczające nas przedmioty mogą powiększać się lub kurczyć oraz zmieniać stan na stały, ciekły lub gazowy. Mogą również łączyć się i tworzyć nowe substancje.

Zmiana stanu skupienia

Materia może występować w postaci ciała stałego, cieczy lub gazu. Takie przeobrażenia jej postaci nazywamy zmianami stanu skupienia. Często zachodzą one po podgrzaniu lub schłodzeniu substancji.

Kiedy sok bardzo się schłodzi, ciecz zmieni się w ciało stałe. Ten proces nazywamy zamarzaniem.

Wosk w płonącej świecy zmienia się z ciała stałego w ciecz. W tym wypadku mowa o topnieniu.

Ciekła woda po podgrzaniu zmienia się w gaz. Taki proces to wrzenie.

Kiedy para wodna schładza się, zmienia się w ciecz – deszcz. To zjawisko nazywamy skraplaniem.

We wnętrzu zamrażalnika jest dość zimno, by woda zamarzła, zmieniając się w lód.

Powiększanie się

Zamarzając, woda zwiększa objętość (robi się jej więcej). Jednak większość przedmiotów po schłodzeniu kurczy się, a zwiększa objętość po podgrzaniu. Na przykład w termometrze* jest ciecz, która rozszerza się, gdy rośnie temperatura.

Ciecz w termometrze jest zamknięta w wąskiej rurce (na tym zdjęciu ciecz jest czarna). W miarę podgrzewania rozszerza się i stopniowo wypełnia coraz większą część rurki.

Zwiększ objętość wody

PRZYGOTUJ: plastikową butelkę (w doświadczeniu nie używaj szklanej) i kawałek folii. Będzie też potrzebny zamrażalnik.

1. Butelkę napełnij po brzegi wodą. Przykryj szyjkę folią.

2. Postaw butelkę pionowo w zamrażalniku i pozostaw tam na całą noc.

3. Zamarzając i zwiększając objętość, woda wypycha folię ku górze.

Mieszanie substancji

Różne substancje można mieszać, aby otrzymać nowe. Jeśli zmieszasz cement, żwir i wodę, powstanie beton. Beton jest przydatny w budownictwie, ponieważ to bardzo wytrzymały materiał.

Katedrę w mieście Brazylii zbudowano z 16 wygiętych betonowych kolumn.

Reakcje

W mieszaninie substancje łączą się, ale ich cząsteczki się nie zmieniają. Czasami jednak takie składniki reagują ze sobą. Oznacza to, że podczas mieszania ich cząsteczki zmieniają się i powstaje nowa substancja.

Żelazo rdzewieje, gdy jest wystawione na działanie deszczu lub wilgotnego powietrza.

Cząsteczki żelaza reagują z atomami tlenu i cząsteczkami wody.

W wyniku tej reakcji powstają cząsteczki nowego rodzaju: tlenek żelaza, czyli rdza.

Te skały powstały w wyniku reakcji pomiędzy dwoma różnymi związkami chemicznymi, znajdującymi się w jeziorze u podnóża góry.

Energia

Energia to siła sprawcza, dzięki której wszystko się dzieje. Nie można jej zobaczyć, ale otacza nas zewsząd, wprawiając wszystko w ruch.

Energia elektryczna dopływa do lampy i w niej zmienia się w energię cieplną i świetlną.

Rodzaje energii

Istnieje wiele rodzajów lub form energii, między innymi: cieplna, świetlna, elektryczna i dźwiękowa.

Gdy ludzie krzyczą lub gdy pracują maszyny, powstaje wiele energii dźwiękowej.

Niezmienna ilość

Nie można zniszczyć ani stworzyć energii. Znaczy to, że ilość energii we wszechświecie* jest wciąż taka sama. Ale jedna jej forma może zmienić się w inną.

Rośliny zmieniają energię słoneczną w energię zawartą w pożywieniu.

* Więcej o wszechświecie dowiesz się na str. 212.

Energia kinetyczna

Gdy jakieś ciało się porusza, jest obdarzone energią. Energię poruszającego się obiektu nazywamy kinetyczną.

Lecąc, ptaki zmieniają energię zgromadzoną w swoich ciałach w energię kinetyczną.

Kolejka górska stojąca na szczycie konstrukcji ma w sobie zgromadzoną energię.

Kiedy kolejka zjeżdża z góry, zgromadzona w niej energia zmienia się w energię kinetyczną.

Flagi trzepoczące na wietrze mają energię kinetyczną.

Te dzieci mają dużo energii kinetycznej, ponieważ szybko biegną.

Energia potencjalna

To energia zgromadzona, gotowa do wykorzystania. Wykorzystywana, zmienia się w energię innego rodzaju, na przykład w kinetyczną lub cieplną.

Podczas podnoszenia ten młot gromadzi energię potencjalną.

Pożywienie zmienia się w energię, którą gromadzi nasz organizm. Lizak dostarczy temu chłopcu energii wystarczającej na 20 minut zabawy w wesołym miasteczku.

Kamera tego chłopca wykorzystuje energię elektryczną zgromadzoną w baterii.

193

Siły

Siła to bodziec, który sprawia, że obiekt wykonuje jakąś pracę. Na przykład, jeśli kopniesz piłkę, siła tego kopnięcia wprawi piłkę w ruch. Siły mogą też spowodować zmianę kierunku i prędkości poruszającego się przedmiotu oraz zmienić jego kształt.

Siły bezpośrednie

Niektóre siły działają, stykając się z przedmiotem; popychają go wtedy lub ciągną. Kopnięcie piłki, podniesienie długopisu czy ściągnięcie skarpetki z nogi to przykłady oddziaływania sił bezpośrednich.

Chłopiec popycha sanki: to siła bezpośrednia.

Wciąganie sanek pod górę to również przykład działania takiej siły.

Z odległości

Inne siły natomiast nie muszą stykać się z obiektami, na które oddziałują. Na przykład grawitacja sprawia, że spadasz na ziemię, gdy zeskoczysz z murka, a magnes przyciąga metalowe spinacze. Naukowcy wciąż nie do końca wiedzą, jak działają takie zdalne siły.

Siły mogą też zatrzymywać przedmioty w ruchu. Ta zaspa śnieżna wywarła siłę, która zatrzymała sanki.

Grawitacja* jest siłą zdalną. Powoduje, że sanki zjeżdżają z górki, choć nie styka się z nimi.

* Więcej wiadomości o grawitacji znajdziesz na str. 198-199.

Stan równowagi

Kiedy przedmiot się nie porusza, można by pomyśleć, że nie działają na niego żadne siły. W rzeczywistości działają, są jednak zrównoważone i wzajemnie się znoszą.

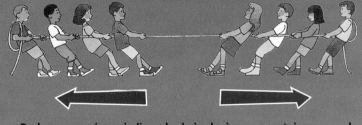

Podczas przeciągania liny obydwie drużyny pozostają na swych stanowiskach. Dzieje się tak, gdyż siły, które wytwarzają zawodnicy, równoważą się. Aby wygrać, jedna z drużyn musi użyć większej siły.

Wykorzystanie sił

Nieustannie wykorzystujemy siły, by wprawiać obiekty w ruch, podnosić je lub przemieszczać. Maszyny umożliwiają nam wykorzystanie sił podczas pracy, której sami nie moglibyśmy wykonać. Zmieniają one energię jednego rodzaju, na przykład elektryczną, w inną, odpowiednią dla danej pracy.

Koparka, wykorzystując energię elektryczną, wywiera siłę, aby wykopać i podnieść ogromną masę ziemi.

Nożyczki są maszyną prostą. Ich ostrza tną papier dzięki sile twoich palców.

Gorąco i zimno

Ciepło jest postacią energii.
Gdy podgrzewasz przedmiot,
dajesz mu więcej energii.

Podgrzewanie

Cząsteczki wielu substancji, gdy się je
podgrzewa, rozpraszają się. To sprawia,
że te przedmioty rozszerzają się, czyli
zwiększają objętość. Gdy je ochłodzić,
ponownie się kurczą (zmniejszają objętość).
Powietrze po ogrzaniu znacznie się rozszerza i staje
się dużo lżejsze od powietrza zimnego. Właśnie
dlatego balony na gorące powietrze unoszą się.

Gorące powietrze wewnątrz tych
balonów jest lżejsze niż powietrze,
w którym się unoszą. O unoszeniu
się czytaj na str. 200-201.

Ruch ciepła

Ciepło przemieszcza się z cieplejszych miejsc w chłodniejsze.
Na przykład gorąca potrawa stygnie, ponieważ jej ciepło
przechodzi do otaczającego ją, chłodniejszego powietrza.
Zazwyczaj nie można zobaczyć ciepła, ale można je
sfotografować specjalnym aparatem, wykorzystującym
promienie podczerwone.

To zdjęcie zostało wykonane przy wykorzystaniu kamery na
podczerwień. Czerwone obszary pokazują, w których miejscach
budynki tracą najwięcej ciepła.

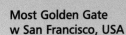
Most Golden Gate
w San Francisco, USA

Dziury w moście

Mosty, rozgrzewając się na słońcu, nieco się
wydłużają. Z tego względu długie mosty
mają specjalne złącza z otworami: to
przestrzeń, która umożliwia konstrukcji
rozszerzanie się.

Na rysunku obok pokazano złącze
dylatacyjne. Właśnie takie złącza
umożliwiają konstrukcjom
rozszerzanie się i kurczenie. Bez
nich mosty pękałyby i waliłyby się.

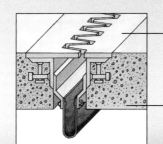

Kiedy most rozszerza się podczas upałów,
te płyty przybliżają się do siebie.

Most

Rozszerzanie się i kurczenie

Możesz przeprowadzić doświadczenie, dzięki
któremu zaobserwujesz, jak powietrze rozszerza
się pod wpływem ciepła i kurczy, kiedy się
ochładza.
PRZYGOTUJ: miskę, butelkę i balonik.

1. Poproś dorosłego, by na chwilę
zanurzył pustą butelkę w gorącej
wodzie. Teraz naciągnij balonik
na szyjkę butelki.

2. Miskę napełnij do połowy zimną
wodą i wstaw do niej butelkę.
Powietrze ochłodzi się i skurczy,
wsysając balonik do butelki.

3. Opróżnij miskę i poproś dorosłego,
by nalał do niej gorącej wody.
Rozszerzające się ciepłe powietrze
wypchnie teraz balonik z butelki.

Mierzenie ciepła

Temperatura oznacza to, jak bardzo coś
jest gorące. Mierzy się ją w stopniach
Celsjusza (°C) lub Fahrenheita (°F).
Przeciętna temperatura pokojowa
to około 20°C (68°F).

Temperaturę mierzymy
termometrem. Czy potrafisz
odczytać temperaturę na tym
termometrze?

197

Grawitacja

Kiedy podskoczysz, spadasz z powrotem na ziemię. Dzieje się tak, ponieważ przyciąga cię do niej niewidzialna siła. Ta siła to grawitacja.

Mars

Przyciąganie

Wszystkie przedmioty wywierają taką siłę i przyciągają inne przedmioty. Gdy obiekt jest mały, jest ona zbyt słaba i nie powoduje widocznych skutków. Ale ogromne obiekty, jak planety, mają jej tyle, że przyciągają inne przedmioty.

Merkury

Na statku kosmicznym lecącym w przestrzeni nie ma prawie wcale grawitacji. Dlatego astronauci unoszą się.

Grawitacja na planetach

Im większy obiekt, tym silniejsza jest jego grawitacja. Na bardzo dużych planetach, takich jak Jowisz, grawitacja jest znacznie silniejsza niż na Ziemi. Małe planety i księżyce natomiast mają grawitację słabszą niż Ziemia.

Grawitacja Jowisza jest ponad dwa razy silniejsza od tej na Ziemi. Jest tak wielka, że gdybyś stanął na tej planecie, nie mógłbyś się poruszać.

Jowisz

Księżyc Jowisza, Io, jest dość mały, toteż jego grawitacja jest znacznie słabsza niż ziemska. Na Io mógłbyś więc skoczyć o wiele wyżej niż na Ziemi.

To jest Io, jeden z wielu księżyców Jowisza.

Słońce

Wenus

Ziemia krąży
wokół Słońca.

Księżyc krąży
wokół Ziemi.

Badanie grawitacji

Grawitacja przyciąga obiekty, nadając im taką samą prędkość, nawet jeśli mają różne masy. I ty możesz zbadać to zjawisko.

PRZYGOTUJ: serwetkę, monetę i dwa jednakowe zamykane pudełka (np. po filmie fotograficznym).

1. Odedrzyj z serwetki kawałek tej samej wielkości co moneta. Będzie on lżejszy od pieniążka.

2. Upuść papier i monetę na podłogę z tej samej wysokości. Papier spada wolniej, ponieważ jego ruch hamuje opór powietrza.

3. Teraz włóż monetę do jednego pudełka, a skrawek serwetki do drugiego. Zamknij pudełka, po czym jednocześnie je upuść.

4. Opór powietrza w obu wypadkach jest taki sam. Pudełka dotkną więc podłogi równocześnie, choć ich waga jest różna.

Na orbicie

W kosmosie duże obiekty nieustannie krążą wokół siebie. Planety okrążają Słońce, księżyce okrążają planety. Dzieje się tak pod wpływem grawitacji.

Planety i księżyce nie stykają się jednak, gdyż zbyt szybko się przemieszczają. Ten ruch pokazano na rysunku obok.

Księżyc

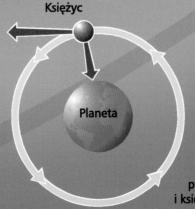

Planeta

Księżyce poruszają się bardzo szybko. Księżyc zawsze usiłuje odlecieć od swojej planety w linii prostej.

Jednak przyciąga go grawitacja planety. Obie siły równoważą się i księżyc krąży wokół planety.

199

Pływanie

Jeśli wrzucisz kamień do stawu, opadnie na dno. Lecz jeśli na powierzchni wody położysz balonik, będzie się na niej unosił. Dlaczego niektóre przedmioty pływają, a inne toną?

Waga i wielkość

Zależy to od gęstości, czyli ciężaru przedmiotu w stosunku do jego wielkości. Na przykład korek jest lekki w stosunku do swojej wielkości. Natomiast kawałek żelaza tej samej wielkości jest znacznie cięższy, ponieważ żelazo jest gęstsze niż korek. Przedmioty, które są gęstsze od wody, toną w niej. Natomiast przedmioty mniej gęste unoszą się na jej powierzchni.

Jeśli spróbujesz wepchnąć nadmuchane koło pod wodę, poczujesz, jak woda je wypycha.

Takie koło jest lekkie w stosunku do swojej wielkości, toteż łatwo unosi się na powierzchni wody.

Wypór

Przedmioty unoszą się na powierzchni, jeżeli woda wypycha je bardziej, niż one prą w dół. Siła ta nazywa się wyporem. Natomiast jeśli przedmiot jest gęstszy od wody, nie wywiera ona dostatecznego wyporu i przedmiot tonie.

Czy to pływa?

Zgadnij, które przedmioty będą unosić się na powierzchni wody, a potem sprawdź, czy miałeś rację.
PRZYGOTUJ: miskę z wodą i różne przedmioty – na przykład korek, świecę, monetę, jabłko, plastikową zabawkę i gumkę do mazania.

1. Narysuj tabelkę, która ułatwi ci porównanie twoich domysłów z tym, co dzieje się naprawdę.

2. Po kolei wkładaj zgromadzone przedmioty do miski i notuj, które pływają, a które toną.

Doświadczenie

	Przed	Po
Korek	✓	
Moneta	✓	
Świeca	✗	
Jabłko	✗	

Dlaczego statki pływają

Gdy podziwiamy ogromny statek, trudno uwierzyć, że taki kolos unosi się na wodzie. Tymczasem ta wielka konstrukcja pływa, bowiem statek, nawet zbudowany z ciężkiej stali, ma wewnątrz wiele powietrza. Dzięki temu jest mniej gęsty od wody, unosi się więc na jej powierzchni.

Ten olbrzymi statek pasażerski jest lekki w stosunku do swojej wielkości, ponieważ wewnątrz ma dużo powietrza.

Pływająca na wodzie czerwona boja oznacza niebezpieczne miejsce, na przykład mieliznę.

Ciało człowieka ma niemal taką samą gęstość jak woda, toteż zaledwie unosi się na wodzie. Wypełnione powietrzem koło ratunkowe znacznie ułatwia pływanie.

W powietrzu

Zjawisko unoszenia się w powietrzu polega na tym samym, co pływanie na wodzie. W powietrzu unoszą się przedmioty mniej gęste od niego. Lecz samo powietrze jest bardzo lekkie, toteż niewiele obiektów jest na tyle lekkich, by mogły się w nim unosić.

Balony wypełnia się gazem mniej gęstym od powietrza. To sprawia, że się unoszą.

Słone morze

Słona woda jest gęstsza od słodkiej, a więc łatwiej się w niej pływa. W Izraelu i Jordanii woda w pewnym jeziorze, zwanym Morzem Martwym, jest tak słona, że pływanie w nim nie sprawia żadnego kłopotu.

Ta kobieta bez trudu pływa na powierzchni bardzo słonej wody Morza Martwego.

Tarcie

Kiedy przedmiot przesuwa się po czymś, jego ruch jest spowalniany przez stykanie się dwóch powierzchni. Ta siła nazywa się tarciem.

Szorstkie...

Tarcie spowalnia ruch obiektów, gdyż mają one szorstką powierzchnię. Im bardziej jest ona chropowata, tym większe tarcie i tym bardziej obiekt zwalnia.

Na snowboardzie można ślizgać się z dużą prędkością, gdyż pomiędzy gładkim śniegiem i gładką deską powstaje tylko niewielkie tarcie.

... i gładkie

Bardzo gładkie powierzchnie nie powodują dużego tarcia i często wydają się śliskie. Po gładkiej powierzchni przedmiot porusza się szybko, a jego ruch nie jest zbytnio spowalniany.

Gdyby nie tarcie...

Tarcie nie tylko spowalnia ruch obiektów. Sprawia też, że pozostają one w spoczynku. Gdyby nie ta siła, nie moglibyśmy niczego chwycić, a zamiast stać – ślizgalibyśmy się.

Podeszwy butów mają specjalne bieżniki. Dzięki temu powstaje tarcie, które zapobiega poślizgowi.

Gorąco

Tam, gdzie powstaje tarcie, wytwarza się ciepło. Otóż kiedy obiekty ocierają się o siebie, tarcie zmienia energię kinetyczną, czyli energię ruchu, w cieplną. Więcej wiadomości o energii znajdziesz na str. 192-193.

Kiedy prom kosmiczny powraca na Ziemię, jest rozgrzany do czerwoności. Sprawia to tarcie powstające pomiędzy jego powierzchnią i powietrzem.

Ogrzewanie monety

Jeśli chcesz zobaczyć, jak tarcie ogrzewa monetę, przeprowadź doświadczenie, wykorzystując właśnie tę siłę.
PRZYGOTUJ: monetę i kartkę papieru.

1. Połóż monetę na papierze i przytrzymaj jednym palcem tak, jak pokazano na rysunku.

2. Teraz przyciśnij pieniążek i potrzyj nim kartkę około 50 razy.

Moneta nagrzewa się, ponieważ pomiędzy nią i papierem powstaje silne tarcie. Następnie zmienia ono energię uzyskaną z ruchu monety w energię cieplną.

Opływowy kształt

Nawet powietrze i woda powodują tarcie, kiedy przedmioty przemieszczają się w nich. Samochody, samoloty i statki zbudowane są tak, że powietrze lub woda opływają je, przez co tarcie się zmniejsza. Mówimy wówczas o opływowym kształcie przedmiotu.

Delfiny mają opływowe ciała, co ułatwia im szybkie poruszanie się w wodzie.

Magnes

Magnes to kawałek metalu zdolny do przyciągania niektórych metali. Magnetyzm jest siłą. Występuje ona, ponieważ atomy metalu są ułożone w swoisty sposób.

Opiłki żelaza (maleńkie drobiny tego metalu) przywierają do tych miejsc magnesu podkowiastego, w których jego siła magnetyczna jest największa.

Odpychanie i przyciąganie

Siły magnetyczne są największe na końcach magnesu. Te końce nazywamy biegunami: północnym i południowym. Jeśli zetkniesz bieguny dwóch magnesów, będą one przyciągać się lub odpychać.

Bieguny północny i południowy zawsze się przyciągają.

Z odpychaniem natomiast mamy do czynienia, gdy próbujemy przybliżyć do siebie dwa bieguny tego samego rodzaju.

Pole magnetyczne

Obszar sił wokół magnesu nazywamy jego polem magnetycznym. Nasza planeta także ma właściwości magnetyczne, a więc i takie pole. Przyciąga ono wskazówki kompasów tak, że zawsze wskazują północ.

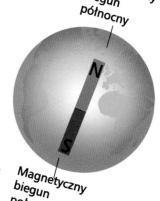

Magnetyczny biegun północny

Magnetyczny biegun południowy

Jak wszystkie magnesy, Ziemia ma magnetyczną północ i południe. Znajdują się one niedaleko biegunów: północnego i południowego*, które widzisz na tym globusie.

* Zob. str. 13.

Zastosowanie magnesów

Na pewno używasz magnesów, przyczepiając notatki na lodówce. Wykorzystuje się je także w silnikach, odtwarzaczach DVD i zegarkach. Ponieważ magnesy przyciągają tylko niektóre metale, na przykład żelazo, stosuje się je również do oddzielania od siebie różnych materiałów.

Które metale?

Posługując się magnesem, przeprowadź doświadczenie na różnych przedmiotach, które znajdziesz w domu.

PRZYGOTUJ: magnes i różne przedmioty – na przykład szpilki, butelkę, monety, nożyczki i sztućce.

Doświadczenie		
	Przed	Po
Szpilka	☑	☐
Moneta	☑	☐
Butelka	☒	☐
Widelec	☒	☐

1. Zgadnij, które przedmioty magnes przyciągnie.

2. A teraz sprawdź, czy rzeczywiście jest tak, jak myślałeś.

Przedmioty, które przyciąga magnes, na pewno zawierają trochę żelaza, stali lub niklu.

Tego ogromnego magnesu używa się do oddzielania od siebie metali różnych rodzajów, aby można je ponownie wykorzystać.

W pociągu „Maglev" siła odpychania sprawia, że unosi się on tuż nad szyną. Dzięki temu posuwa się bardzo płynnie.

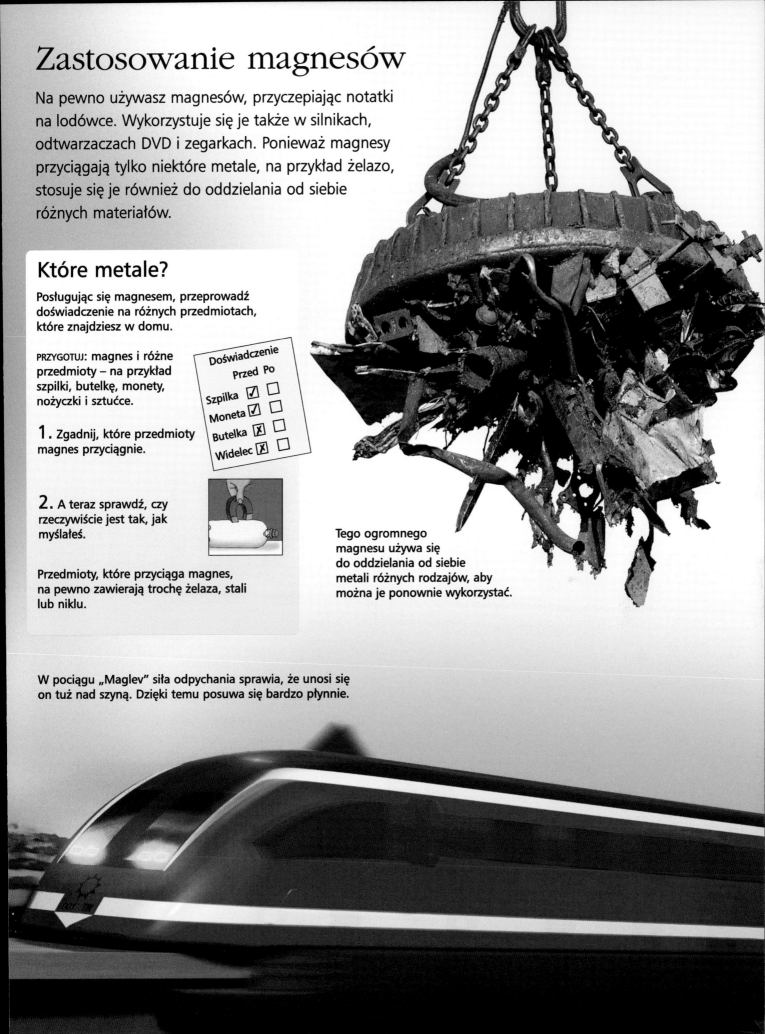

Światło i kolor

Światło jest formą energii. Większość światła na naszej planecie pochodzi od Słońca. Lecz są także inne jego źródła: oświetlenie elektryczne, płomień świecy, a nawet niektóre zwierzęta.

Linie i cienie

Promienie światła zawsze biegną po linii prostej. Jeśli natrafią na nieprzezroczysty przedmiot, będą padać tylko obok niego. Natomiast tam, gdzie światło nie dotrze, pojawi się cień.

Światło może się załamać, jeśli odbije się od jakiejś powierzchni, na przykład od lustra.

Światło biegnie po linii prostej. Cień pojawia się, ponieważ promienie świetlne nie zaginają się wokół przedmiotu.

Możesz sprawić, że światło się załamie. Jeśli skierujesz światło latarki na lustro, promienie odbiją się od niego.

Robaczki świętojańskie mogą wytwarzać światło tak jasne, jak wyświetlacz na twoim magnetowidzie.

Prędkość światła

Kiedy zapalasz lampę w pokoju, światło natychmiast zalewa pomieszczenie. Dzieje się tak, gdyż promienie świetlne poruszają się bardzo szybko, z prędkością 300 tys. km na sekundę.

Drogę ze Słońca na Ziemię światło przebywa zaledwie w osiem minut.

Widzenie światła

Widzimy, ponieważ oczy mają zdolność odbierania i odczuwania światła (więcej o oczach dowiesz się ze str. 107). Tak więc, gdy spoglądamy na jakiś przedmiot, w rzeczywistości widzimy odbijające się od niego światło.

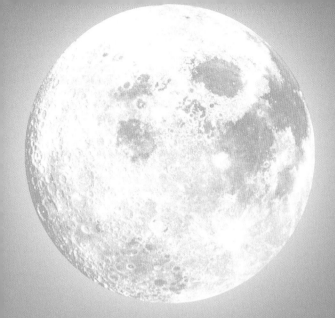

Widzimy Księżyc, ponieważ odbija się od niego światło słoneczne.

Kolory

Jasne białe światło w rzeczywistości składa się z różnych barw, zmieszanych razem.

Widzimy kolory, ponieważ niektóre przedmioty odbijają tylko jedną barwę światła. Na przykład zielony liść odbija jedynie światło zielone, stąd widzimy go właśnie w tym kolorze.

Kawałek szkła odpowiednio ukształtowany, zwany pryzmatem, rozprasza białe światło na wiele barw.

Białe światło pada na pryzmat.

Pryzmat

Z pryzmatu wybiegają promienie o różnych barwach.

Czasami krople deszczu działają jak maleńkie pryzmaty. Rozpraszają światło słoneczne na wiele kolorów i powstaje tęcza.

Czy wiesz, że...

- Większość ludzi potrafi rozróżnić ponad 10 milionów różnych odcieni kolorów.

- Niektórzy jednak nie rozróżniają barw. Widzą pewne kolory, lecz nie potrafią odróżnić czerwonego od zielonego.

- Wiele zwierząt widzi jedynie odcienie szarości, a nie kolory.

- Naukowcy twierdzą, że w całym wszechświecie nie ma większej prędkości niż prędkość światła.

Dźwięk

Dźwięk jest formą energii. Tworzą go drgania, które mogą przemieszczać się w powietrzu, w ciałach stałych i cieczach, lecz nie w próżni.

Drgania

Kiedy uderzysz w bęben, powiesz coś lub klaśniesz, drgają cząsteczki powietrza. Słyszymy dźwięki, ponieważ drgania przemieszczają się w powietrzu lub w innych substancjach i docierają do naszych uszu. (Więcej o uszach dowiesz się ze str. 107.)

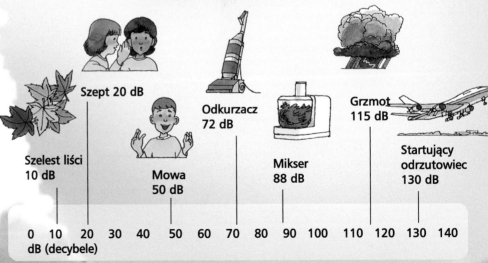

Najgłośniejsze dźwięki, takie jak podczas startu rakiety (180 decybeli), mogą uszkodzić słuch.

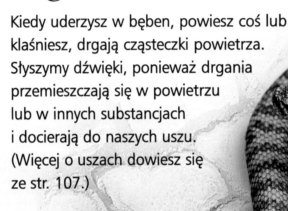

Potrząsając ogonem, grzechotnik wydaje swoisty dźwięk; odstrasza nim wrogów. Drgania pierścieni na jego ogonie wprawiają w ruch cząsteczki powietrza.

Głośne i ciche

Natężenie (głośność) dźwięku zależy od wielkości drgań. Natężenie dźwięku mierzy się w jednostkach zwanych decybelami (dB). Tabelka obok pokazuje, ile decybeli mają różne odgłosy.

Szept 20 dB

Odkurzacz 72 dB

Grzmot 115 dB

Szelest liści 10 dB

Mowa 50 dB

Mikser 88 dB

Startujący odrzutowiec 130 dB

0   10   20   30   40   50   60   70   80   90   100   110   120   130   140
dB (decybele)

Wysoko i nisko

Szybkie drgania tworzą wysokie dźwięki. Gdy przedmiot drga wolniej, powstają dźwięki niższe. To różnice wysokości dźwięku. Niektóre zwierzęta słyszą dźwięki bardzo wysokie, niesłyszalne dla człowieka.

Ten gwizdek wydaje bardzo wysoki dźwięk. Słyszą go psy, a ludzie – nie.

Słonie potrafią wydawać dźwięki tak niskie, że człowiek nie może ich usłyszeć.

Najniższe i najgłośniejsze dźwięki ze wszystkich zwierząt wydają płetwale błękitne.

Muzyka

Instrumenty muzyczne mają części, które drgając, tworzą dźwięk. Kiedy muzyk gra na instrumencie, zmienia prędkość tych drgań: tak powstają dźwięki o różnej wysokości.

Krótsze struny skrzypiec drgają szybciej, wydają więc wyższe dźwięki. Skrzypkowie skracają lub wydłużają struny palcami.

Poczuj drgania dźwięku

Zazwyczaj nie można odczuć ani zobaczyć drgań dźwięku w powietrzu. Jest to jednak możliwe w tym doświadczeniu.

PRZYGOTUJ: radio i nadmuchany balonik.

Włącz radio i trzymaj balonik przy głośniku. Drgania przemieszczą się poprzez balon do twoich palców.

Elektryczność

Elektryczność jest bardzo użyteczną formą energii. Łatwo można ją zmieniać w inne rodzaje energii, na przykład w świetlną lub cieplną. Dzięki prądowi elektrycznemu mamy światło, działają telewizory i komputery. Większość zużywanego przez nas prądu wytwarzają elektrownie.

Błyskawica to rodzaj elektryczności statycznej. Powstaje, kiedy podczas burzy ocierają się o siebie cząsteczki wody w chmurach.

W elektrowniach urządzenia zwane generatorami zmieniają energię otrzymaną z paliwa, na przykład z węgla lub gazu, w prąd elektryczny.

Po przewodach, zawieszonych na słupach, prąd płynie do transformatorów.

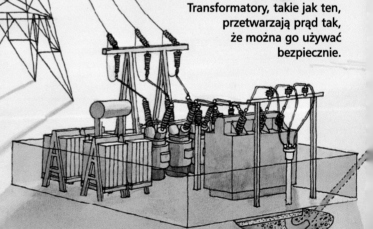

Transformatory, takie jak ten, przetwarzają prąd tak, że można go używać bezpiecznie.

Wytwarzanie prądu

Prąd z elektrowni do domów płynie przewodami – podziemnymi lub zawieszonymi na wysokich słupach. Są tak umieszczone, aby nie można było ich dotknąć, gdyż dotknięcie takiego przewodu grozi porażeniem prądem.

Tutaj pod ziemią biegną przewody.

Korzystanie z prądu

Kiedy włączasz jakieś urządzenie elektryczne, na przykład toster, prąd płynie do niego z sieci elektrycznej. To sprawia, że twój toster się nagrzewa. Plastik nie przewodzi dobrze prądu, dlatego osłony urządzeń elektrycznych wykonuje się właśnie z tego materiału. Taka osłona zapobiega porażeniu.

Czy zgadniesz, które z tych urządzeń zużywa najwięcej prądu w ciągu minuty?

suszarka do włosów

Elektryczność statyczna

Elektryczność statyczna to prąd, który powstaje w niektórych przedmiotach, gdy trą o inne obiekty. Sprawia on, że przedmioty przywierają do siebie. Być może doznałeś kiedyś niewielkiego porażenia, gdy dotknąłeś jakiegoś metalu. Stało się tak dlatego, że w twoim ciele podczas ruchu nagromadził się mały ładunek prądu statycznego.

Wytwórz prąd statyczny

PRZYGOTUJ: balonik i sweter.

1. Nadmuchaj balonik i kilka razy potrzyj nim o sweter.

2. Delikatnie przyłóż balonik do ściany. Nagromadzona w nim elektryczność statyczna sprawi, że balonik przywrze do muru.

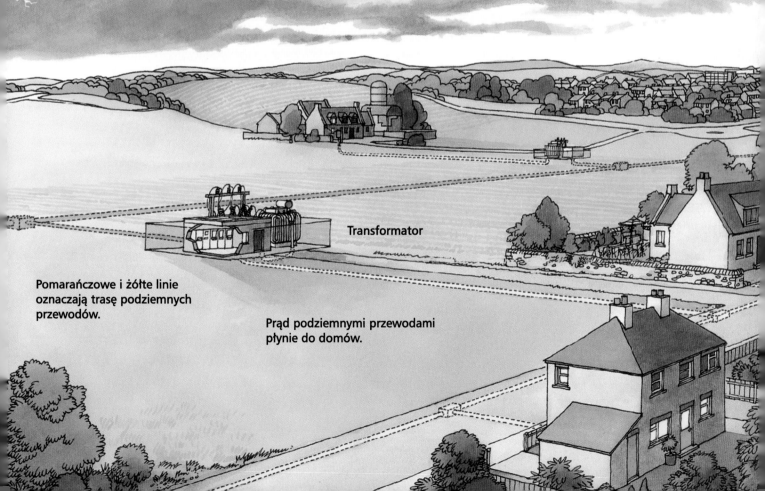

Transformator

Pomarańczowe i żółte linie oznaczają trasę podziemnych przewodów.

Prąd podziemnymi przewodami płynie do domów.

Słowniczek

atom maleńka cząsteczka, z których składa się wszystko, co nas otacza.

bieguny miejsca magnesu, w których jego siła przyciągania jest największa.

ciepło forma energii odczuwalna dla człowieka. Ciepło przechodzi z miejsc i przedmiotów cieplejszych do chłodniejszych.

cząsteczki maleńkie drobiny składające się z atomów. Z cząsteczek zbudowane jest wszystko, co nas otacza.

doświadczenie badanie naukowe, dzięki któremu dowiadujemy się, jak przebiegają różne zjawiska.

elektryczność forma energii umożliwiająca funkcjonowanie wielu urządzeń.

energia kinetyczna rodzaj energii, którą mają poruszające się obiekty.

energia potencjalna energia zgromadzona i gotowa do wykorzystania.

gęstość stosunek ciężaru przedmiotu do jego wielkości.

grawitacja siła przyciągania działająca między przedmiotami.

jądro centralna, najważniejsza część atomu.

kurczenie się gdy przedmiot się kurczy, staje się mniejszy.

magnes kawałek metalu przyciągający do siebie metale niektórych rodzajów.

nauka wiedza o wszechświecie i zachodzących w nim zjawiskach.

obserwacja uważne przyglądanie się czemuś.

reakcja chemiczna przemiana, do której niekiedy dochodzi, gdy połączy się dwie substancje.

robot maszyna potrafiąca wykonywać różne czynności podobnie jak człowiek.

rozszerzanie się gdy przedmiot się rozszerza, staje się większy.

siła odpychanie lub przyciąganie. Siły mogą wprawiać obiekty w ruch, przyspieszać, zwalniać lub zatrzymywać ten ruch, a także zmieniać kształt przedmiotów.

substancja różne rodzaje otaczającej nas materii, np. woda, metal, drewno, szkło, plastik.

światło forma energii, którą odbieramy oczami.

tarcie siła, która spowalnia ruch przedmiotów ocierających się o siebie lub ślizgających się po sobie.

technika wykorzystywanie nauki do konstruowania maszyn i innych użytecznych wynalazków.

temperatura wielkość wskazująca, jak bardzo coś jest gorące lub zimne.

teoria wyobrażenie o tym, jak przebiega dane zjawisko i dlaczego tak się dzieje.

wszechświat wszystko, co istnieje w przestrzeni kosmicznej.

wypór siła, wskutek działania której obiekty unoszą się na powierzchni wody.

wysokość dźwięku im szybsze drgania, tym wyższy jest dźwięk, i na odwrót.

Jak to działa

Zegar

Z pewnością wiesz, że większość zegarów ma dwie lub więcej wskazówek, które obracają się wokół tarczy i pokazują czas. Ale jak to się dzieje?

Która godzina?

Aby pokazać właściwy czas, każda wskazówka musi poruszać się z inną prędkością. Gdy ta pokazująca minuty zdąży już okrążyć całą tarczę, wskazówka godzinowa przesunie się dopiero do kolejnej cyfry.

Na rysunku obok pokazano niektóre części ręcznie nakręcanego zegarka. Ich fragmenty zostały usunięte, aby ilustracja była bardziej czytelna.

Siła sprężyny

Część zwana sprężyną napędową sprawia, że wskazówki się poruszają. Jest to pasek metalu, który skręcony w rolkę, powoli się odwija.

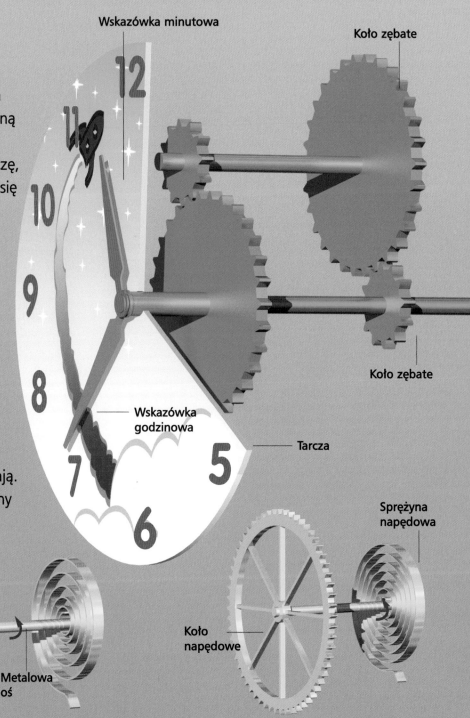

Wskazówka minutowa

Koło zębate

Koło zębate

Wskazówka godzinowa

Tarcza

Sprężyna napędowa

Koło napędowe

Sprężyna napędowa

Metalowa oś

Kiedy obracasz pokrętło wystające z zegarka, sprężyna zwija się w ciasną rolkę.

Sprężysty pasek zaczyna się rozwijać, obracając metalową oś przytwierdzoną do środka sprężyny.

Oś jest połączona z kołem napędowym. Gdy oś się obraca, wraz z nią obraca się też koło.

Widełki i koło wychwytowe

Nakręcona sprężyna od razu rozwinęłaby się całkowicie, gdyby nie część zwana widełkami. Widełki poruszają się w przód i w tył, przez cały czas z tą samą prędkością. W ten sposób regulują prędkość rozwijania się sprężyny napędowej, co pokazano na rysunku.

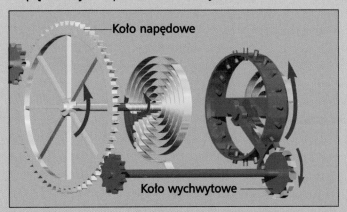

Kiedy widełki poruszają się do przodu, popychają koło wychwytowe, obracając je o jeden ząb.

Widełki ponownie się cofają i chwytają kolejny ząb koła wychwytowego.

Koło wychwytowe jest połączone z kołem napędowym. Za każdym razem, gdy koło wychwytowe obraca się o jeden ząb, koło napędowe i sprężyna także wykonują część obrotu.

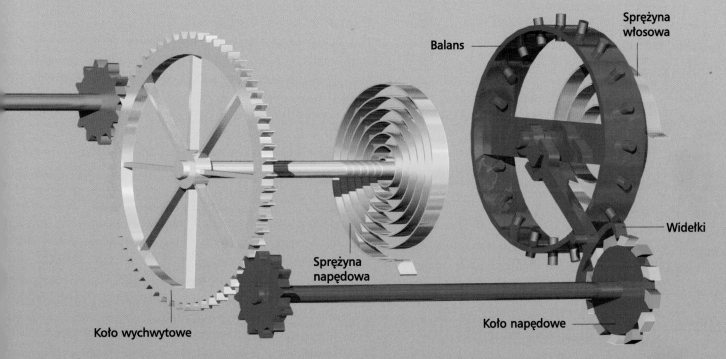

Koła zębate

Koło napędowe wprawia w ruch mniejsze koła zębate, co powoduje, że każda wskazówka obraca się z inną prędkością. Koła te są sczepione zębami, a więc kiedy jedno z nich się obraca, obracają się też pozostałe. Im mniej zębów ma napędzane koło, tym szybciej się obraca.

Małe koło zębate obraca się szybciej niż duże, ponieważ ma mniej zębów.

Fotografia

Aparat fotograficzny to niewielkie urządzenie do robienia zdjęć. Aparaty cyfrowe mają wewnątrz maleńkie komputery, w których przechowują fotografie. Tradycyjne aparaty fotograficzne przechowują je na kliszy.

Na ilustracji niżej tył aparatu został usunięty, abyś mógł zajrzeć do jego wnętrza.

Szklany obiektyw wpuszcza światło do aparatu.

Klisza

Kliszę fotograficzną umieszcza się na rolkach z tyłu aparatu. Jest to taśma z tworzywa sztucznego, które zmienia się pod wpływem światła.

To jest celownik. Przez niego patrzysz na przedmiot, który zamierzasz sfotografować.

Ten przycisk naciskasz, aby zrobić zdjęcie.

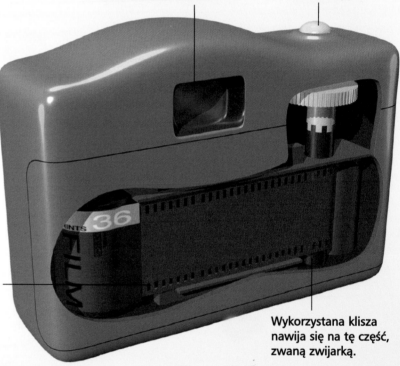

Część tej kasety filmu została usunięta, abyś mógł zobaczyć, jak wygląda w środku.

Klisza jest rozwinięta wewnątrz aparatu, za migawką (zobacz niżej).

Wykorzystana klisza nawija się na tę część, zwaną zwijarką.

Fotografujemy

Kiedy światło pada na jakiś przedmiot, odbija się od niego. To zjawisko umożliwia nam widzenie*. Wykorzystuje się je również w aparacie fotograficznym.

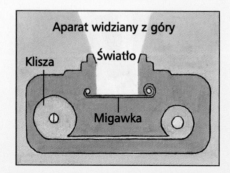

Aparat widziany z góry

Klisza — Światło

Migawka

Klapka, zwana migawką, wewnątrz aparatu zakrywa kliszę. Nie pozwala, by dotarło do niej światło.

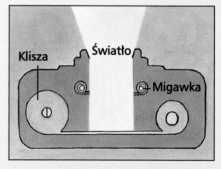

Klisza — Światło

Migawka

Gdy naciśniesz przycisk, migawka otworzy się na chwilę. Wtedy światło przez obiektyw padnie na kliszę i powstanie na niej zdjęcie.

* Jeśli chcesz wiedzieć więcej, zajrzyj na str. 107.

Od kliszy do zdjęcia

Proces, podczas którego z kliszy otrzymujemy fotografię, nazywa się wywoływaniem. Wywołanie zdjęcia nie jest łatwe, dlatego najczęściej powierzamy je specjalistycznemu zakładowi fotograficznemu. W takiej pracowni najpierw zanurza się kliszę w roztworach chemicznych; powstają wtedy małe obrazki, zwane negatywami. Następnie negatyw prześwietla się tak, że światło pada na specjalny papier.

Na negatywie ciemne miejsca rzeczywistego obrazu są jasne, a miejsca jasne – ciemne.

To zdjęcie zrobiono z jednego z negatywów po lewej. Czy widzisz, z którego?

Aparat cyfrowy

Ponieważ w aparacie cyfrowym nie używa się kliszy, zdjęć nim robionych nie trzeba wywoływać. Fotografie można skopiować do komputera i oglądać na monitorze. Zdjęcia cyfrowe można również wydrukować lub przesłać komuś pocztą elektroniczną.

Zdjęcia cyfrowe składają się z malutkich kwadracików, zwanych pikselami.

Aparat cyfrowy

Kino

Aby powstał ruchomy obraz, za pomocą urządzenia zwanego projektorem wyświetla się film. Film to długi pasek z plastiku, na którym rozmieszczono wiele zdjęć; nazywamy je klatkami. Podczas projekcji klatki filmowe pokazywane są bardzo szybko, jedna po drugiej.

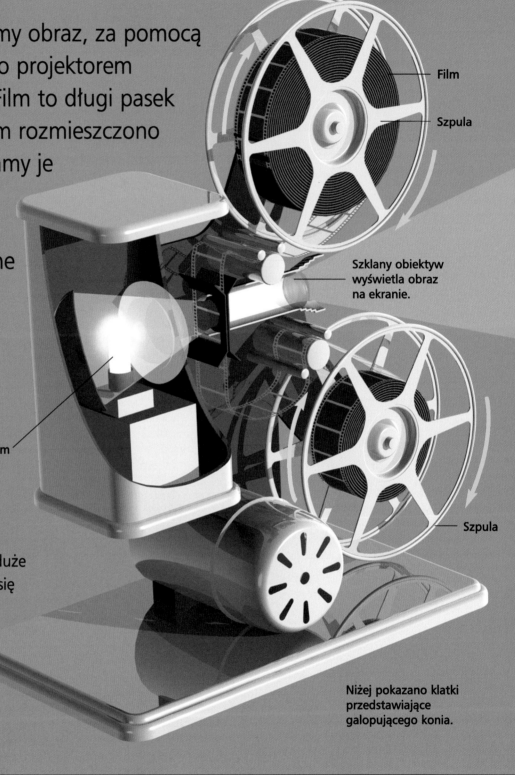

Film

Szpula

Szklany obiektyw wyświetla obraz na ekranie.

Projektor filmowy. Na ilustracji niektóre jego części zostały usunięte, abyś mógł zajrzeć do środka.

Żarówka bardzo jasnym światłem prześwietla każdą klatkę.

Szpula

Projekcja

Projektor filmowy ma dwa duże koła, zwane szpulami. Gdy się obracają, film przewija się z górnej szpuli na dolną. Każda klatka filmu przesuwa się przed żarówką, która prześwietla zdjęcie.

Niżej pokazano klatki przedstawiające galopującego konia.

Ruchome obrazy

Większość projektorów wyświetla 24 klatki na sekundę. Zmieniają się one tak szybko, że nie można dostrzec, jak jedna klatka przechodzi w kolejną. Dzięki temu ich następstwo wygląda jak jeden ruchomy obraz.

Światło pada na ekran, umieszczony naprzeciw projektora. Powstaje na nim powiększona kopia klatki filmowej.

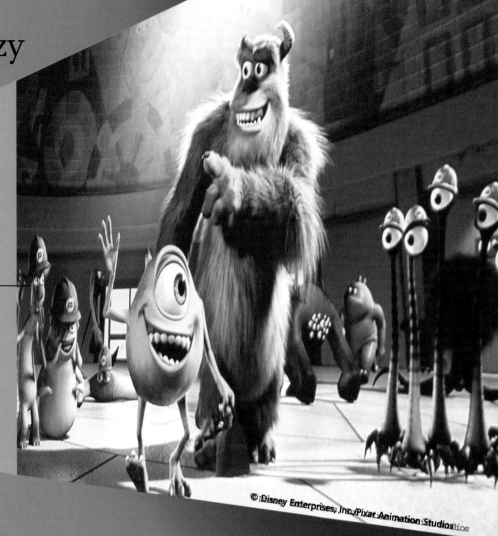

Sam zrób film

Aby stworzyć film, nie musisz mieć filmowej kamery i projektora. Wystarczy notes i ołówek lub kredka!

1. Na ostatniej stronie notesu narysuj ludzika, takiego, jak pokazano tutaj.

3. Rysuj kolejne postacie, aż powstanie kilkanaście obrazków podskakującego człowieczka.

2. Na stronie przedostatniej narysuj kolejną sylwetkę. Tutaj ludzik właśnie zaczyna podskakiwać.

4. Teraz, gdy szybko przekartkujesz strony z obrazkami, zobaczysz swój film o skaczącym ludziku.

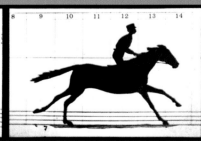

Telewizja

Czy zastanawiałeś się już, skąd biorą się programy telewizyjne i jak docierają na ekran telewizora? Co zobaczyłbyś, gdybyś mógł zajrzeć do wnętrza tego urządzenia?

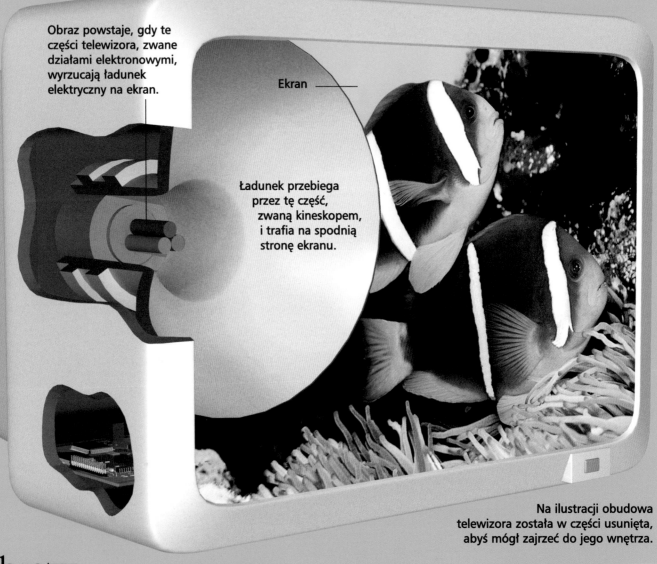

Obraz powstaje, gdy te części telewizora, zwane działami elektronowymi, wyrzucają ładunek elektryczny na ekran.

Ekran

Ładunek przebiega przez tę część, zwaną kineskopem, i trafia na spodnią stronę ekranu.

Na ilustracji obudowa telewizora została w części usunięta, abyś mógł zajrzeć do jego wnętrza.

Obrazy

Obraz telewizyjny powstaje tak samo jak filmowy: na ekranie szybko zmieniają się obrazy, jeden po drugim. Każdy taki obraz powstaje z układu bardzo cienkich linii.

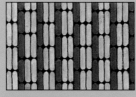

Ekran od spodu ma siatkę linii: czerwonych, zielonych i niebieskich. Są tak cienkie, że ich nie widać.

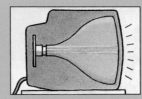

Działa elektronowe rzucają ładunki elektryczne na ekran. Gdy trafiają na linie, te zaczynają świecić.

Linie są tak cienkie, że zamiast nich widzimy mieszaninę kolorów. W ten sposób na ekranie powstaje barwny obraz.

Skąd biorą się obrazy

Programy, które oglądasz, powstają w studiach telewizyjnych. Następnie przekształca się je na niewidzialne sygnały, zwane falami radiowymi (zob. str. 223), i wysyła do odbiorców. Niżej pokazano, jak fale radiowe docierają do twojego telewizora.

Najpierw stacja telewizyjna wysyła fale radiowe do wieży nadawczej. Docierają tam one bardzo szybko.

Wieża nadawcza wychwytuje fale i wysyła je we wszystkich kierunkach. Ten proces nazywamy transmisją.

Zanim dotrą do wielu odbiorników, fale z wieży nadawczej muszą niekiedy przebyć znaczną odległość.

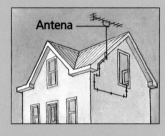

Antena wychwytuje fale i przekazuje je kablem do odbiornika. Gdy tam dotrą, telewizor na powrót zamienia je na program.

Telewizja satelitarna

Niektóre sygnały telewizyjne docierają do odbiorników ze statków kosmicznych, zwanych satelitami. Satelity krążą wokół Ziemi. Wysyłane przez nie sygnały obejmują większą powierzchnię niż te z wież nadawczych.

W systemie telewizji satelitarnej fale radiowe z przestrzeni wychwytują anteny zwane satelitarnymi.

Satelita zawieszony w przestrzeni kosmicznej wychwytuje fale i przekazuje je z powrotem na Ziemię.

Stacja telewizyjna wysyła fale radiowe w przestrzeń kosmiczną.

Odtwarzanie dźwięku

Urządzenia do odtwarzania dźwięku umożliwiają słuchanie muzyki lub radia. Mają one wiele różnych części.

W widocznej tu wieży stereo usunięto części obudowy, abyś mógł zajrzeć do jej wnętrza.

To jeden z dwóch głośników. Właśnie one wydają dźwięki, których słuchasz.

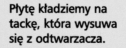

Odtwarzacz CD

Na CD, czyli płytach kompaktowych, przechowuje się zakodowany dźwięk. W odtwarzaczu płyta kręci się bardzo szybko. Wiązka laserowa – cienki promień światła – pada na płytę i odczytuje kod.

Płytę kładziemy na tackę, która wysuwa się z odtwarzacza.

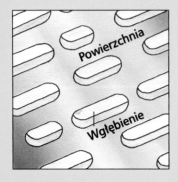

Zakodowany dźwięk nagrywa się na spodnią stronę płyty. Kod tworzą wgłębienia na płaskiej powierzchni.

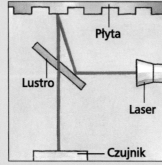

Wiązka lasera odbija się od lustra i pada na obracającą się płytę. Jeśli trafi na płaską powierzchnię, odbija się i biegnie do czujnika.

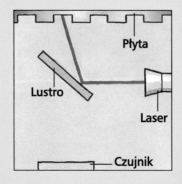

Jeśli wiązka trafi we wgłębienie, nie odbija się. Nie dochodzi więc wówczas do czujnika.

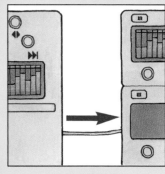

Odtwarzacz zamienia informację o dźwięku, pobieraną z czujnika, na inny kod, który wysyła do wzmacniacza.

Wzmacniacz

Wzmacniacz zamienia informację o dźwięku, dochodzącą do niego z radia lub odtwarzacza CD, na sygnał elektryczny. Potem taki sygnał wysyła do głośników.

To pokrętło służy do regulacji siły głosu.

Głośniki

Większość dźwięków powstaje wskutek szybkiego ruchu cząstek powietrza*. W głośniku drgają pewne jego części, co wprawia też w ruch powietrze wokół nich. W rezultacie sygnał ze wzmacniacza przekształca się w słyszalne dźwięki.

W tej obudowie znajdują się dwa głośniki, przekazujące do twoich uszu dźwięki różnej wysokości.

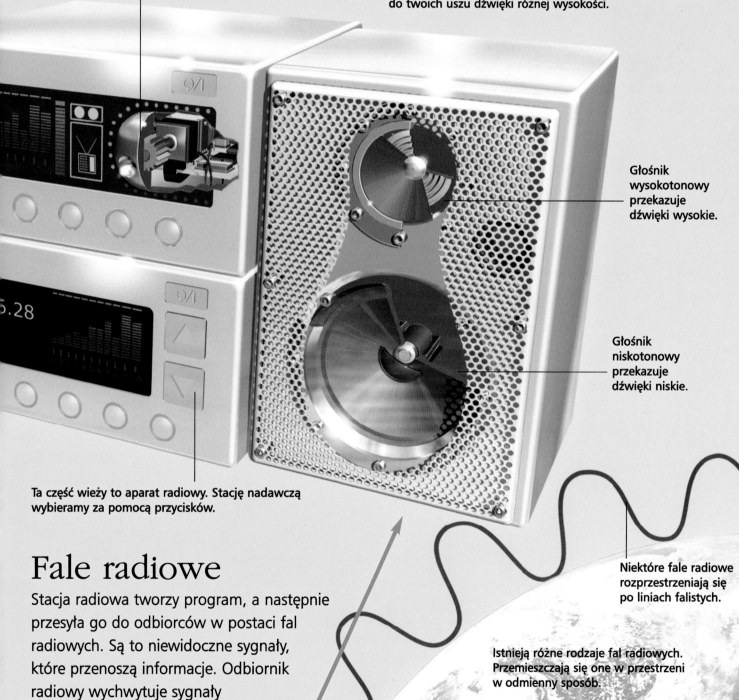

Głośnik wysokotonowy przekazuje dźwięki wysokie.

Głośnik niskotonowy przekazuje dźwięki niskie.

Ta część wieży to aparat radiowy. Stację nadawczą wybieramy za pomocą przycisków.

Niektóre fale radiowe rozprzestrzeniają się po liniach falistych.

Fale radiowe

Stacja radiowa tworzy program, a następnie przesyła go do odbiorców w postaci fal radiowych. Są to niewidoczne sygnały, które przenoszą informacje. Odbiornik radiowy wychwytuje sygnały i odtwarza program.

Istnieją różne rodzaje fal radiowych. Przemieszczają się one w przestrzeni w odmienny sposób.

Niektóre fale biegną po liniach prostych.

* Więcej dowiesz się ze str. 208-209.

Telefon

Aparaty telefoniczne są połączone w sieć, która obejmuje wszystkie kontynenty. Tak więc ludzie mogą rozmawiać ze sobą prawie z każdego miejsca na świecie.

W tym telefonie usunięto część jego plastikowej obudowy, abyś mógł zajrzeć do środka.

Słuchawkę, czyli miniaturowy głośniczek, przykładasz do ucha.

Wtyczkę wkłada się do gniazdka umieszczonego na ścianie. Do gniazdka jest podłączony przewód, łączący twój telefon z innymi.

To mikrofon – część, do której mówisz.

Wysyłanie sygnałów

Kiedy telefonujesz do kolegi, twój aparat wysyła sygnał do jego telefonu. Zajmuje to jedynie kilka sekund, nawet jeśli twój rozmówca jest daleko od ciebie.

1. Aby zadzwonić do kolegi, wybierasz numer jego telefonu. Sygnał z twojego aparatu biegnie przewodami.

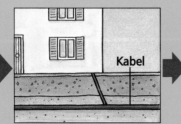

Kabel

2. Przewody przekazują sygnał z twojego domu do grubszego przewodu, czyli kabla. Na ogół jest on ukryty pod ziemią.

3. Sygnał biegnie kablem do centrali telefonicznej. To budynek, w którym jest wiele komputerów.

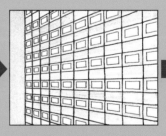

4. Komputery w centrali odczytują numer, który wybrałeś. Wiedzą wówczas, dokąd przesłać sygnał.

Telefon komórkowy

Telefony komórkowe łączą się z innymi aparatami nie poprzez przewody, lecz wysyłając sygnały zwane falami radiowymi (zob. str. 223). Fale docierają daleko, toteż telefonów komórkowych można używać niemal wszędzie.

Aby nawiązać połączenie, telefon komórkowy wysyła fale radiowe. Te sygnały wychwytuje najbliższa wieża nadawcza.

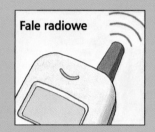

Wieże nadawcze są rozmieszczone na całym świecie. Każda wieża jest połączona z centralą (zob. krok 3. na stronie obok).

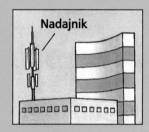

Centrala odbiera sygnał i wysyła fale radiowe do wielu wież. Telefon twojego odbiorcy wychwytuje je z tej najbliższej.

Antena wysyła i wychwytuje sygnały telefoniczne.

To jest słuchawka.

Ekran wyświetla różne informacje, między innymi numer telefonu rozmówcy.

Ta część, zwana kartą SIM, gromadzi informacje o telefonie, na przykład zapamiętuje jego numer.

Bateria dostarcza energii elektrycznej, dzięki której telefon działa.

Na ilustracji części telefonu komórkowego zostały usunięte, abyś mógł zajrzeć do jego wnętrza.

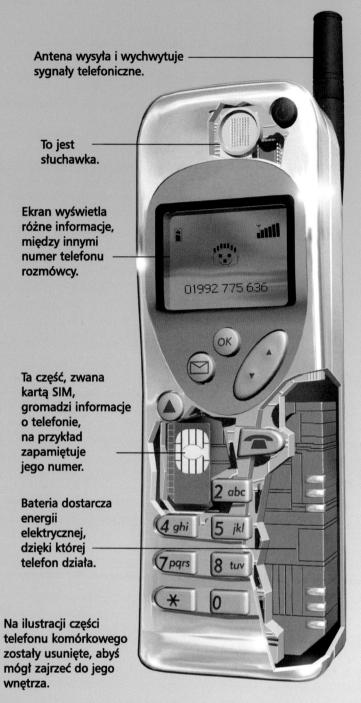

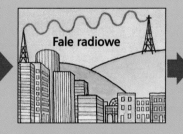
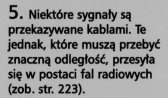

5. Niektóre sygnały są przekazywane kablami. Te jednak, które muszą przebyć znaczną odległość, przesyła się w postaci fal radiowych (zob. str. 223).

6. Sygnał dochodzi do centrali najbliższej domu twojego rozmówcy. Centrale są rozmieszczone na całym świecie.

7. Ta centrala przesyła sygnał do domu twojego kolegi. Dociera on do telefonu, a wtedy aparat dzwoni.

8. Kolega podnosi słuchawkę. Następuje połączenie waszych telefonów i już możecie rozmawiać.

Komputer

Komputery pomagają ludziom w wielu dziedzinach, od pisania listów do lotów w kosmos. Mogą przechowywać mnóstwo informacji i bardzo szybko wykonywać skomplikowane działania matematyczne.

To jest komputer. Na ilustracji usunięto część jego obudowy, abyś mógł zajrzeć do jego wnętrza.

Monitor pokazuje dane w postaci słów i obrazów.

Do napędu CD wkłada się płytę. Można wtedy grać w grę komputerową lub odczytywać dane.

To jest jednostka centralna komputera (CPU). Mały wentylator służy do jej chłodzenia.

Na dysku twardym przechowuje się dane.

Ten wentylator, nieco większy, również chłodzi jednostkę.

Klawiatura i myszka służą do przekazywania komputerowi poleceń.

Myszka

„Mózg" komputera

Część komputera, zwana jednostką centralną (albo CPU), to jego „mózg". Wykonuje ona obliczenia i wydaje polecenia innym częściom komputera.

Programy komputerowe

Komputery nie potrafią samodzielnie myśleć. Ludzie muszą pisać dla nich zestawy poleceń, zwane programami. Komputer wykonuje zadania, sterowany takimi programami. Są one przechowywane wewnątrz tych urządzeń, na twardych dyskach.

Korzystając z programu Microsoft® Paint, możesz rysować komputerowe obrazki.

Przesyłanie informacji

W wykonywaniu zadań określonych programem biorą udział różne części komputera. Aby działały, komputer przesyła odpowiednie informacje z jednej części do drugiej.

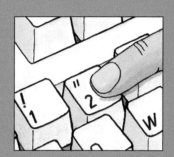

Gdy naciskasz klawisz, do komputera zostaje wysłana informacja. Dociera do niego przewodem.

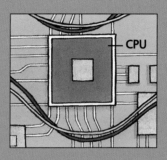

W komputerze zostaje ona przesłana do CPU i tam odpowiednio odczytana.

Potem jednostka centralna przekazuje informację do monitora. Ekran pokazuje, jakie zadanie wykonał komputer.

Użyteczne roboty

Roboty wewnątrz mają komputery, dzięki czemu zachowują się podobnie do ludzi lub zwierząt. Można je wykorzystać w fabrykach, na przykład w produkcji samochodów. Obecnie naukowcy próbują stworzyć robota, który sam potrafiłby się uczyć, tak jak człowiek.

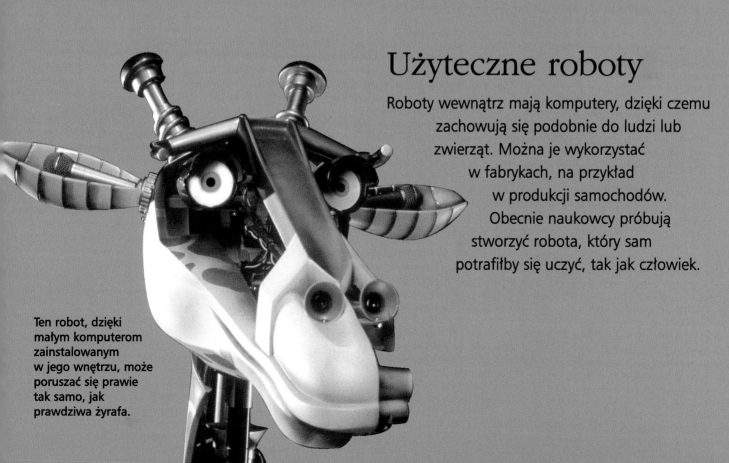

Ten robot, dzięki małym komputerom zainstalowanym w jego wnętrzu, może poruszać się prawie tak samo, jak prawdziwa żyrafa.

Internet

Jeśli komputery połączymy z sobą, można przesyłać między nimi dane. Grupa połączonych komputerów to sieć. Największą siecią na świecie jest Internet.

Komputery mogą przesyłać informacje do satelitów w kosmosie, które znów przesyłają je do innych komputerów.

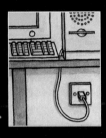

Komputery można podłączyć do linii telefonicznej i tym łączem przesyłać dane.

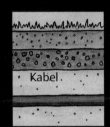

Kabel.

Niektóre komputery są połączone kablami. Takie kable mogą biec pod ziemią lub na dnie morza.

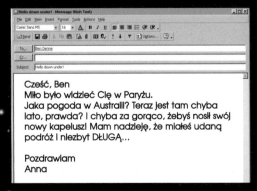

Wiadomość e-mail

Cześć, Ben
Miło było widzieć Cię w Paryżu.
Jaka pogoda w Australii? Teraz jest tam chyba lato, prawda? I chyba za gorąco, żebyś nosił swój nowy kapelusz! Mam nadzieję, że miałeś udaną podróż i niezbyt DŁUGĄ...

Pozdrawiam
Anna

Internet i e-mail

Część Internetu nazywa się World Wide Web. Jest to sieć obejmująca cały świat, którą tworzą witryny, czyli strony, z różnymi informacjami. Witryny przechowuje się w potężnych komputerach, zwanych serwerami. Serwery mogą też przesyłać wiadomości między komputerami. Taka elektroniczna poczta zwie się e-mail.

Adresy

Serwery na całym świecie przechowują miliony witryn internetowych. Bez trudu jednak można je znaleźć, gdyż każda witryna ma własny adres.

Tak wygląda adres witryny internetowej:

http://www.publicat.pl

„www" to skrót słów World Wide Web.

A oto przykłady witryn internetowych

Znajdowanie witryny

Aby znaleźć i pokazać użytkownikowi witrynę internetową, komputer korzysta z programu zwanego przeglądarką oraz z urządzenia – modemu. Większość komputerów ma modemy wewnątrz. Umożliwiają one odbieranie i przekazywanie danych linią telefoniczną, jak pokazano niżej.

Twój komputer

4. Z kolei modem u ciebie zamienia te dane z powrotem na witrynę internetową.

1. Wpisujesz adres witryny internetowej w przeglądarce na twoim komputerze.

Serwer

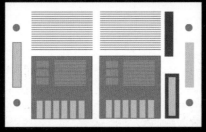

3. Serwer znajduje stronę internetową, po czym wysyła informację do twojego komputera.

2. Modem zamienia adres na informację, którą może przekazać linią telefoniczną, i przesyła ją do serwera.

Lodówka

Jedzenie dłużej zachowuje świeżość, gdy przechowuje się je w lodówce. Niska temperatura utrzymuje się w niej dzięki specjalnemu płynowi chłodzącemu.

Oziębianie

Gdy jesteś mokry, twoja skóra, wysychając, ochładza się. Dzieje się tak, ponieważ woda zmienia się w gaz, czyli paruje, a kiedy ciecz paruje, pochłania ciepło. Właśnie to zjawisko wykorzystuje się w lodówkach. Prześledź kolejne objaśnienia na ilustracji obok, a dowiesz się, jak przebiega ten proces.

Czerwone strzałki wskazują ciepło.

Oświetlenie

Lampka wewnątrz lodówki zapala się przy każdym otwarciu drzwiczek. Kiedy je zamykasz, drzwi dociskają wyłącznik, który wyłącza oświetlenie.

Kiedy drzwi lodówki się otwierają, wyłącznik odskakuje i lampka się zapala.

Wyłącznik

1. Płyn chłodzący jest pompowany do wężownicy parownika. Zaczyna tam parować.

Wężownica parownika

2. Podczas parowania płyn pochłania ciepło z produktów spożywczych zgromadzonych w lodówce i ze znajdującego się w niej powietrza.

Skraplacz

3. Czynnik chłodzący w postaci lotnej przedostaje się do skraplacza i tam na powrót zmienia się w ciecz, czyli skrapla się. Podczas skraplania oddaje ciepło na zewnątrz.

Pompa

Ilustracja przedstawia lodówkę, której części zostały usunięte, abyś mógł obejrzeć jej wnętrze.

Kuchenka mikrofalowa

W kuchence mikrofalowej można podgrzać potrawę znacznie szybciej niż płomieniem gazowym. W tym urządzeniu wykorzystuje się niewidoczne fale, zwane mikrofalami.

Gorąco i zimno

Wszystko na świecie składa się z malutkich drobin, zwanych atomami*. Są tak małe, że nie można ich zobaczyć. Kiedy jakiś przedmiot się ogrzewa, dzieje się tak właśnie dlatego, że atomy, z których jest zbudowany, poruszają się szybko.

Kiedy przedmiot jest zimny, atomy w jego wnętrzu poruszają się wolno.

W przedmiocie gorącym poruszają się one szybko.

Mikrofale

Mikrofala to rodzaj fali radiowej (zobacz str. 223). Mogą one przenikać przez powietrze i wodę. Potrawa zawiera wodę, mikrofale przenikną więc także przez nią. Gdy tak się dzieje, wszystkie atomy w produkcie włożonym do kuchenki zaczynają szybciej krążyć, co powoduje podgrzanie potrawy.

Mikrofale są niewidoczne, dlatego kierunek ich ruchu oznaczono czerwonymi strzałkami.

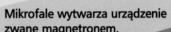

Mikrofale wytwarza urządzenie zwane magnetronem.

Na ilustracji część obudowy kuchenki mikrofalowej została usunięta, abyś mógł zajrzeć do środka.

Talerz w kuchence obraca się, żeby mikrofale dotarły do każdej części potrawy.

Mikrofale odbijają się od metalowych ścianek kuchenki mikrofalowej.

* Więcej informacji znajdziesz na str. 186-187.

Toaleta i kran

Woda, której używasz
w domu, najczęściej dopływa
tam z wielkiego zbiornika.
System rur doprowadza
ją do toalet, kranów
i pryszniców w całym
domu. Taki system
nazywamy instalacją
wodociągową.

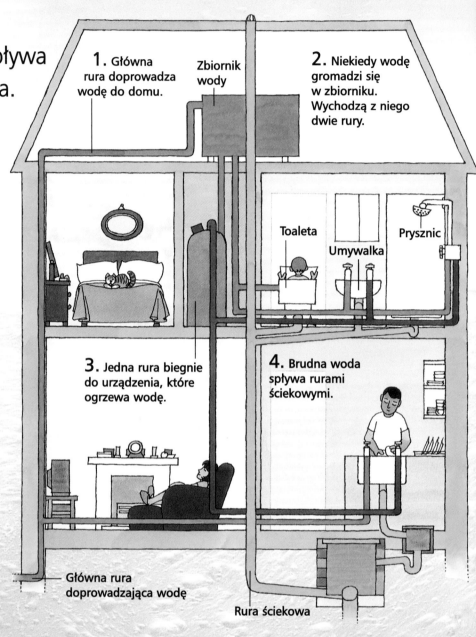

1. Główna rura doprowadza wodę do domu.

Zbiornik wody

2. Niekiedy wodę gromadzi się w zbiorniku. Wychodzą z niego dwie rury.

Toaleta

Prysznic

Umywalka

3. Jedna rura biegnie do urządzenia, które ogrzewa wodę.

4. Brudna woda spływa rurami ściekowymi.

Główna rura doprowadzająca wodę

Rura ściekowa

Zbiorniki to ogromne, stworzone przez człowieka jeziora. Przechowuje się w nich wodę, by wykorzystać ją na różne potrzeby.

Odprowadzanie wody

Brudna woda i nieczystości podziemnymi
rurami spływają do oczyszczalni ścieków. Tam
brud i zanieczyszczenia usuwa się z wody, aby
można było ponownie ją wykorzystać.

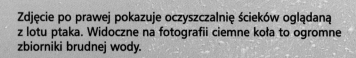
Zdjęcie po prawej pokazuje oczyszczalnię ścieków oglądaną z lotu ptaka. Widoczne na fotografii ciemne koła to ogromne zbiorniki brudnej wody.

Toaleta

Woda do spłukiwania toalety gromadzi się w specjalnie skonstruowanym zbiorniku, zwanym rezerwuarem. Poniżej pokazano, jak działa takie urządzenie.

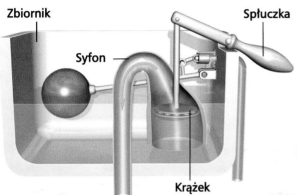

Zbiornik

Syfon

Spłuczka

Krążek

Kiedy naciskasz spłuczkę, krążek podnosi się i wypycha wodę ponad szczytem syfonu. Pierwsza porcja wody, opadając za syfonem, zasysa jej resztę ze zbiornika.

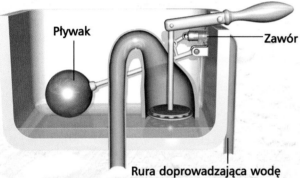

Pływak

Zawór

Rura doprowadzająca wodę

Kiedy rezerwuar opróżnia się, opada krążek, a także pływak. Ruch pływaka powoduje, że otwiera się zawór i do zbiornika zaczyna napływać woda.

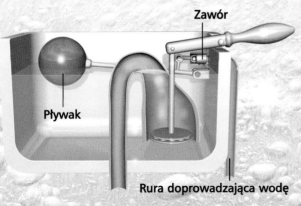

Zawór

Pływak

Rura doprowadzająca wodę

Rezerwuar znów się napełnia. Przybywa wody, a pływak podnosi się coraz wyżej, aż jego dźwignia zamknie zawór. Wówczas woda przestaje płynąć.

Gdy spłukujesz toaletę, woda wraz z nieczystościami spływa do rur ściekowych.

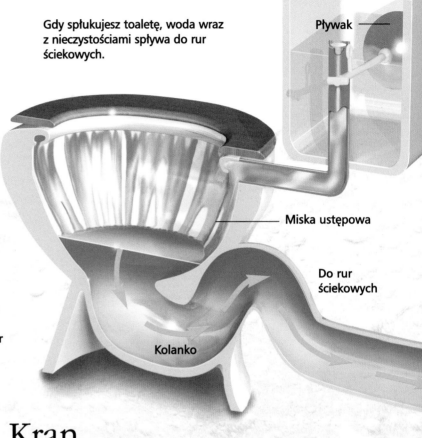

Zbiornik

Pływak

Miska ustępowa

Do rur ściekowych

Kolanko

Kran

Wewnątrz kranu znajduje się długa śruba z krążkiem – uszczelką. Kiedy odkręcasz kurek, śruba obraca się. Wówczas uszczelka podnosi się i otwiera dopływ wody do kranu.

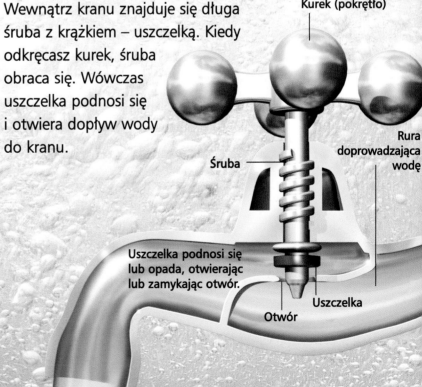

Kurek (pokrętło)

Rura doprowadzająca wodę

Śruba

Uszczelka podnosi się lub opada, otwierając lub zamykając otwór.

Otwór

Uszczelka

Samochód i motocykl

Samochody i inne pojazdy, także motocykle czy motorowery, mają silniki, które wprawiają te maszyny w ruch. Aby silnik działał, potrzebne jest paliwo.

Silnik

Świeca zapłonowa

Ten silnik ma cztery takie cylindry; strzałka wskazuje jeden z nich. W każdym jest tłok.

Tłok

Część obudowy widocznego tu samochodu została usunięta, abyś mógł zajrzeć do jego wnętrza.

MINI COOPER S

Podobnie tutaj została usunięta część koła.

Jak działa silnik

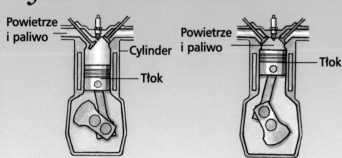
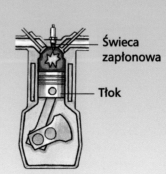
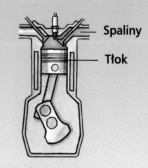

Powietrze i paliwo — Cylinder — Tłok

Powietrze i paliwo — Tłok

Świeca zapłonowa — Tłok

Spaliny — Tłok

Tłok w cylindrze opada, zasysając do niego powietrze i paliwo.

Tłok ponownie się podnosi, ściskając mieszankę powietrza i paliwa.

Świeca zapłonowa zapala mieszankę. Wybucha ona wtedy i ciśnienie powstałego gazu spycha tłok w dół.

W cylindrze pozostają spaliny. Gdy tłok podnosi się, wypycha je na zewnątrz.

Dlaczego obracają się koła

Tłoki w silniku są połączone z mechanizmem zwanym wałem korbowym. Obracają go, gdy poruszają się w górę i w dół. Wał korbowy przenosi ruch na półosie, na których są osadzone koła.

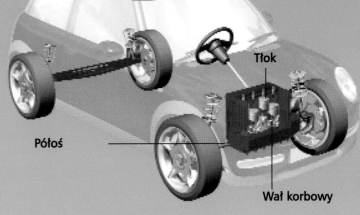

Rura wydechowa odprowadza spaliny z silnika.

W pokazanym tu modelu samochód porusza się, napędzany przez przednie koła.

Tłok

Półoś

Wał korbowy

Zbiornik paliwa

Rura wydechowa

Hamulce tarczowe

W samochodach i motocyklach do zwalniania i zatrzymywania się służą hamulce, zwane tarczowymi.

Gdy kierowca samochodu naciska na pedał hamulca, specjalna ciecz – płyn hamulcowy – przepływa rurką do klocków hamulcowych.

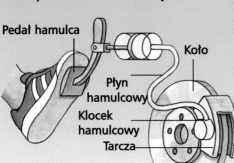

Pedał hamulca

Koło

Płyn hamulcowy

Klocek hamulcowy

Tarcza

Klocki hamulcowe zaciskają się na tarczach, hamując ruch kół.

Motocykl

Motocykl działa podobnie jak samochód. Silnik motocykla jest mniejszy niż samochodowy, lecz może przyśpieszyć w krótszym czasie. Do regulacji szybkości służy manetka – obrotowy uchwyt na kierownicy.

Motocyklista wychyla się na zakrętach.

Koparka

Koparka to maszyna, która kopie ogromne doły. Ta, którą widzisz na ilustracji, to koparka podsiębierna. Nazywa się tak, ponieważ wielkim metalowym czerpakiem zagarnia ziemię ku sobie.

Nadwozie koparki może obracać się dookoła.

Poruszają nim te części.

Ramię porusza się na zawiasach.

To ramię koparki

Kiedy ziemia jest grząska, gąsienice umożliwiają maszynie zachowanie stabilności.

Zęby

Metalowe zęby czerpaka, wgryzając się w ziemię, ułatwiają jej wykopywanie.

Poruszanie ramieniem

Ramieniem koparki poruszają metalowe tłoki. Znajdują się one wewnątrz wypełnionych olejem rurek, zwanych cylindrami. Są połączone metalowymi drążkami z różnymi częściami ramienia. Operator koparki, poruszając tłokami w górę i w dół, wprawia w ruch części ramienia. Zobacz niżej, jak steruje się koparką.

Tłok

Czerpak

Cylinder   Olej

Operator pociąga za dźwignię. Olej przepływa wtedy z góry cylindra na dół, jego ciśnienie wypycha tłok w górę. Tłok pociąga drążek, który podnosi czerpak.

Olej   Tłok

Cylinder

Popchnięcie dźwigni powoduje, że olej z dołu cylindra przepływa do góry. Wtedy tłok opada w dół, co powoduje przyciągnięcie czerpaka.

Czerpak

Ciągnik

Ciągniki są wyposażone w wielkie silniki, o dużej mocy. Dzięki temu te pojazdy mogą podnosić i ciągnąć znaczne ciężary.

Na ilustracji część obudowy ciągnika została usunięta, abyś mógł zajrzeć do jego wnętrza.

Część, w której siedzi kierowca, to kabina.

Duże koła z grubymi oponami zwiększają przyczepność, gdy ciągnik porusza się po grząskim gruncie.

Ciągniki poruszają się bardzo wolno, toteż nie zużywają wiele paliwa.

Do tych metalowych zaczepów z tyłu można przyczepić różne narzędzia.

Wał odbioru mocy łączy się z silnikiem.

Narzędzia

Z tyłu ciągnika znajduje się metalowy drążek, zwany wałem odbioru mocy. Narzędzia przyłączone do niego otrzymują energię z silnika ciągnika. Na rysunku niżej pokazano dwa z wielu narzędzi, jakie rolnik może przyłączyć do ciągnika i wykonywać za ich pomocą różne prace.

Wbijarka słupów

Zwijarka siana

To urządzenie wbija w ziemię kołki ogrodzenia. Rolnik jedzie w miejsce, w którym chce ustawić kołek.

Gdy naciśnie przycisk, duży ciężar podnosi się, a potem gwałtownie opada, wbijając kołek w ziemię.

Posługując się tym urządzeniem, rolnik zbiera z pola siano. Metalowe pręty w środku obracają się, zwijając siano w wielką belę.

Kiedy zwijarka jest pełna, otwiera się i bela wytacza się z niej na pole. Sianem karmi się zwierzęta, na przykład krowy i konie.

Pociąg

Pociągi poruszają się po specjalnie wybudowanych torach, przewożą ludzi i towary z jednego miejsca w drugie. Często przemierzają wielkie odległości: najdłuższa trasa kolejowa na świecie ma ponad 9 tysięcy kilometrów.

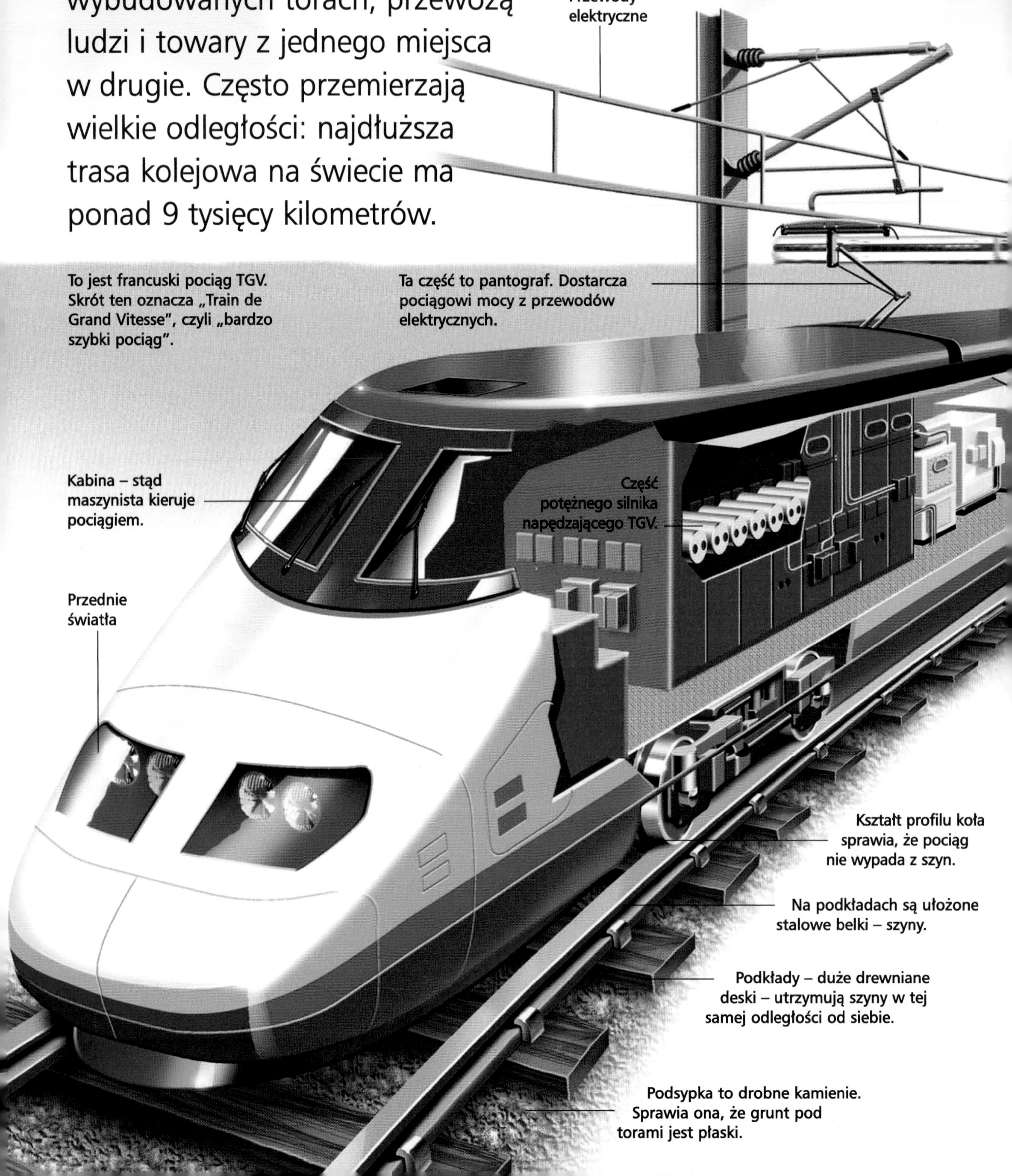

Przewody elektryczne

To jest francuski pociąg TGV. Skrót ten oznacza „Train de Grand Vitesse", czyli „bardzo szybki pociąg".

Ta część to pantograf. Dostarcza pociągowi mocy z przewodów elektrycznych.

Kabina – stąd maszynista kieruje pociągiem.

Część potężnego silnika napędzającego TGV.

Przednie światła

Kształt profilu koła sprawia, że pociąg nie wypada z szyn.

Na podkładach są ułożone stalowe belki – szyny.

Podkłady – duże drewniane deski – utrzymują szyny w tej samej odległości od siebie.

Podsypka to drobne kamienie. Sprawia ona, że grunt pod torami jest płaski.

Coraz szybciej

Naukowcy wciąż poszukają sposobów zwiększenia szybkości pociągów. Ten pociąg o nazwie „Maglev" nie dotyka szyny. Porusza się, wykorzystując właściwości magnesu.

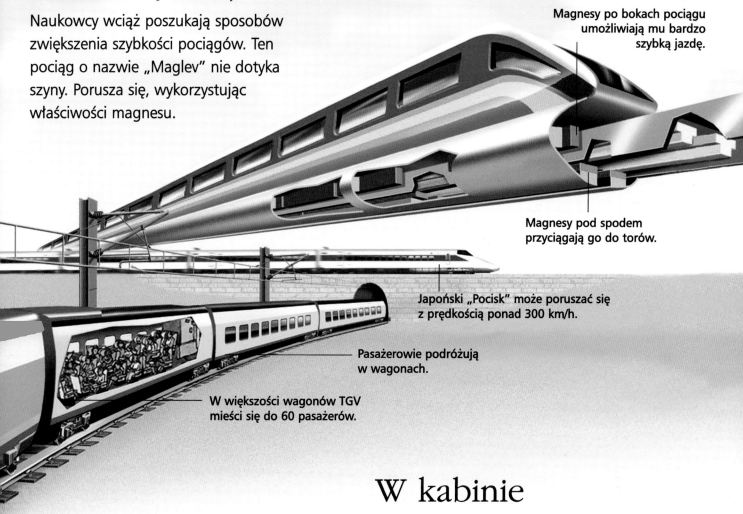

Magnesy po bokach pociągu umożliwiają mu bardzo szybką jazdę.

Magnesy pod spodem przyciągają go do torów.

Japoński „Pocisk" może poruszać się z prędkością ponad 300 km/h.

Pasażerowie podróżują w wagonach.

W większości wagonów TGV mieści się do 60 pasażerów.

W kabinie

Maszynista kieruje pociągiem z kabiny, umieszczonej z przodu. Ilustracja niżej pokazuje pulpit sterowania w kabinie pociągu TGV.

W razie niebezpieczeństwa można bardzo szybko zatrzymać pociąg, naciskając na ten przycisk.

Tą dźwignią maszynista reguluje prędkość.

Tutaj widać, jak prędko pociąg jedzie.

Maszynista może się porozumieć z centralą przez radio.

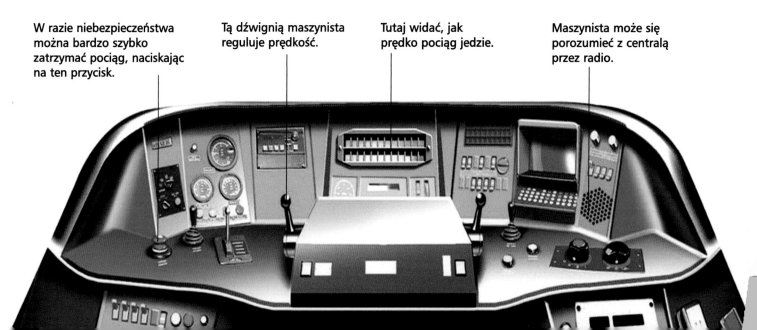

Samolot

Lot samolotem to najszybszy sposób podróżowania. Samoloty latają, ponieważ mają potężne silniki i specjalnie ukształtowane skrzydła.

Start

Skrzydła samolotu są bardziej zakrzywione u góry niż u dołu. Taki kształt nazywamy płatem. Gdy prześledzisz kolejno poniższe punkty, dowiesz się, jak samolot startuje i dlaczego lata.

Tutaj widoczny jest kształt płata.

Silnik

Te strzałki pokazują kierunek przepływu powietrza.

1. Wyposażony w silnik o wielkiej mocy, samolot leci bardzo szybko. Powietrze z dużą prędkością owiewa skrzydła.

2. Ze względu na kształt płata przepływa ono szybciej nad skrzydłami niż pod nimi.

3. Powietrze pod skrzydłem napiera mocniej niż nad skrzydłem. To sprawia, że samolot się unosi.

Zrób skrzydło

Przekonaj się, że powietrze, przepływające szybko nad jedną stroną kartki papieru, unosi ją tak, jak skrzydło samolotu.
PRZYGOTUJ: kartkę cienkiego papieru o wymiarach 15 x 5 cm.

1. Przyłóż krótszy bok arkusika do ust, tak by kartka luźno zwisała.

2. Dmuchnij ponad jej górną stroną. Zobaczysz, że kartka się uniesie.

Samoloty typu Concorde mają bardzo spiczaste nosy. Dzięki temu kształtowi powietrze gładko opływa maszynę i Concorde może lecieć z prędkością ponaddźwiękową, czyli szybciej niż dźwięk.

Te strzałki pokazują kierunek przepływu powietrza.

Sterowanie samolotem

Niektóre części na skrzydłach i ogonie samolotu są ruchome. Pilot porusza nimi za pomocą układu sterowania, chcąc zmienić kierunek lotu.

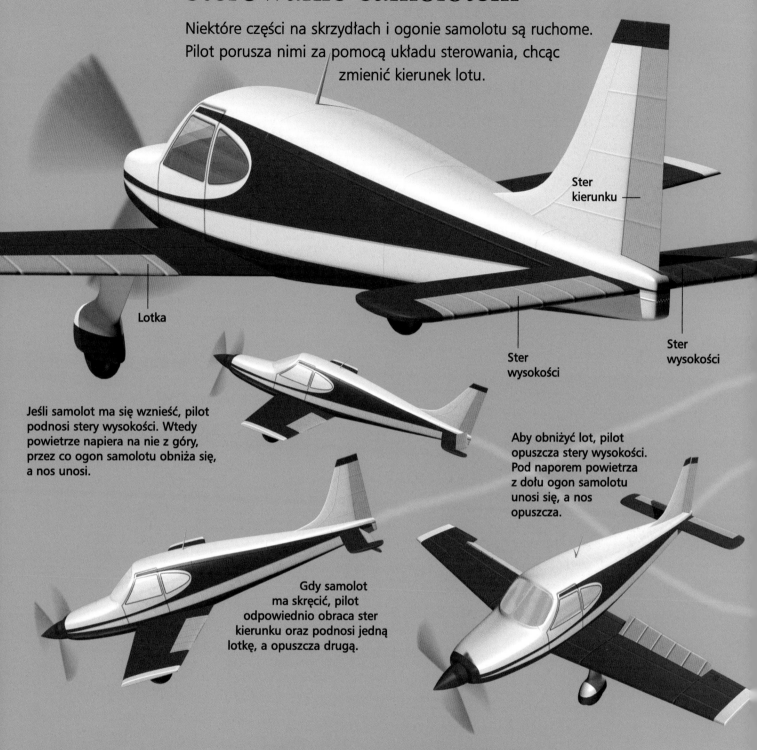

Ster kierunku

Lotka

Ster wysokości

Ster wysokości

Jeśli samolot ma się wznieść, pilot podnosi stery wysokości. Wtedy powietrze napiera na nie z góry, przez co ogon samolotu obniża się, a nos unosi.

Aby obniżyć lot, pilot opuszcza stery wysokości. Pod naporem powietrza z dołu ogon samolotu unosi się, a nos opuszcza.

Gdy samolot ma skręcić, pilot odpowiednio obraca ster kierunku oraz podnosi jedną lotkę, a opuszcza drugą.

Pulpit sterowniczy

Pilot steruje samolotem z kokpitu, na przodzie maszyny. W jego wnętrzu znajduje się taki pulpit sterowniczy.

Ta tarcza pokazuje, jak wysoko leci samolot.

Tutaj odczytuje się kierunek lotu.

Tym drążkiem pilot steruje samolotem.

Statki i łodzie

Statki i mniejsze od niego łodzie służą do transportu ludzi i towarów, często na znaczne odległości. Wielkie statki, jak ten pasażerski, mogą pomieścić nawet dwa tysiące ludzi.

Na ilustracji niektóre części statku usunięto, abyś mógł zajrzeć do środka.

Tył statku to rufa.

Komin

Takich łodzi ratunkowych używa się w razie niebezpieczeństwa.

Statek napędzają cztery śruby.

Mocy dostarczają śrubom cztery potężne silniki.

Jeśli w wodzie znalazłby się ogromny kawał metalu, ważący tyle samo co statek, zatonąłby. Statek unosi się na wodzie, ponieważ jest pusty w środku i ma odpowiedni kształt. Więcej informacji o unoszeniu się na powierzchni wody znajdziesz na str. 200-201.

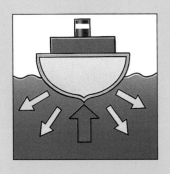

Płynący statek lub łódź napiera na wodę. Woda natomiast napiera na tę konstrukcję, co sprawia, że unosi się ona na powierzchni. To zjawisko nazywamy wyporem (zob. str. 200).

Sam zrób łódź

Zobacz, jak kształt łodzi umożliwia jej unoszenie się na wodzie.
PRZYGOTUJ: dużą miskę z wodą i kawałek plasteliny.

1. Ugnieć kulkę z plasteliny i włóż ją do wody. Zobaczysz, że kulka utonie.

2. A teraz z tego samego kawałka ulep miseczkę w kształcie łódki. Najlepiej zrobić to kciukiem.

3. Ponownie włóż plastelinę do wody. Tym razem, dzięki swemu kształtowi, będzie pływać na powierzchni.

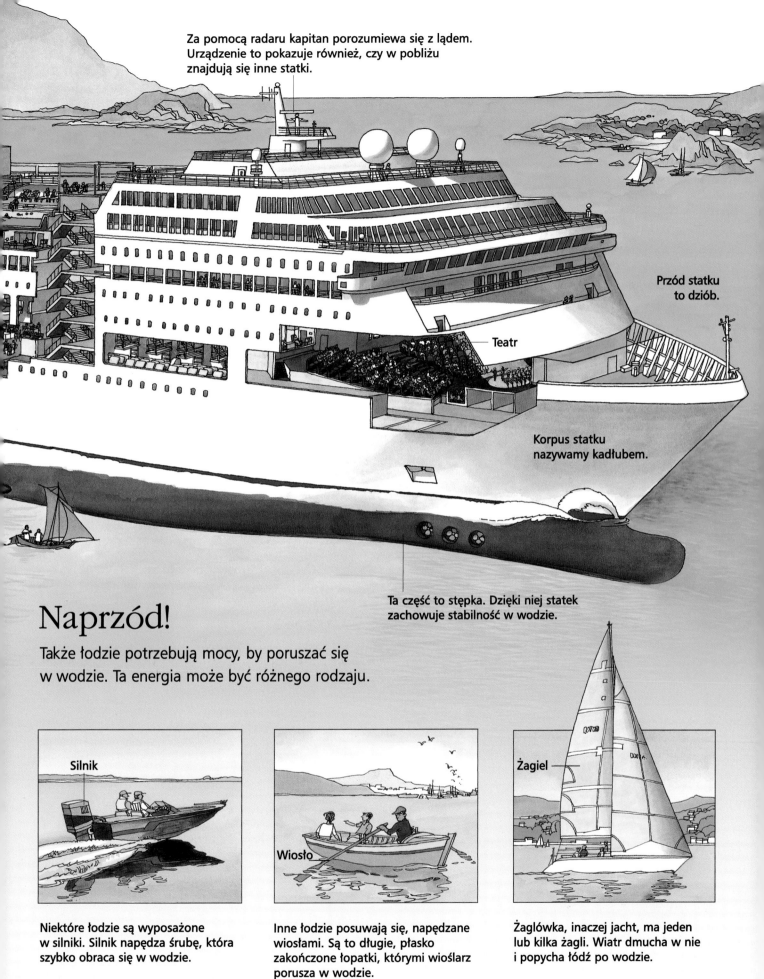

Za pomocą radaru kapitan porozumiewa się z lądem. Urządzenie to pokazuje również, czy w pobliżu znajdują się inne statki.

Przód statku to dziób.

Teatr

Korpus statku nazywamy kadłubem.

Ta część to stępka. Dzięki niej statek zachowuje stabilność w wodzie.

Naprzód!

Także łodzie potrzebują mocy, by poruszać się w wodzie. Ta energia może być różnego rodzaju.

Silnik

Wiosło

Żagiel

Niektóre łodzie są wyposażone w silniki. Silnik napędza śrubę, która szybko obraca się w wodzie.

Inne łodzie posuwają się, napędzane wiosłami. Są to długie, płasko zakończone łopatki, którymi wioślarz porusza w wodzie.

Żaglówka, inaczej jacht, ma jeden lub kilka żagli. Wiatr dmucha w nie i popycha łódź po wodzie.

Łódź podwodna

Łódź podwodna to statek, którym można płynąć pod powierzchnią wody. Małe łodzie, o specjalnej konstrukcji, służą do badania oceanów. Niżej pokazano właśnie takie urządzenie.

Tak bada się głębiny oceanu.

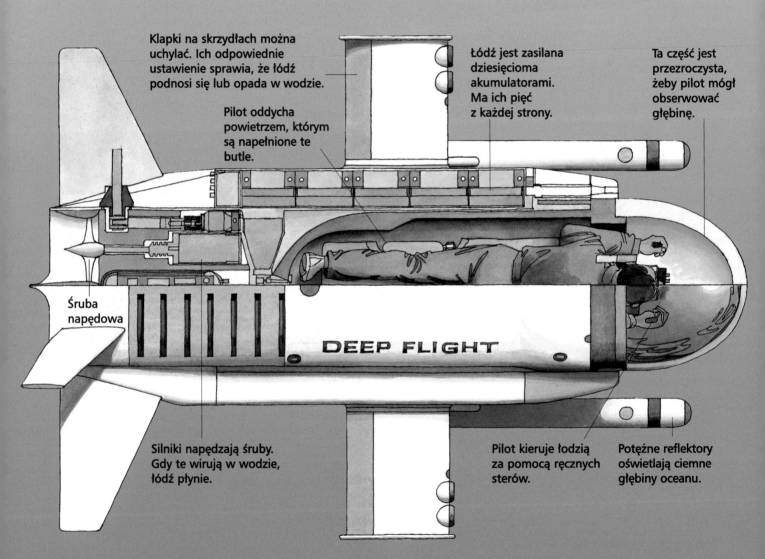

Klapki na skrzydłach można uchylać. Ich odpowiednie ustawienie sprawia, że łódź podnosi się lub opada w wodzie.

Pilot oddycha powietrzem, którym są napełnione te butle.

Łódź jest zasilana dziesięcioma akumulatorami. Ma ich pięć z każdej strony.

Ta część jest przezroczysta, żeby pilot mógł obserwować głębinę.

Śruba napędowa

DEEP FLIGHT

Silniki napędzają śruby. Gdy te wirują w wodzie, łódź płynie.

Pilot kieruje łodzią za pomocą ręcznych sterów.

Potężne reflektory oświetlają ciemne głębiny oceanu.

Zanurzanie się

W pokazanej tu łodzi do jej zanurzania i wynurzania się służą skrzydła. Wielkie okręty podwodne natomiast robią to inaczej.

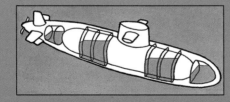

Gdy okręt ma się zanurzyć, zbiorniki w jego wnętrzu zostają wypełnione wodą. Łódź ma wówczas większy ciężar i opada.

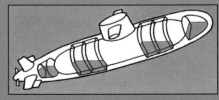

Kiedy łódź ma się wynurzyć, wodę wypompowuje się. Okręt staje się lżejszy i unosi się.

W kosmosie

Niezwykła przestrzeń

W kosmosie można ujrzeć wiele niezwykłych zjawisk. Niektóre widać gołym okiem, inne tylko przez teleskop lub lornetkę. Właśnie im jest poświęcona ta część książki. A oto kilka przykładów.

Statek kosmiczny

Rakiety latają w kosmos już od 40 lat. Statkiem kosmicznym ludzie dotarli aż na Księżyc. Statki bezzałogowe odwiedziły już tak odległe planety, jak Uran i Neptun.

Tą amerykańską rakietą trzyosobowa załoga poleciała na Księżyc.

Astronauci

Ludzie podróżujący w przestrzeni to astronauci. Zanim polecieli w kosmos, musieli przygotowywać się przez wiele lat.

Astronauta w skafandrze, w którym może wyjść ze statku w przestrzeń.

Gwiazdy

Gwiazda to płonąca kula bardzo gorącego gazu. Jest nią także Słońce.

Poniżej widać, jak z chmur pyłu powstają nowe gwiazdy.

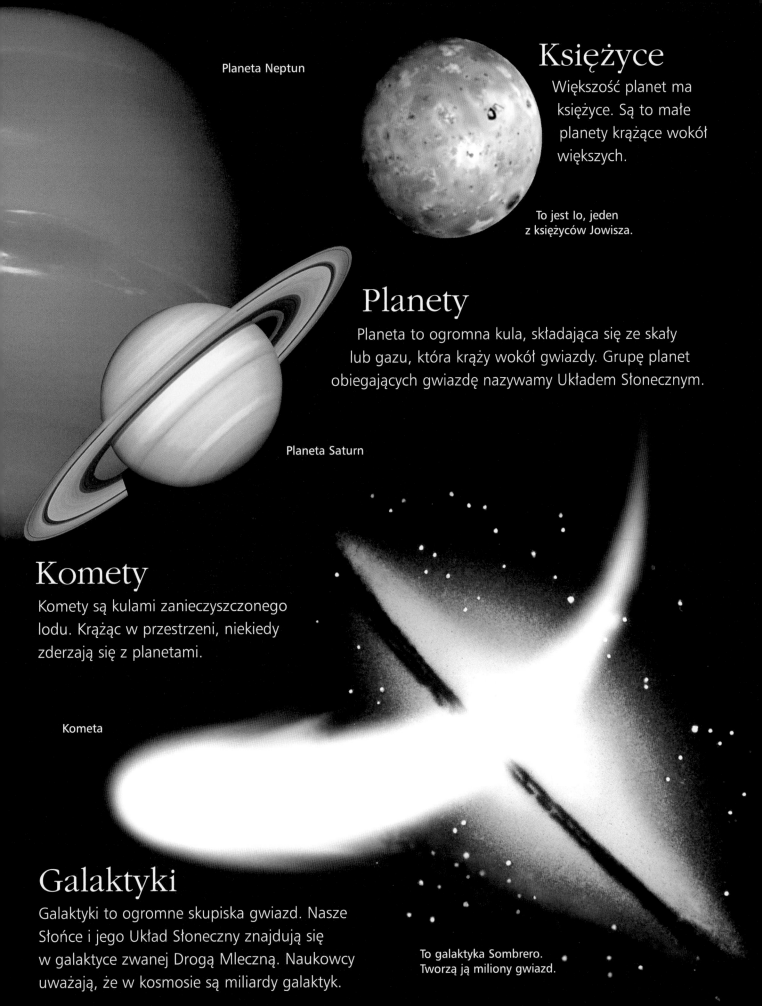

Planeta Neptun

Księżyce

Większość planet ma księżyce. Są to małe planety krążące wokół większych.

To jest Io, jeden z księżyców Jowisza.

Planety

Planeta to ogromna kula, składająca się ze skały lub gazu, która krąży wokół gwiazdy. Grupę planet obiegających gwiazdę nazywamy Układem Słonecznym.

Planeta Saturn

Komety

Komety są kulami zanieczyszczonego lodu. Krążąc w przestrzeni, niekiedy zderzają się z planetami.

Kometa

Galaktyki

Galaktyki to ogromne skupiska gwiazd. Nasze Słońce i jego Układ Słoneczny znajdują się w galaktyce zwanej Drogą Mleczną. Naukowcy uważają, że w kosmosie są miliardy galaktyk.

To galaktyka Sombrero. Tworzą ją miliony gwiazd.

247

Wyprawy w kosmos

Ludziom udało się wysłać rakietę w kosmos dopiero w 1957 roku. Wcześniej spadały one na ziemię, zanim znalazły się w przestrzeni. Nie były wystarczająco potężne, by dolecieć dalej.

Prom kosmiczny

Pierwszy człowiek poleciał w kosmos w 1961 roku. Potem w jego ślady poszły setki mężczyzn i kobiet. Dziś astronauci podróżują także promami kosmicznymi, inaczej: wahadłowcami. Jak działają takie statki?

Statecznik ogonowy

Gdy wahadłowiec powraca z kosmosu, skrzydła umożliwiają mu lądowanie na Ziemi.

Astronauci muszą nosić skafandry, aby przejść do ładowni lub wyjść w przestrzeń.

Rakieta nośna

Zbiornik paliwa

1. Wahadłowiec startuje z Ziemi.

2. Dwie rakiety nośne odpadają, kiedy kończy się im paliwo, i na spadochronach opadają na Ziemię.

3. Napędzany głównym silnikiem prom pędzi w przestrzeni. Wielki zbiornik paliwa odpada, kiedy jest już pusty.

Życie na promie

Na wahadłowcu lecącym w kosmosie siedmioro ludzi może żyć i pracować przez 17 dni. Mieszkają w przedziale załogowym, z przodu statku. W tym pomieszczeniu astronauci nie muszą nosić skafandrów.

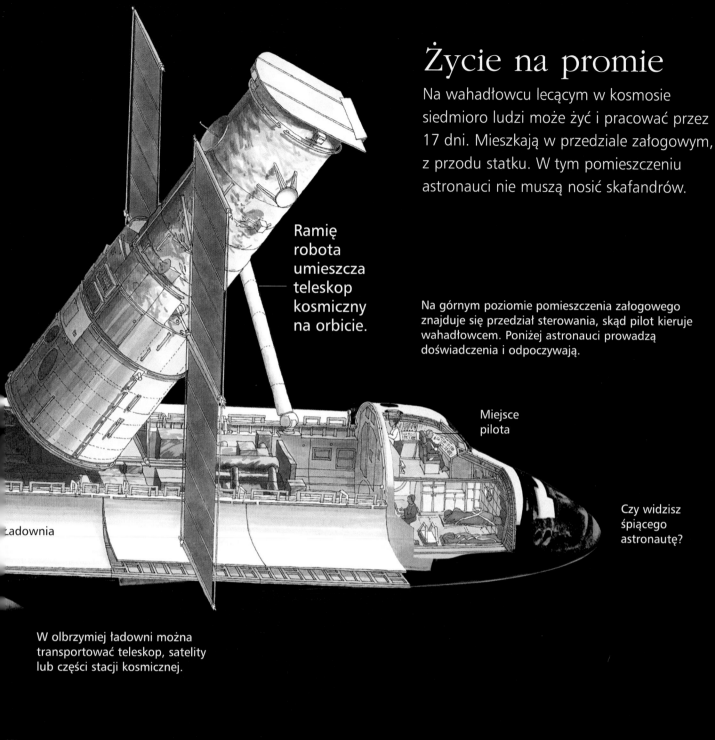

Ramię robota umieszcza teleskop kosmiczny na orbicie.

Na górnym poziomie pomieszczenia załogowego znajduje się przedział sterowania, skąd pilot kieruje wahadłowcem. Poniżej astronauci prowadzą doświadczenia i odpoczywają.

Miejsce pilota

Czy widzisz śpiącego astronautę?

Ładownia

W olbrzymiej ładowni można transportować teleskop, satelity lub części stacji kosmicznej.

4. Gdy prom powraca z wyprawy, prześlizguje się przez ziemską atmosferę. Wtedy powłoka statku bardzo mocno się rozgrzewa.

5. Wahadłowiec ląduje na kołach, tak jak samolot.

Spacer w kosmosie

W przestrzeni kosmicznej nie ma powietrza. Aby móc oddychać poza wahadłowcem, astronauta musi nosić specjalny skafander. Taki ubiór można porównać do małego statku kosmicznego, z własnymi zasobami powietrza i wody.

Kamera na kasku filmuje to, co robi astronauta.

Skafander składa się z kilku bardzo cienkich, lecz mocnych warstw. Chronią one astronautę przed malutkimi meteoroidami oraz nadmiernym ciepłem i zimnem.

Ponieważ twarz astronauty skrywa kask, członkowie załogi rozpoznają się po takich paskach.

Światła pozwalają widzieć w ciemności.

Skafander jest tak elastyczny, że nie krępuje ruchów.

Astronauta może sterować wyposażeniem skafandra za pomocą tego urządzenia.

Czas iść do pracy

Astronauci wychodzą w przestrzeń, by naprawić satelitę, budować stację kosmiczną lub sprawdzić zewnętrzne części statku. Na tej i sąsiedniej stronie pokazano dwóch amerykańskich astronautów spacerujących w przestrzeni (1997 rok).

Oto część wyposażenia, które zapewnia astronautom odpowiednie warunki poza statkiem. Trzeba przy tym wiedzieć, że niekiedy takie kosmiczne spacery trwają aż pięć godzin lub nawet więcej.

Odblaskowy wizjer kasku chroni przed oślepiającym światłem słonecznym.

Ta czapka zapewnia właściwe położenie mikrofonu i słuchawek.

Zasobnik na wodę ma rurkę, która prowadzi wprost do ust astronauty.

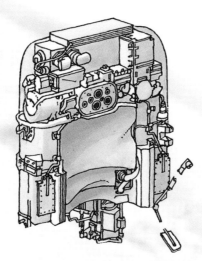

To główny układ utrzymania warunków życiowych. Jest w nim powietrze, którym oddycha astronauta.

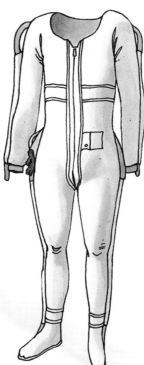

Ten ubiór zakłada się wprost na ciało. Jest wyposażony w rurki z wodą, którą astronauta może podgrzać lub ochłodzić, aby było mu cieplej lub chłodniej.

Wyściełane rękawice mają gumowe czubki palców, co umożliwia lepsze czucie dotykanych przedmiotów.

Żar i mróz

Kiedy podczas spaceru w przestrzeni astronautów oświetla Słońce, są wystawieni na promienie gorętsze od wrzącej wody. Lecz gdy statek znajduje się w cieniu Ziemi, temperatura spada znacznie poniżej zera.

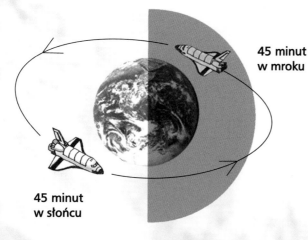

Wahadłowiec okrąża Ziemię w 90 minut.

45 minut w mroku

45 minut w słońcu

Na orbicie

Stacje kosmiczne to jakby krążące w przestrzeni domy, w których astronauci prowadzą doświadczenia i obserwacje. Ludzie mogą mieszkać w nich przez wiele miesięcy. Pierwszą taką stację zbudowano w 1971 roku.

Stacja

Ta międzynarodowa stacja kosmiczna unosi się 370 km nad Ziemią. Mieszkało w niej początkowo troje astronautów, a od 2009 roku sześć, a nawet więcej osób. Pierwsza załoga przybyła na stację w 2000 roku. Między tym kosmicznym domem a Ziemią astronauci podróżują wahadłowcem lub innym statkiem kosmicznym.

Tak wygląda pracownia, w której naukowcy prowadzą badania i sprawdzają, jak różne obiekty zachowują się w przestrzeni kosmicznej.

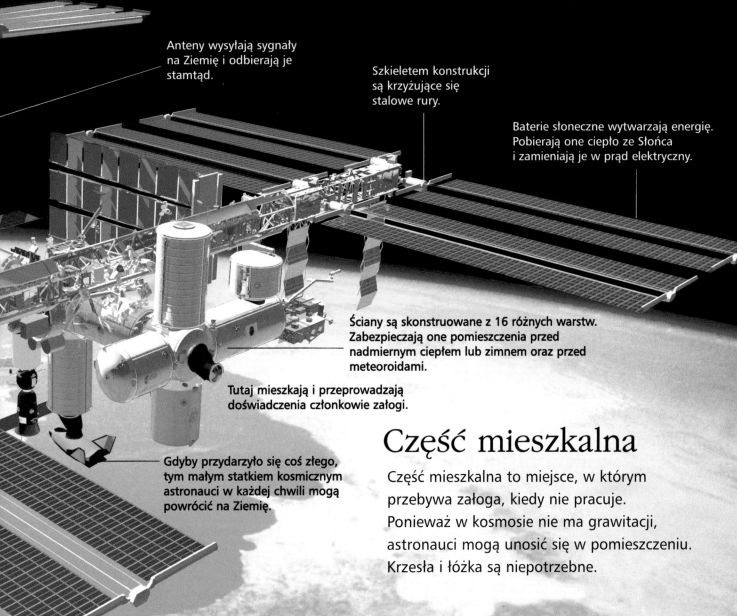

Anteny wysyłają sygnały na Ziemię i odbierają je stamtąd.

Szkieletem konstrukcji są krzyżujące się stalowe rury.

Baterie słoneczne wytwarzają energię. Pobierają one ciepło ze Słońca i zamieniają je w prąd elektryczny.

Ściany są skonstruowane z 16 różnych warstw. Zabezpieczają one pomieszczenia przed nadmiernym ciepłem lub zimnem oraz przed meteoroidami.

Tutaj mieszkają i przeprowadzają doświadczenia członkowie załogi.

Gdyby przydarzyło się coś złego, tym małym statkiem kosmicznym astronauci w każdej chwili mogą powrócić na Ziemię.

Część mieszkalna

Część mieszkalna to miejsce, w którym przebywa załoga, kiedy nie pracuje. Ponieważ w kosmosie nie ma grawitacji, astronauci mogą unosić się w pomieszczeniu. Krzesła i łóżka są niepotrzebne.

Kosmiczna toaleta

Tak wygląda kosmiczna toaleta. Skonstruowano ją w bardzo przemyślny sposób.

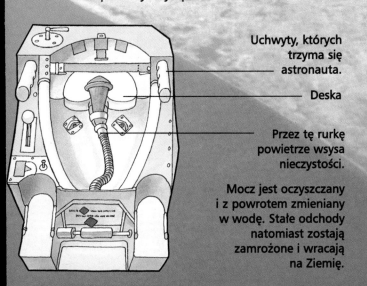

Uchwyty, których trzyma się astronauta.

Deska

Przez tę rurkę powietrze wsysa nieczystości.

Mocz jest oczyszczany i z powrotem zmieniany w wodę. Stałe odchody natomiast zostają zamrożone i wracają na Ziemię.

Poziom trzeci

Tutaj astronauci mogą ćwiczyć.

Poziom drugi

Miejsce do spania. Każdy ma swoje własne, niewielkie pomieszczenie.

Poziom pierwszy

Załoga je razem przy tym dużym stole.

Satelity i sondy kosmiczne

Satelity i sondy kosmiczne to statki bez załogi. Kierują nimi naukowcy z Ziemi. Większość satelitów i sond jest wyposażona w kamery lub inne urządzenia obserwacyjne.

Kamery zainstalowane na satelicie ERS mogą wykonywać bardzo szczegółowe zdjęcia Ziemi.

Satelity

Niektóre satelity obserwują Ziemię, inne przestrzeń kosmiczną. Jeszcze innych używa się do przesyłania obrazów telewizyjnych lub rozmów telefonicznych na obszarze całego globu.

Baterie słoneczne

Ten satelita nazywa się SOHO. Obserwuje atmosferę Słońca, dostarcza też informacji o wietrze słonecznym (zob. str. 262).

Sondy kosmiczne

Sondy kosmiczne, zwane też próbnikami, wykonują podobne zadania jak satelity. Nie krążą jednak wokół Ziemi, lecz kierują się do wybranej planety. Dotarły już do wszystkich planet Układu Słonecznego. Niekiedy sondy nawet lądują na dalekich planetach.

Ta ilustracja przedstawia sondę kosmiczną „Voyager", zmierzającą w kierunku Neptuna w 1989 roku.

Kosmiczne widoki

Oto dwa zdjęcia wykonane przez satelity. Specjalne kamery mogą sfotografować szczegóły obiektu, które potem uwydatnia się za pomocą komputera.

To zdjęcie, zrobione przez ERS, przedstawia dziurę w atmosferze nad Antarktyką.

Na tej fotografii, wykonanej przez SOHO, jest widoczna krawędź powierzchni Słońca.

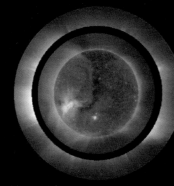

Duży obraz

Poniższe zdjęcie zrobił satelita o nazwie COBE. Jest to mapa temperatury kosmosu.

Niektóre regiony kosmosu są gorętsze od innych. Tę różnicę temperatur oddają kolory czerwony i niebieski.

Satelita COBE

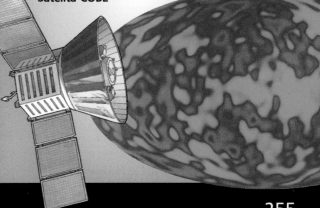

Czy jest tam kto?

Odkąd ludzie badają gwiazdy, zastanawiają się, czy w kosmosie istnieje życie. Na razie to niewiadoma, lecz niektórzy astronomowie sądzą, że niebawem znajdziemy dowody, które pozwolą odpowiedzieć twierdząco na to pytanie.

Poszukiwania

Z Układu Słonecznego wyruszają dwojakiego rodzaju sondy kosmiczne. Sondy „Pioneer" wiozą podobiznę ludzi i mapę, pokazującą, gdzie znajduje się Ziemia. Natomiast dzięki specjalnej płycie z pokładu sondy „Voyager", z zapisem dźwięków i zdjęć Ziemi, „obcy" będą mogli zobaczyć, jak wyglądamy.

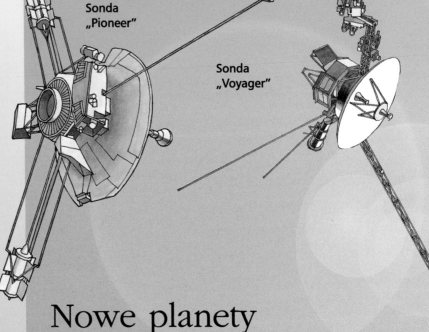

Sonda „Pioneer"

Sonda „Voyager"

Płyta z pokładu „Voyagera"

Nowe planety

Niedawno astronomowie odkryli nowe planety na orbitach gwiazd. Być może istnieje tam życie. Radioteleskopy, takie jak ten w Portoryko – na zdjęciu niżej, śledzą niebo w pobliżu tych planet w poszukiwaniu sygnałów od „obcych".

Radioteleskop w Arecibo (Portoryko) jest największy na świecie.

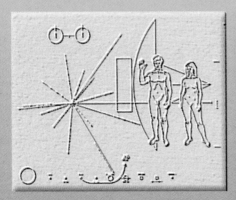

Mapa i podobizna ludzi z „Pioneera"

Życie na Europie?

Europa, jeden z księżyców Jowisza, jest pokryta lodem. Pod nim może znajdować się zimne, głębokie morze. Badacze spodziewają się znaleźć tam stworzenia, może podobne do tych, jakie żyją głęboko pod wodą na Ziemi. Zapewne w przyszłości Europę odwiedzi sonda kosmiczna, by zebrać więcej danych.

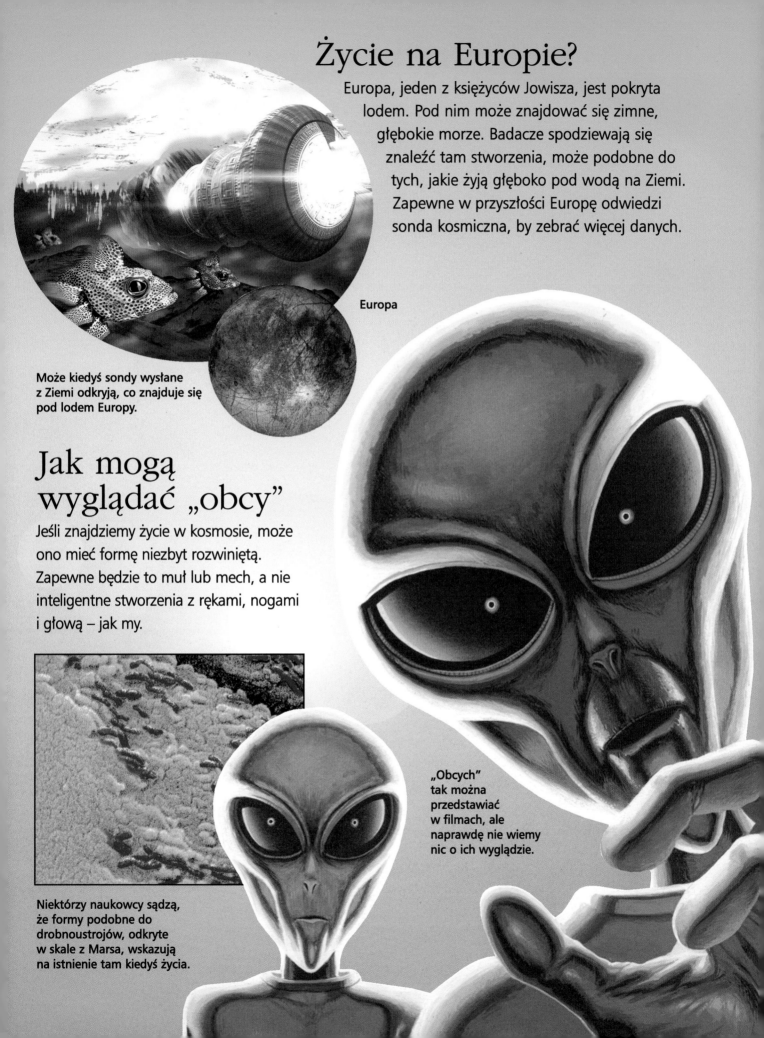

Europa

Może kiedyś sondy wysłane z Ziemi odkryją, co znajduje się pod lodem Europy.

Jak mogą wyglądać „obcy"

Jeśli znajdziemy życie w kosmosie, może ono mieć formę niezbyt rozwiniętą. Zapewne będzie to muł lub mech, a nie inteligentne stworzenia z rękami, nogami i głową – jak my.

„Obcych" tak można przedstawiać w filmach, ale naprawdę nie wiemy nic o ich wyglądzie.

Niektórzy naukowcy sądzą, że formy podobne do drobnoustrojów, odkryte w skale z Marsa, wskazują na istnienie tam kiedyś życia.

Nasz Układ Słoneczny

Nasz Układ Słoneczny tworzy Słońce i wszystko, co wokół niego krąży. Są to planety i ich księżyce oraz inne ciała niebieskie, między innymi komety. W jego obrębie znajdują się również dwa szerokie pasy dryfujących skał, zwane Pasem Planetoid i Pasem Kuipera.

Na ilustracji przedstawiającej Układ Słoneczny nie zachowano skali wielkości planet.

Komety przemieszczają się po całym Układzie Słonecznym.

Dni i lata

Dzień to czas, w którym planeta obraca się raz wokół własnej osi. Ziemski dzień trwa 24 godziny. Przez rok natomiast planeta okrąża Słońce. Ziemski rok trwa 365 dni.

Ziemia

Dzień

Słońce

Rok

Pas Planetoid

Saturn to druga planeta pod względem wielkości.

Neptun jest planetą gazową, tak jak Jowisz, Saturn i Uran. W naszym Układzie Słonecznym planety gazowe są znacznie większe od skalistych.

Jowisz jest
największą
planetą.

Wenus

Merkury

Słońce

Mars

Ziemia

Atmosfera

Większość planet ma
atmosferę – okrywającą ich
powierzchnię warstwę gazu.
Ziemska atmosfera rozciąga
się do 400 km ponad naszym
globem. Tworzy ją powietrze,
którym oddychamy, chroni
nas też przez żarem Słońca.

Atmosfera ziemska

Uran obraca się
poprzecznie
do swej orbity. Ma
pierścienie, tak jak
Saturn.

Pluton jest największym
obiektem Pasa Kuipera.

Księżyc

Księżyc krąży wokół Ziemi, tak jak Ziemia wokół Słońca. Do tej pory jest to jedyne ciało niebieskie w Układzie Słonecznym, na którym Ziemianie postawili stopę.

Morze Przesileń

Księżycowe „morza" to w rzeczywistości ciemne połacie stopionej skały.

Morze Spokoju

Ziemia

Kratery zostały wyżłobione przez wielkie skały, które nadleciały z kosmosu i zderzyły się z powierzchnią Księżyca.

Morze Smutku

Tak wygląda Ziemia widziana z pokładu statku kosmicznego okrążającego Księżyc.

Tutaj w 1971 roku wylądował statek kosmiczny „Apollo 15".

Kiedy podejmowano wyprawę na Księżyc, w 1971 roku, lot statku w jedną stronę trwał trzy doby.

Morze Deszczów

Jaki jest Księżyc

Księżyc znacznie różni się od Ziemi. Nie ma tam powietrza i pogody, nie ma życia. W dzień jest bardzo gorąco, a lodowato nocą. Skalistą powierzchnię, pokrytą grubą warstwą pyłu, żłobią wielkie okrągłe wgłębienia, zwane kraterami. Część z nich można dostrzec, gdy spojrzeć na Księżyc w pogodną noc. Niektóre są tak wielkie, że w każdym zmieściłoby się miasto wielkości Londynu.

Jak powstał nasz satelita

Księżyc ma mniej więcej tyle lat, co Ziemia. Oto jedna z teorii jego powstania.

1. Wkrótce po utworzeniu się Ziemi uderzyła w nią jakaś planeta.

2. Wielkie odłamy skalne oderwały się od Ziemi i wystrzeliły w przestrzeń.

3. Siła grawitacji sprawiła, że skały pozostały na orbicie Ziemi.

4. Z czasem, powoli, uformowały się w Księżyc.

Czy wiesz, że...

• Księżyc nie świeci własnym światłem. Widzimy go tylko dlatego, że naszego satelitę oświetla Słońce.

• Księżyc wykonuje jeden obrót wokół własnej osi w ciągu 27 dni. Tyle samo czasu zajmuje mu jedno okrążenie Ziemi.

• Jedna strona Księżyca wciąż pozostaje dla nas niewidoczna, ponieważ zawsze jest odwrócona od Ziemi.

• Pierwszym statkiem, który wylądował na Księżycu, w 1959 roku, była bezzałogowa „Luna 2". „Luna" to łacińska nazwa naszego satelity.

Wizyty na Księżycu

Ludzie lądowali na Księżycu sześć razy, ostatnio w 1972 roku. Na pokładzie każdego ze statków było dwóch astronautów. Pozostawali na Księżycu przez trzy dni.

Astronauta oddaje cześć amerykańskiej fladze.

Ten statek kosmiczny to lądownik księżycowy.

„Apollo 15" na Księżycu. Czy wiesz, w jakim miejscu wylądował? (Odpowiedzi szukaj na sąsiedniej stronie).

Pojazd księżycowy zasilany prądem z baterii

Słońce

Słońce jest gwiazdą. To ogromna kula jarzącego się gazu, wysyłająca w przestrzeń olbrzymie ilości światła i ciepła. Jest tak wielka, że mogłaby pomieścić w sobie milion planet wielkości Ziemi. Słońce wygląda jakby się paliło, lecz w rzeczywistości nieustannie wybucha, jak potężna bomba.

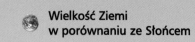

Wielkość Ziemi
w porównaniu ze Słońcem

Powierzchnia Słońca to fotosfera. Temperatura wynosi tam 5500°C. W ciemniejszych miejscach, zwanych plamami słonecznymi, temperatura jest niższa.

Wiatr słoneczny

Oprócz światła i ciepła Słońce emituje w przestrzeń również strumień materii. To wiatr słoneczny. Kiedy dociera on do północnego i południowego bieguna Ziemi, powietrze może się rozświetlić pięknymi kolorami: czerwienią, błękitem, zielenią i purpurą.

Wiatr słoneczny rozświetla niebo w pobliżu bieguna północnego.

Ogromny łuk gorącego gazu wybucha w przestrzeń niczym wielki, płonący jęzor.

Powierzchnia Słońca

Słońce wytwarza światło, spalając cztery miliony ton paliwa na sekundę. Na tym zdjęciu widać, że powierzchnia Słońca to wirująca masa eksplozji. W kosmos wystrzeliwują rozbłyski słoneczne i ogniste pętle.

Na zbliżeniu powierzchni Słońca, po prawej, widać strumienie gazu, zwane pętlami plazmowymi.

Woda, lód i para

Życie na Ziemi istnieje, ponieważ nasza planeta znajduje się akurat w takiej odległości od Słońca, że woda jest cieczą, a nie ciałem stałym ani gazem.

Na Marsie jest zbyt zimno.

Na Wenus jest za gorąco.

Słońce

Tylko na Ziemi temperatura jest odpowiednia.

Niekiedy na powierzchni tej gwiazdy pojawiają się białe obszary. Zwiemy je pochodniami słonecznymi. Temperatura w tych miejscach jest jeszcze wyższa niż w pozostałej części Słońca.

Merkury i Wenus

Dwie planety, Merkury i Wenus, krążą najbliżej Słońca. Obydwie są małe i bardzo na nich gorąco. Merkury prawie wcale nie ma atmosfery, nad powierzchnią Wenus natomiast zalega gruba warstwa gazu.

„Karzełek" Merkury

Merkury to bardzo mała planeta. Miliardy lat temu zderzyło się z nią wiele skał, dlatego powierzchnię Merkurego żłobią liczne kratery. Ponieważ planeta znajduje się bardzo blisko Słońca, rok na niej trwa krócej niż na pozostałych. Merkury obiega tę gwiazdę zaledwie w 88 ziemskich dni.

Merkury jest wielkości jednej trzeciej Ziemi, lecz waży niemal tyle samo, co ona. Jego rdzeń bowiem, który zajmuje prawie trzy czwarte objętości planety, to gęsty metal.

Skorupa

Merkury

Metalowy rdzeń

Cztery miliardy lat temu olbrzymi meteoryt uderzył w Merkurego. Utworzył się wówczas ogromny krater, zwany Równiną Upału. Jego średnica wynosi ponad 1250 km.

Meteoryt uderza w Merkurego.

Gorąca Wenus

Wenus znajduje się najbliżej Ziemi. Choć planeta jest bardziej oddalona od Słońca niż Merkury, jej powierzchnia jest gorętsza. Przyczyną tego jest gęsta atmosfera, którą tworzy dwutlenek węgla. Pochłania ona ciepło słoneczne i nie pozwala mu uciec w przestrzeń.

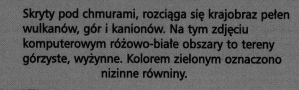

Zdjęcie niżej pokazuje powierzchnię Wenus. Wykonała je sonda „Magellan", która krążyła wokół tej planety w latach 1990-1994.

Sonda „Magellan"

265

Mars

Klimat i pogoda na Marsie przypominają warunki panujące na Ziemi. Za dnia jasne niebo wygląda spoza rzadkich chmur, ranki są mgliste. Jednak na tej planecie jest znacznie zimniej niż na naszym globie.

Kilka szczegółów

Mars jest wielkości połowy Ziemi. Powierzchnię planety w większości pokrywają skały i pył; wygląda jak wielka pustynia. Rzadką atmosferę tworzy trujący gaz.

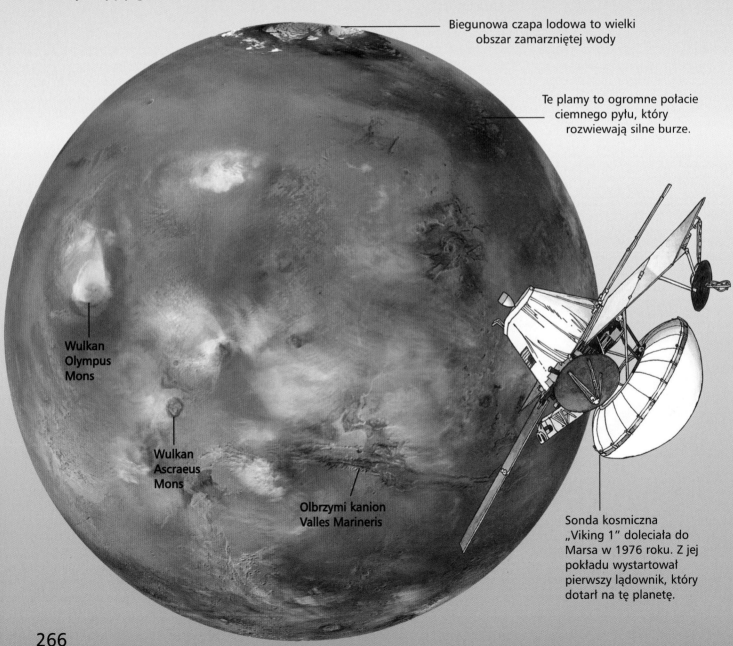

Biegunowa czapa lodowa to wielki obszar zamarzniętej wody

Te plamy to ogromne połacie ciemnego pyłu, który rozwiewają silne burze.

Wulkan Olympus Mons

Wulkan Ascraeus Mons

Olbrzymi kanion Valles Marineris

Sonda kosmiczna „Viking 1" doleciała do Marsa w 1976 roku. Z jej pokładu wystartował pierwszy lądownik, który dotarł na tę planetę.

Wulkany i kaniony

Mars ma bardzo urozmaiconą powierzchnię. Spośród kilku wulkanów największy, Olympus Mons, wznosi się na wysokość 25 km.

To zarazem największy wulkan w Układzie Słonecznym. Na Marsie są również ogromne kaniony i wyschnięte kanały wodne.

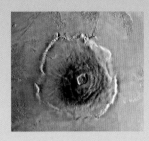

Wulkan Olympus Mons widziany przez sondę kosmiczną

Kanion Valles Marineris to ogromna szczelina biegnąca wzdłuż jednej strony planety. Jest tak długi jak całe Stany Zjednoczone.

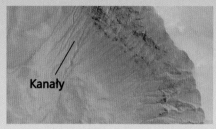

Kanały

Astronomowie sądzą, że takie kanały wypełniała kiedyś woda, która potem zamarzła lub spłynęła.

Goście na Marsie

Zdjęcie niżej przedstawia powierzchnię Marsa. Wykonała je sonda kosmiczna „Pathfinder", która wylądowała na planecie w 1997 roku. Na pokładzie próbnika znajdował się mały robot o nazwie „Sojourner", wyposażony w kamerę. Jego ruchami sterowano z Ziemi.

Naukowcy są zdania, że skały widoczne na tym zdjęciu to pozostałość po wielkiej powodzi sprzed miliardów lat.

Robot „Sojourner" jest wielkości kuchenki mikrofalowej. Na ilustracji pokazano kilka ważniejszych szczegółów jego konstrukcji:

Ⓐ Bateria słoneczna wytwarza energię ze światła słonecznego.
Ⓑ Małe koła o specjalnej budowie zapewniają pojazdowi przyczepność do gruntu.
Ⓒ Antena radiowa umożliwia komunikację z Ziemią.
Ⓓ Kamera i laser pozwalają sterować robotem.

Jowisz i Saturn

Za Pasem Planetoid krążą cztery wielkie planety, składające się głównie z gazu. Największe z nich to burzliwe Jowisz i Saturn.

Wirujący świat

Jowisz jest największą planetą w Układzie Słonecznym, ma co najmniej 39 księżyców. Dzień tutaj jest najkrótszy spośród wszystkich: jeden obrót wokół własnej osi Jowisz wykonuje zaledwie w 9 godzin i 50 minut. To bardzo burzliwa planeta. Wirujące chmury gazu przemieszczają się z dużą prędkością, tworząc jasne i ciemne pasy.

Ta Wielka Czerwona Plama to obszar burzowy trzy razy większy od Ziemi.

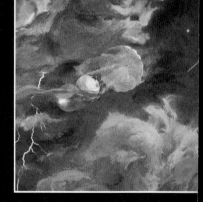

W 1995 roku z sondy „Galileo" opuszczono w gazową atmosferę Jowisza próbnik na spadochronie.

Na zdjęciu wykonanym przez sondę widać gęsty, gorący gaz wybuchający z wulkanów na powierzchni Io, jednego z wielu księżyców Jowisza.

Świat pierścieni

Saturn jest drugą pod względem wielkości planetą w Układzie Słonecznym. Wiruje wokół niego wiele szerokich pierścieni, składających się ze skał i brył lodu. Saturn jest bardzo lekki; gdyby go umieścić w ogromnym basenie, unosiłby się na powierzchni wody.

Kształty i wielkości

Skały w pierścieniach Saturna być może pochodzą z jednego z jego księżyców. Ilustracje niżej pokazują, co mogło się wydarzyć. Niektóre skały w pierścieniach są wielkie jak dom, inne mniejsze od kamyka.

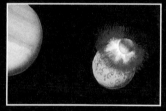

Księżyc zderzył się z planetą.

Rozpadł się na miliardy kawałków.

Fragmenty pozostały na orbicie Saturna.

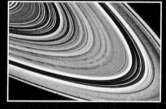

W końcu uformowały pierścienie wokół planety.

Księżyce Saturna

Saturn ma 30 księżyców, a może nawet więcej. Największy jest Tytan, z bardzo gęstą atmosferą.

Tutaj widać, jak wielki jest Tytan w porównaniu z Merkurym i naszym Księżycem.

Księżyc Ziemi

Merkury

Tytan

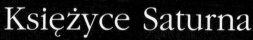

Tak w zbliżeniu może wyglądać atmosfera Tytana.

Uran i Neptun

Uran i Neptun to wielkie planety gazowe. Każda jest około cztery razy większa od Ziemi. Trudno dostrzec je na nocnym niebie nieuzbrojonym okiem, bez teleskopu.

Uran

Neptun

Ziemia

To zestawienie pozwala porównać wielkość Urana i Neptuna oraz Ziemi.

Uran

Planeta obraca się poprzecznie względem własnej osi. Gęstą powierzchnię gazową otula rzadka mgła. We wnętrzu Urana znajduje się skalny rdzeń.

Uran

Oto niektóre z księżyców Urana:

Umbriel

Ariel

Tytania

Oberon

Księżyc układanka

Uran ma 21 księżyców. Jeden z nich, Miranda, wygląda jak ogromna układanka. Być może przed milionami lat rozpadł się na kawałki, a z biegiem czasu pod działaniem grawitacji fragmenty znów poskładały się w całość.

Miranda

W Mirandę mogła uderzyć kometa.

Fragmenty księżyca zbliżyły się do siebie.

Z wolna Miranda powróciła do pierwotnej postaci.

Tak obecnie wygląda powierzchnia Mirandy.

Neptun

Na Neptunie występują największe burze w Układzie Słonecznym. Wiatr wiejący z prędkością 2000 km/h pędzi po całej planecie chmury metanu.

Neptun ma osiem księżyców. Jeden, o nazwie Triton, to świat lodu. Pokrywa lodowa, skuwająca jego powierzchnię, jest niczym szklarnia: wzmacnia słabe promienie słoneczne i ogrzewa znajdujący się poniżej gaz. Sprawia to, że spod okrywy wybuchają w przestrzeń gorące strumienie gazu i topniejącego lodu.

Triton obraca się w kierunku przeciwnym do pozostałych księżyców Neptuna.

Goście z Ziemi

Sonda kosmiczna „Voyager 2" dotarła w pobliże Urana i Neptuna w latach 1986 i 1989. Lot do pierwszej z tych planet trwał 12 lat.

Tak może wyglądać powierzchnia Tritona. Na ilustracji widać tryskający w przestrzeń strumień gazu i stopniałego lodu.

„Voyager 2"

Pluton i pozostałe obiekty

Pluton znajduje się na samym krańcu Układu Słonecznego, prawie sześć miliardów kilometrów od Słońca. Ta odległość sprawiła, że odkryto go dopiero w 1930 roku. W przeciwieństwie do Urana i Neptuna, planet gazowych, Pluton jest litą kulą ze skały i lodu.

Mniejszy od Księżyca

Pluton jest mniejszy od naszego Księżyca. Zmieściłby się na obszarze wielkości Stanów Zjednoczonych, i to wraz ze swym satelitą Charonem. Od 2006 roku nie jest zaliczany do planet Układu Słonecznego.

Charon, księżyc Plutona

Pluton

W styczniu 2006 roku wystrzelono w kierunku Plutona sondę kosmiczną „New Horizons". Ma ona dotrzeć do celu w 2015 roku.

Pluton może mieć rzadką atmosferę z azotu.

Niezwykła orbita

Okrążenie Słońca zajmuje Plutonowi 248 ziemskich lat. Przez 20 lat znajduje się on bliżej Słońca niż Neptun. Jego orbita ma inne nachylenie od wszystkich planet.

Orbita Neptuna

Słońce

Orbita Ziemi

Orbita Plutona

Pas Kuipera

Pas Kuipera

Pluton jest największym obiektem ogromnego pierścienia zamarzniętych skał, zwanego Pasem Kuipera. Te bryły nie połączyły się w planetę, gdy powstawał Układ Słoneczny. Niektórzy naukowcy sądzą, że kilka z nich to olbrzymy większe od Plutona.

Chmura Oorta

Jeszcze dalej krąży wokół Słońca wielka, mglista chmura, która może składać się z miliardów lodowo-pyłowych brył. Nosi nazwę Chmury Oorta.

Pylista Chmura Oorta otacza zewnętrzny kraniec Układu Słonecznego niczym powierzchnia ogromnej kuli.

Układ Słoneczny

Drobiny i bryły

Nasz Układ Słoneczny to nie tylko Słońce, planety i ich księżyce. To także niezliczone planetoidy, meteoroidy i komety.

Planetoidy

Planetoidy to bryły skał i metalu. Pomiędzy Marsem i Jowiszem znajduje się wielki ich pas, zwany Pasem Planetoid. Szerokość największej, Ceres, wynosi około 975 km. Niektóre planetoidy mają nawet własne małe księżyce.

Meteoroidy

Mniejsze fragmenty kosmicznych skał nazywamy meteoroidami. Na ogół są nie większe od ziarenka kawy rozpuszczalnej, lecz niektóre to spore bryły. Większość spala się w atmosferze, spadając na Ziemię. Inne natomiast są zbyt duże, by spłonąć; gdy docierają do naszego globu, mogą powodować szkody.

Meteoroidy, które spalają się w atmosferze, nazywamy meteorami. Często też mówi się o nich: spadające gwiazdy.

Ten krater w Arizonie, USA, utworzył meteoroid.

Komety

Komety to wielkie kule lodu i pyłu.
Przybywają z samego krańca Układu
Słonecznego i zaczynają okrążać Słońce.
Kiedy miną Jowisza, żar topi zewnętrzną
warstwę kuli, a wiatr słoneczny tworzy za
nią warkocz gazu i pyłu.

Fragment gobelinu
z Bayeux przedstawia ludzi
obserwujących kometę
w 1066 roku.

Głębokie uderzenie

Naukowcy opracowują konstrukcję sondy
kosmicznej o nazwie „Deep Impact", czyli
„Głębokie Uderzenie". Ma ona dolecieć do
komety Tempel 1 i wysadzić w niej otwór,
by pozyskać więcej danych o tym obiekcie.

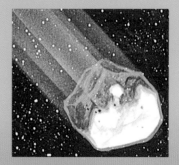

Kometa oddalona od
Słońca nie ma ogona.
Jest tylko bryłą
zanieczyszczonego lodu.

Bliżej Słońca jej
zewnętrzna warstwa
zaczyna się topić i wtedy
kometa pozostawia za sobą
warkocz gazu i pyłu.

Kometa Hale-Boppa. Zdjęcie
zrobiono, gdy przelatywała
obok Ziemi w 1997 roku.

Kiedy kometa przelatuje
obok Ziemi, jej ogon świeci.
To sprawia, że łatwo ją
dostrzec.

Galaktyki

Galaktyki to zbiory miliardów gwiazd, które skupia w gromadę siła grawitacji. Większość galaktyk ma kształt spirali, ale niektóre są bardziej rozproszone. We wszechświecie istnieją ich miliardy.

Droga Mleczna

Nasz Układ Słoneczny jest częścią galaktyki zwanej Drogą Mleczną. Skupia ona ponad 100 miliardów gwiazd, jej szerokość to około 100 tysięcy lat świetlnych. Droga Mleczna nie jest największą galaktyką we wszechświecie, ale jest znacznie większa od wielu pozostałych. Tak jak ich większość, wiruje wokół centralnego jądra.

Astronomowie uważają, że Słońce i Układ Słoneczny znajdują się tutaj.

Długa podróż

Jedno okrążenie Drogi Mlecznej trwa 225 milionów lat. Gdy nasz Układ Słoneczny ostatnio znajdował się w tym samym miejscu przestrzeni co teraz, po Ziemi chodziły dinozaury.

Kształty galaktyk

Nie wszystkie galaktyki wyglądają tak, jak Droga Mleczna. Trzy spośród kilku innych kształtów widzisz po prawej stronie.

To galaktyka nieregularna. Nie ma żadnego określonego kształtu.

Tego rodzaju galaktykę zwiemy eliptyczną.

Galaktyka pasmowo-
-spiralna

Przez radioteleskop

Radioteleskop, odbierający fale radiowe z kosmosu, umożliwia „wgląd" w Drogę Mleczną znacznie wyraźniejszy niż inne teleskopy. Na obrazie niżej widać duże jądro pośrodku naszej galaktyki.

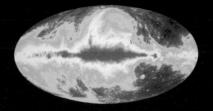

Czerwony obszar to miejsce Drogi Mlecznej, w którym znajduje się najwięcej gwiazd.

Ile galaktyk?

Sto lat temu astronomowie sądzili, że Droga Mleczna jest jedyną galaktyką we wszechświecie. Jednak do końca XX wieku teleskopy i radioteleskopy wykryły jeszcze wiele milionów innych.

Zdjęcie obok przedstawia niektóre z nowo odkrytych galaktyk. Przed powstaniem prezentowanej tu fotografii naukowcy byli przekonani, że w tej części kosmosu nie ma żadnych ciał niebieskich.

Na nocnym niebie

Wiele zdjęć zamieszczonych w tej części książki powstało przy użyciu niezwykle potężnych teleskopów. Lecz i gołym okiem można dostrzec wiele zadziwiających zjawisk na nocnym niebie.

Galaktyka spiralna

Droga Mleczna

Księżyc

Gromada gwiazd; to skupisko nazywa się Hiady.

Ta gwiazda nosi nazwę Betelgeuse.

Gwiazdozbiór o nazwie Orion.

Ta gwiazda to Syriusz. Jest najjaśniejszą gwiazdą na niebie.

Oto niektóre z ciał niebieskich, które możesz dostrzec bez teleskopu.

Księżyc

Nocą najbardziej widoczny jest Księżyc. Świeci jasno w ciemności, ponieważ oświetla go Słońce. Gdy okrąża Ziemię, widzimy jego różne kształty.

Nów
Kiedy na Księżyc nie pada światło Słońca, nie można go dostrzec.

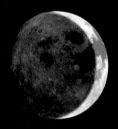

Pierwsza kwadra
Stopniowo oświetlany przez Słońce, oglądany z Ziemi Księżyc staje się coraz większy.

Pełnia
Co 28 dni strona Księżyca, całkowicie oświetlona przez Słońce, jest zwrócona ku Ziemi.

Ostatnia kwadra
W trakcie dalszego ruchu Księżyca po swej orbicie pada na niego coraz mniej światła. Wtedy zdaje się maleć.

Co widać

Na nocnym niebie możesz wiele zobaczyć, jeśli tylko wiesz, czego szukać. Gołym okiem dostrzeżesz Księżyc, gwiazdy, planety, meteory i komety, a czasem nawet statek kosmiczny.

Gwiazdy

Niebo w pogodną noc jest pełne gwiazd. Skupiają się one w pewne układy, zwane gwiazdozbiorami lub konstelacjami. Jest ich łącznie 88; spróbuj odszukać kilka z nich.

Ten gwiazdozbiór to Orion; jest widoczny także na sąsiedniej stronie. Starożytni uważali, że gwiazdy układają się tu w postać myśliwego.

Zdjęcie konstelacji Orion

Droga Mleczna

Tak wygląda Droga Mleczna w bardzo pogodną noc. Widać ją w pewnych porach roku, z dala od miejskich świateł.

Słowniczek

astronauta człowiek podróżujący w przestrzeni kosmicznej.

atmosfera warstwy gazu otaczające planetę lub gwiazdę.

dzień czas, w którym planeta lub księżyc wykonuje jeden obrót wokół własnej osi.

galaktyka skupisko setek milionów gwiazd. Ich rozproszeniu przeciwdziała grawitacja.

gromada skupisko ciał niebieskich, takich jak gwiazdy lub galaktyki.

gwiazda wielka kula wybuchającego gazu.

kometa bryła zanieczyszczonego lodu krążąca wokół Słońca. Gdy się topi, ciągnie za sobą długi warkocz.

krater wgłębienie na powierzchni planety, księżyca lub planetoidy, powstałe po uderzenie innego obiektu, np. meteoru.

księżyc mała planeta krążąca wokół innej, większej planety.

meteor meteoroid, który spala się w atmosferze planety.

meteoroid pył lub mała bryła skalna krążąca wokół Słońca.

meteoryt kawałek skały lub metalu pochodzący z kosmosu, który spadł na Ziemię.

„obcy" żywa istota z innego świata.

orbita droga ciała niebieskiego, po której porusza się w przestrzeni wokół innego ciała.

planeta wielka kula ze skały lub gazu, krążąca wokół gwiazdy.

planetoida skała krążąca wokół Słońca. Tysiące ich znajdują się w części Układu Słonecznego zwanej Pasem Planetoid.

rakieta maszyna w statku kosmicznym, napędzana przez wybuchające paliwo.

rdzeń środek planety, księżyca, gwiazdy lub innego ciała niebieskiego.

rok czas, w którym planeta obiega Słońce. Ziemski rok trwa 365 dni.

satelita obiekt w przestrzeni krążący wokół innego obiektu: naturalny, jak księżyc, lub bezzałogowy statek kosmiczny.

sonda kosmiczna, próbnik kosmiczny bezzałogowy statek kosmiczny zbierający dane o obiektach w przestrzeni.

stacja kosmiczna duży statek kosmiczny krążący wokół Ziemi, w którym astronauci przeprowadzają doświadczenia i mieszkają.

statek kosmiczny pojazd używany do podróży kosmicznych. Jeśli nie ma w nim ludzi, taki statek nazywamy bezzałogowym.

Układ Słoneczny skupisko planet i innych obiektów krążących wokół Słońca.

wszechświat wszystko, co istnieje w kosmosie.

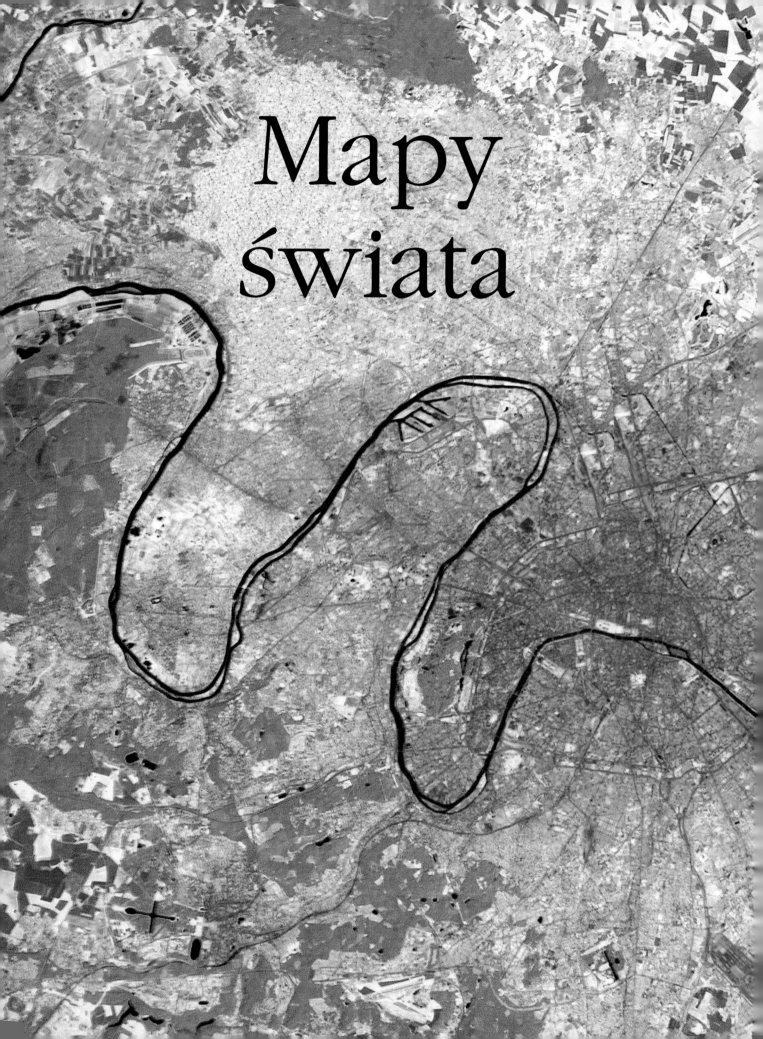

Mapy
świata

Rio Grande

Missisipi

Zatoka
Meksykańska

Kuba

Ameryka Środkowa

Morze Karaibskie

Mapa pokazuje rodzaje
terenów w Ameryce
Południowej i Środkowej.

Wyżyna
Gujańska

Amazonka

Amazoński las deszczowy

AMERYKA
POŁUDNIOWA

Pustynia Atacama

Andy

Pampa

Wyżyna Patagońska

Przylądek Horn

O mapach

Mapa to obraz przedstawiający pewną
część świata. Ten obszar jest zazwyczaj
pokazany tak, jakbyś go widział
z lotu ptaka, a więc jako znacznie
mniejszy niż w rzeczywistości.
Może to być cały rozległy
kontynent – lub tylko
jedna ulica miasta.

Co zobaczysz na mapie

Mapy są tak opracowane, by można było
łatwo je odczytać. Każdy kolor i symbol
oznacza coś innego. Ich znaczenie
objaśnia legenda.

Wielkość mapy w stosunku do obszaru,
który przedstawia, to jej skala. Niektóre
mapy uwidaczniają skalę na podziałce.
Jest to linia wskazująca, ile kilometrów
w rzeczywistości ma dana odległość
na mapie.

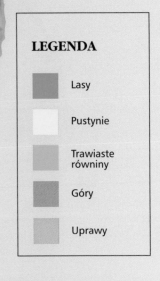

LEGENDA

Lasy

Pustynie

Trawiaste
równiny

Góry

Uprawy

Przybliżona skala

Podziałka

0 km   2000 km

Gdzie jest północ

Północ jest na ogół u góry mapy. Niektóre mapy
oznaczają ją specjalnym symbolem.

Ten symbol pokazuje kierunki
świata: północ (N), południe (S),
wschód (E) i zachód (W).

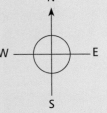

Rodzaje map

Mapa przedstawia cechy terenu w czytelny, prosty sposób. Istnieje wiele różnych rodzajów map. Oto trzy z nich.

Mapy polityczne pokazują państwa i ich granice. Zazwyczaj można z nich odczytać nazwy ważniejszych miast.

Mapy fizyczne przedstawiają naturalne cechy terenu, takie jak góry, rzeki i jeziora. Zwykle mają legendę.

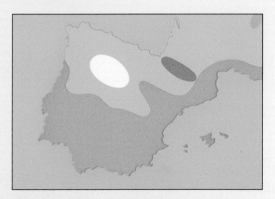

Mapy tematyczne prezentują informacje różnego rodzaju, na przykład pokazują, jakie gatunki roślin rosną w danym regionie.

Linie na mapie

Twórcy map dzielą Ziemię umownymi liniami, które umożliwiają określenie odległości i odnalezienie szukanego miejsca. Są to równoleżniki i południki. Ich miarą są stopnie (°) i minuty (').

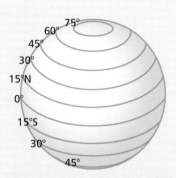

Równoleżniki przebiegają wokół kuli ziemskiej, w pewnej odległości od siebie.

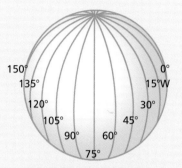

Południki to linie biegnące od bieguna północnego do bieguna południowego.

Na rysunku kuli ziemskiej poniżej oznaczono biegun północny oraz główne równoleżniki i południki.

Biegun południowy, u dołu kuli ziemskiej, tutaj jest niewidoczny.

Świat – mapa polityczna

Mapa przedstawia kontynenty
naszego globu i ich podział
na państwa.

160° 140° 120° 100° 80° 60° 40° 20° W

80°

GRENLANDIA
(Dania)

Koło podbiegunowe

ALASKA
(USA)

60°

ISLANDIA

NO

KANADA

IRLANDIA   WIELKA
           BRYTANIA
           BF

STANY
ZJEDNOCZONE
AMERYKI

40°

FRAN

HISZPANIA

PORTUGALIA

Azory
(Portugalia)

MAROKO

Wyspy Kanaryjskie
(Hiszpania)
SAHARA ZACHODNIA
(Maroko)

ALGIER

Zwrotnik Raka

20°
N

MEKSYK

BAHAMY

KUBA

HAITI   DOMINIKANA

MAURETANIA

MALI

JAMAJKA

Hawaje
(USA)

GWATEMALA
SALWADOR

BELIZE
HONDURAS
NIKARAGUA

DOMINIKA

REPUBLIKA
ZIELONEGO
PRZYLĄDKA

SENEGAL

Morze Karaibskie

GAMBIA
GWINEA BISSAU

GWINEA

BURKINA
FASO
BEN

KOSTARYKA

TRYNIDAD
I TOBAGO
GUJANA

SIERRA LEONE

TOGO

OCEAN

PANAMA

WENEZUELA

LIBERIA

WYBRZEŻE
KOŚCI
SŁONIOWEJ

GHANA

G

SURINAM

KOLUMBIA

GUJANA FRANCUSKA
(Francja)

RÓWN

0° Równik

Wyspy Galapagos
(Ekwador)

EKWADOR

WYSPY
ŚW. TOMASZA
I KSIĄŻĘCA

KIRIBATI

OCEAN

SPOKOJNY

OCEAN

PERU

BRAZYLIA

ATLANTYCKI

Wyspy
Cooka
(Nowa Zelandia)

Polinezja Francuska
(Francja)

20°
S

BOLIWIA

Zwrotnik Koziorożca

Wyspy
Pitcairn
(Wielka Brytania)

PARAGWAJ

URUGWAJ

CHILE

ARGENTYNA

40°

Falklandy
(Wielka
Brytania)

Georgia Południowa
(Wielka
Brytania)

60°

OCEAN

Koło podbiegunowe

Morze
Weddella

80°

160° 140° 120° 100° 80° 60° 40° 20° W

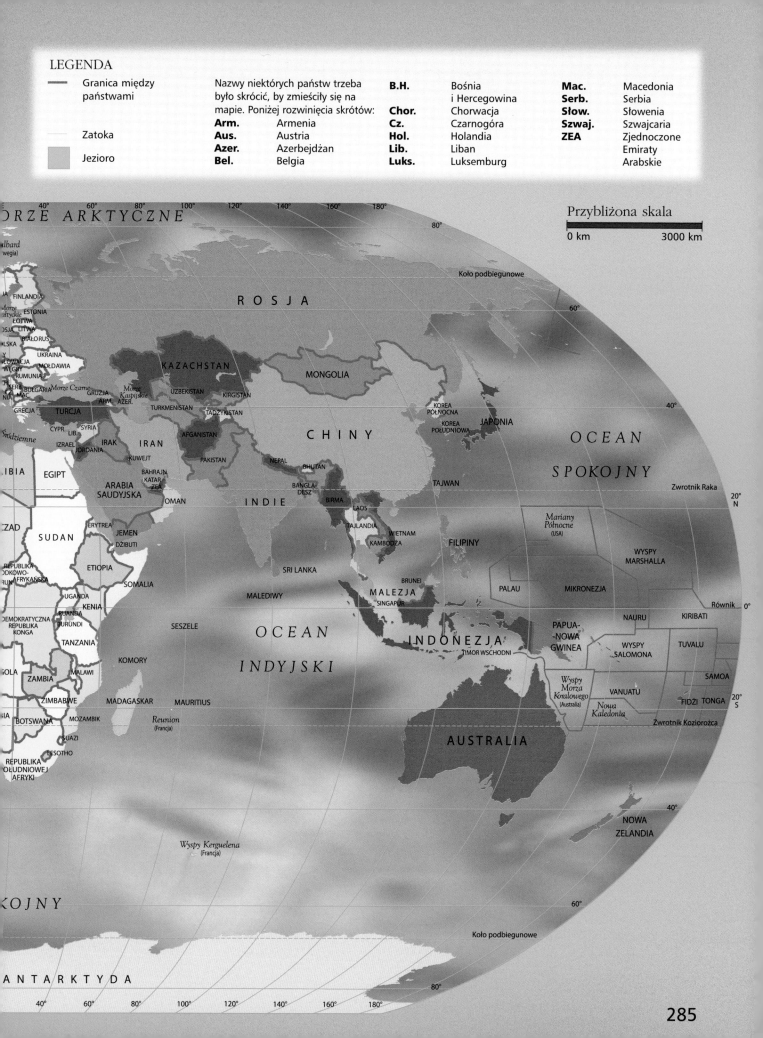

LEGENDA

— Granica między państwami

Zatoka

Jezioro

Nazwy niektórych państw trzeba było skrócić, by zmieściły się na mapie. Poniżej rozwinięcia skrótów:

Arm.	Armenia	**B.H.**	Bośnia i Hercegowina
Aus.	Austria	**Chor.**	Chorwacja
Azer.	Azerbejdżan	**Cz.**	Czarnogóra
Bel.	Belgia	**Hol.**	Holandia
		Lib.	Liban
		Luks.	Luksemburg
Mac.	Macedonia		
Serb.	Serbia		
Słow.	Słowenia		
Szwaj.	Szwajcaria		
ZEA	Zjednoczone Emiraty Arabskie		

Przybliżona skala

0 km   3000 km

MORZE ARKTYCZNE

Svalbard (Norwegia)

FINLANDIA

Morze Bałtyckie

ESTONIA
ŁOTWA
LITWA
ROSJA
BIAŁORUS
POLSKA
Y
SŁOWACJA
MOŁDAWIA
WĘGRY
RUMUNIA
SERB
BUŁGARIA
MAC
NIA
GRECJA

Morze Czarne

GRUZJA
ARM. AZER.

Morze Kaspijskie

ROSJA

KAZACHSTAN

UZBEKISTAN

KIRGISTAN

MONGOLIA

Koło podbiegunowe

TURCJA

CYPR
LIB.
SYRIA
IZRAEL
JORDANIA
IRAK
KUWEJT

TURKMENISTAN

TADŻYKISTAN

AFGANISTAN

Morze Śródziemne

IRAN

PAKISTAN

NEPAL

BHUTAN

CHINY

KOREA PÓŁNOCNA
KOREA POŁUDNIOWA

JAPONIA

OCEAN SPOKOJNY

LIBIA

EGIPT

ARABIA SAUDYJSKA

OMAN

BAHRAJN
KATAR
ZEA

INDIE

BANGLA-DESZ

BIRMA

LAOS

TAJWAN

Zwrotnik Raka

20° N

CZAD

SUDAN

ERYTREA

JEMEN

DŻIBUTI

TAJLANDIA

WIETNAM

KAMBODŻA

FILIPINY

Mariany Północne (USA)

WYSPY MARSHALLA

REPUBLIKA ŚRODKOWO-AFRYKAŃSKA
KAMERUN

ETIOPIA

SOMALIA

SRI LANKA

BRUNEI

PALAU

MIKRONEZJA

Równik 0°

DEMOKRATYCZNA REPUBLIKA KONGA

UGANDA
RUANDA
BURUNDI

KENIA

SESZELE

MALEDIWY

MALEZJA

SINGAPUR

OCEAN

NAURU

KIRIBATI

TANZANIA

KOMORY

INDONEZJA

PAPUA-NOWA GWINEA

WYSPY SALOMONA

TUVALU

ANGOLA
ZAMBIA
MALAWI

INDYJSKI

TIMOR WSCHODNI

Wyspy Morza Koralowego (Australia)

VANUATU

SAMOA

ZIMBABWE

MADAGASKAR

MAURITIUS

Nowa Kaledonia

FIDŻI TONGA

20° S

NAMIBIA
BOTSWANA

MOZAMBIK

Reunion (Francja)

Zwrotnik Koziorożca

SUAZI

AUSTRALIA

LESOTHO

REPUBLIKA POŁUDNIOWEJ AFRYKI

Wyspy Kerguelena (Francja)

NOWA ZELANDIA

40°

OCEAN SPOKOJNY

60°

Koło podbiegunowe

ANTARKTYDA

80°

Świat – mapa fizyczna

Mapa przedstawia ukształtowanie terenu, jego charakterystyczne cechy, takie jak pustynie czy góry.

160° 140° 120° 100° 80° 60° 40° 20° W

80°

Morze Beauforta

Wyspa Wiktorii

Wyspy Królowej Elżbiety

Wyspa Ellesmere'a

Grenlandia

Morze Grenlandzk

Koło podbiegunowe

Alaska

McKinley

60°

Aleuty

Zatoka Alaska

Mackenzie

Jukon

Wielkie Jezioro Niedźwiedzie

Ziemia Baffina

Morze Baffina

Basen Labradorski

Islandia

Wyspy Brytyjskie

Góry Skaliste

AMERYKA PÓŁNOCNA

Missouri

Jezioro Górne

Jezioro Huron

Zatoka Hudsona

Nowa Fundlandia

40°

Wielkie Równiny

Jezioro Michigan

Appalachy

Azory

Góry Atla

Rio Grande

Wyspy Kanaryjskie

20° N Zwrotnik Raka

Hawaje

Zatoka Meksykańska

Missisipi

Karaiby

Pusty

Ameryka Środkowa

Kuba

Morze Karaibskie

Republika Zielonego Przylądka

Ni

OCEAN SPOKOJNY

Wyspy Galapagos

Wyżyna Gujańska

OCEAN

0° Równik

Polinezja

Amazonka

ATLANTYCKI

Nizina Amazonki

AMERYKA POŁUDNIOWA

20° S

Tahiti

Andy

Zwrotnik Koziorożca

Pustynia Atacama

Wyspa Wielkanocna

Aconcagua

Parana

40°

Pampa

Wyżyna Patagońska

Wyspy Falklandzkie

Georgia Południowa

60°

Przylądek Horn

Cieśnina Drake'a

Koło podbiegunowe

Półwysep Antarktyczny

Morze Weddella

80°

Vinson

160° 140° 120° 100° 80° 60° 40° 20° W

LEGENDA

- Lasy
- Trawiaste równiny
- Pustynia
- Góry (zaznaczono tylko wysokie pasma)
- Tundra (zamarznięty ląd z niewieloma drzewami)
- Lód (obszary, na których lód lub śnieg nigdy nie topnieje)
- Uprawy (uprawa roślin na pożywienie dla ludzi lub zwierząt)
- Morze
- Jezioro
- Rzeka
- ▲ Szczyt górski

Przybliżona skala

0 km — 3000 km

MORZE ARKTYCZNE

40° 60° 80° 100° 120° 140° 160° 180°

Svalbard
Nowa Ziemia
Przylądek Północny
Skandynawia
Morze Barentsa
Morze Bałtyckie
Ziemia Północna
Morze Karskie
Morze Łaptiewów
Wyspy Nowosyberyjskie
Morze Wschodniosyberyjskie
80°
Koło podbiegunowe

EUROPA
Dunaj
Morze Czarne
Wołga
Ural
Ob
Jenisej
Syberia
Lena
Góry Wierchojańskie
Morze Ochockie
Morze Beringa
Półwysep Kamczatka
60°

Elbrus
Morze Kaspijskie
Jezioro Aralskie
Altaj
Jezioro Bajkał
Amur
40°

Morze Śródziemne
Nil
Półwysep Arabski
Indus
AZJA
Himalaje
Pustynia Gobi
Huang-ho
Jangcy
Chiny
Morze Japońskie
Japonia
Honsiu
Morze Wschodnio-chińskie
OCEAN
Zwrotnik Raka
20° N

Pustynia Libijska
Sahara
Sahel
Morze Czerwone
Pustynia Ar-Rub al-Chali
Ganges
Mount Everest
Indie
Morze Arabskie
Zatoka Bengalska
Mekong
Tajwan
Luzon
Filipiny
Morze Południowo-chińskie
Mindanao
Mikronezja
SPOKOJNY

Wyżyna Etiopska
AFRYKA
Przylądek Komoryn
Sri Lanka
Równik 0°

Jezioro Wiktorii
Kilimandżaro
Seszele
OCEAN
Sumatra
Borneo
Celebes
Morze Jawajskie
Nowa Gwinea
Góra Wilhelma
Wyspy Salomona
Melanezja

Komory
Zambezi
Madagaskar
Mauritius
INDYJSKI
Jawa
Morze Arafura
Wielka Rafa Koralowa
Morze Koralowe
Nowa Kaledonia
Wyspy Fidżi
20° S

Wielka Pustynia Piaszczysta
Wielka Pustynia Wiktorii
Wielkie Góry Wododziałowe
AUSTRALIA I OCEANIA
Zwrotnik Koziorożca

Morze Tasmana
Wyspa Północna
40°

Rzeka Niger
Tasmania
Nowa Zelandia
Wyspa Południowa

Wyspy Kerguelena

60°

OCEAN SPOKOJNY
Koło podbiegunowe

ANTARKTYDA
40° 60° 80° 100° 120° 140° 160° 180°
Morze Rossa
80°

287

Ameryka Północna

Na tym kontynencie leżą trzy bardzo duże państwa: Kanada, Stany Zjednoczone i Meksyk. Jego częścią są również: Grenlandia, Karaiby oraz państwa na obszarach przylegających do Ameryki Południowej.

LEGENDA
- ■ Stolica
- ○ Główne miasto
- — Granica między państwami
- — Rzeka
- ▬ Wybrzeże

Przybliżona skala

0 km   1000 km

MORZE ARKTYCZNE

Wyspy Królou Elżbiety

Koło podbiegunowe

Cieśnina Beringa

Przylądek Barrow

Morze Beauforta

Wyspy Parry

Morze Beringa

Jukon

ALASKA (USA)

Morze Beauforta

Wyspa Wiktorii

McKinley

Anchorage

Wielkie Jezioro Niedźwiedzie

Zatoka Alaska

Mackenzie

Góry Skaliste

Wielkie Jezioro Niewolnic

KANAD

Jezioro Athabask

Jezioro Reniferowe

Vancouver

Calgary

Wielkie Równiny

Seattle

Winni

Kolumbia

Missouri

OCEAN SPOKOJNY

Wielkie Jezioro Słone

STANY ZJEDNOC

San Francisco

Kalifornia

Kolorado

Denver

Hawaje (USA)

Los Angeles

Phoenix

Ciudad Juárez

Tek

Szopy pracze występują głównie w Ameryce Północnej i Środkowej. Za dnia zwykle śpią na drzewach, a nocą żerują.

Hermosillo

Półwysep Kalifornijski

Rio G

Zwrotnik Raka

Monterrey

MEKSY

Guadala

Meksy

Acapulc

GRENLANDIA
(Dania)

Koło podbiegunowe

Morze
Baffina

Ziemia Baffina

Godthab

Przylądek Farvel

Morze
Labradorskie

Zatoka
Hudsona

Półwysep
Labrador

Nowa Fundlandia

Saint John

Quebec

Winnipeg

Nowa Szkocja

Rzeka św. Wawrzyńca

Quebec

Halifax

Jezioro Górne

Montreal

Ottawa

Jezioro Huron

Boston

Minneapolis

Toronto

Jezioro Ontario

...oro Michigan

Detroit

Jezioro Erie

Nowy Jork

Chicago

Pittsburgh

Filadelfia

OCEAN

ATLANTYCKI

E AMERYKI

Saint Louis

Cincinnati

Waszyngton

...as City

Ohio

Arkansas

Appalachy

Atlanta

Przylądek
Hatteras

Missisipi

Floryda

Zwrotnik Koziorożca

...ouston

Nowy Orlean

Miami

BAHAMY

Zatoka Meksykańska

Nassau

SAINT KITTS
I NEVIS

Hawana

Portoryko
(USA)

ANTIGUA I BARBUDA

KUBA

Haiti

DOMINIKANA

Gwadelupa (Francja)

DOMINIKA

Merida

Port-au-Prince

Santo
Domingo

Martynika (Francja)

Saint Lucia

BARBADOS

...racruz

Półwysep Jukatan

JAMAJKA

Kingston

SAINT VINCENT I GRENADYNY

GRENADA

BELIZE

Belmopan

Morze Karaibskie

TRYNIDAD
I TOBAGO

GWATEMALA

HONDURAS

Port-of-Spain

Gwatemala

Tegucigalpa

San Salvador

SALWADOR

NIKARAGUA

Managua

San José

Panama

KOSTARYKA

PANAMA

Satelitarne zdjęcie kontynentu. Obszary
pomarańczowe to pustynie, brązowe –
Góry Skaliste.

Ameryka Północna – dane

Powierzchnia całkowita
22 656 190 km^2

Największe państwo
Kanada: 9 970 610 km^2

Najmniejsze państwo
Saint Kitts i Nevis: 269 km^2

Największa wyspa
Grenlandia: 2 175 600 km^2

Najwyższy szczyt
McKinley, Alaska, USA: 6194 m

Najdłuższa rzeka
Missisipi/Missouri, USA: 5969 km

Największe jezioro
Jezioro Górne, USA/Kanada:
82 414 km^2

Najwyższy wodospad
Yosemite, Kalifornia, USA: 739 m

Największa pustynia
Wielka Kotlina, USA:
492 000 km^2

Ameryka Południowa

Ameryka Południowa rozciąga się
nieco na północ od równika
i niemal po Antarktydę
na południu. Największym
z dwunastu państw
kontynentu jest Brazylia.

Morze Karaibskie

Maracaibo
Caracas
WENEZUELA
Medellin
Bogota
Wyżyna Guja...
Cali
KOLUMBIA
Orinoko

Równik

Negro

Wyspy Galapagos (Ekwador)

Quito
EKWADOR
Guayaquil

Amazonka

Nizina Amazo...

PERU

Ukaiali

A n d y

Lima

Jezioro Titicaca
BOLIWI...
La Paz

Pustynia Atacama

Sucre

LEGENDA
- ■ Stolica
- ○ Główne miasto
- Granica między państwami
- — Rzeka
- ▨ Wybrzeże

Przybliżona skala

0 km   1000 km

Zwrotnik Koziorożca

CHILE

San Mig...
de Tucu...

A n d y

Cordoba

Aconcagua ▲

Ro...

OCEAN

SPOKOJNY

Santiago

ARGENTY...

Pam...

Tukany żyją w lasach
deszczowych Ameryki
Południowej. Długim,
ząbkowanym dziobem
sięgają po owoce
na drzewach.

Patagonia

Cieśnina Magellar...

Ziemia Ogn...

Przylądek Horn
Cieśnina D...

Georgetown
Paramaribo
ANA
Kajenna
URINAM
GUJANA
FRANCUSKA
(Francja)

OCEAN

ATLANTYCKI

Równik

Amazonka

Belém

Xingu

hus

Fortaleza

Zbiornik Tucuruí

Tocantins

Recife

B R A Z Y L I A

Zbiornik
Sobradinho

São Francisco

Wyżyna Brazylijska

*Płaskowyż
Mato Grosso*

Salvador

■ Brasilia

○ Goiânia

Paraná

○ Belo Horizonte

Zbiornik
Furnas

RAGWAJ

○ Rio de Janeiro

São Paulo ○

Zwrotnik Koziorożca

■ Asunción

○ Kurytyba

○ Pôrto Alegre

OCEAN

RUGWAJ

ATLANTYCKI

■ Montevideo

Jenos Aires

Falklandy
(Wielka Brytania)

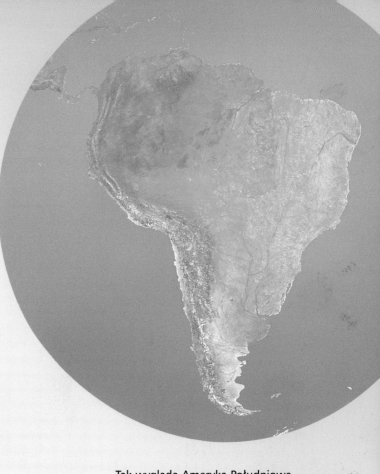

Tak wygląda Ameryka Południowa
widziana z kosmosu. Szary, cętkowany
obszar po lewej stronie to łańcuch
górski Andów.

Ameryka Południowa – dane

Powierzchnia całkowita
17 866 130 km^2

Największe państwo
Brazylia: 8 547 400 km^2

Najmniejsze państwo
Surinam: 163 270 km^2

Największa wyspa
Ziemia Ognista: 43 360 km^2

Najwyższy szczyt
Aconcagua, Argentyna: 6960 m

Najdłuższa rzeka
Amazonka, Brazylia: 6400 km

Największe jezioro
Maracaibo, Wenezuela: 13 312 km^2

Najwyższy wodospad
Salto Angel na rzece Churun,
Wenezuela: 1054 m

Największa pustynia
Pustynia Patagońska,
Argentyna: 673 000 km^2

Azja

Azja jest największym
kontynentem świata.
Rozciąga się od koła
podbiegunowe do równika
i od Uralu w zachodniej Rosji
do Japonii na wschodzie.

MORZE ARKTYCZNE

Koło podbiegunowe

Nowa Ziemia

Morze
Barentsa

Morze
Karskie

Archangielsk

Petersburg

Moskwa

ROS

Niżni
Nowogród

Kazań

Jekaterynburg

Wołga

Samara

Czelabińsk

Omsk

Nowosybi

Rostów

Astrachań

Aktiubińsk

KAZACHSTAN

Astana

Ałta

Stambuł

Morze Czarne

Izmir

Ankara

TURCJA

Kaukaz

Morze
Kaspijskie

Jezioro Aralskie

Jezioro Bałchasz

Morze Śródziemne

GRUZJA

Tbilisi

ARMENIA

Erewan

AZERBEJDŻAN

Astana

Urumc

CYPR

Nikozja

Baku

UZBEKISTAN

Ałma Ata

Bejrut

LIBAN

Damaszek

Tebriz

TURKMENISTAN

Aszchabad

Taszkent

Biszkek

KIRGISTAN

IZRAEL

SYRIA

Jerozolima

Amman

Eufrat

Bagdad

Duszanbe

TADŻYKISTAN

JORDANIA

Tygrys

IRAK

Teheran

Meszhed

AFGANISTAN

Kunlu

Basra

IRAN

Kabul

Islamabad

Wyżyna
Tybetańska

Pustynia Syryjska

KUWEJT

Kandahar

Medyna

ARABIA
SAUDYJSKA

Sziraz

PAKISTAN

Indus

Delhi

HIMALAJE

NEPAL

Mount Ev

Dżudda

Mekka

BAHRAJN

Rijad

KATAR

Abu Zabi

Nowe Delhi

Pustynia Thar

Katmandu

BHU

ZJEDNOCZONE
EMIRATY
ARABSKIE

Maskat

Karaczi

Ganges

Morze Czerwone

Pustynia
Ar-Rub al-Chali

OMAN

Varanasi

BANGLADESZ

Dhaka

Sana

Nagpur

Kalkuta

JEMEN

Aden

Morze
Arabskie

Bombaj

INDIE

Zato
Benga

Sokotra
(Jemen)

Pandy żyją w lasach bambusowych w górach
na zachodzie Chin. Na wolności pozostało
już tylko mniej niż 1000 tych zwierząt.

Bangalur

Madras

Przylądek Komoryn

SRI LANKA

Kotte

Kolombo

MALEDIWY

Male

Równik

OCEAN
INDYJSKI

LEGENDA

- ■ Stolica
- ○ Główne miasto
- ── Granica między państwami
- ── Rzeka
- ▨ Wybrzeże

Przybliżona skala

0 km   1000 km

Morze
Wschodnio-
syberyjskie

Morze Beringa

Anadyr

Morze
Łaptiewów

Koło podbiegunowe

Półwysep
Kamczatka

Góry Wierchojańskie

Lena

b e r i a

Ochock

Pietropawłowsk

Jakuck

Morze
Ochockie

Lena

Komsomolsk

Amur

Irkuck

Jezioro Bajkał

Hokkaido

Sapporo

Qiqihar

Morze
Japońskie

JAPONIA

Ułan Bator

MONGOLIA

Shenyang

KOREA
PÓŁNOCNA
Phenian

Tokio

Pekin

Seul

Osaka

Honsiu

Baotou

KOREA
POŁUDNIOWA

Hiroszima

Pustynia Gobi

C H I N Y

Xi'an

Huangho

Szanghaj

Morze
Wschodnio-
chińskie

Zwrotnik Raka

Hangzhou

Chongqing

Jangcy

Fuzhou

Taipej

Kunming

TAJWAN

OCEAN

Xianggang (Hongkong)

RMA

Hanoi

LAOS

Hainan

Luzon

SPOKOJNY

Wientian

Morze
Południowo-
chińskie

FILIPINY

Rangun

Mekong

Manila

TAJLANDIA

WIETNAM

Morze Filipińskie

Bangkok

KAMBODŻA

Phnom
Penh

Ho Chi Minh

Mindanao

Davao

Równik

BRUNEI

MALEZJA

Nowa Gwinea

Medan

Kuala Lumpur

SINGAPUR

Borneo

Celebes

I N D O N E Z J A

Morze Banda

Palembang

Ujung Pandang

Morze Jawajskie

Sumatra

Dżakarta

Surabaja

Dili

TIMOR WSCHODNI

Morze Arafura

Jawa

Morze Timor

Białe fragmenty rozciągające się
pośrodku tego zdjęcia satelitarnego
Azji to ośnieżone szczyty górskie.

Azja – dane

Powierzchnia całkowita
44 537 920 km^2

Największe państwo
Rosja, powierzchnia całkowita:
17 075 200 km^2,
część azjatycka: 12 780 800 km^2

Najmniejsze państwo
Malediwy: 300 km^2

Największa wyspa
Borneo: 751 100 km^2

Najwyższy szczyt
Mount Everest, na granicy
Nepalu i Chin: 8848 m

Najdłuższa rzeka
Jangcy, Chiny: 6300 km

Największe jezioro
Morze Kaspijskie, zachodnia
Azja: 376 000 km^2

Najwyższy wodospad
Jog, Indie: 253 m

Największa pustynia
Pustynia Arabska:
2 230 000 km^2

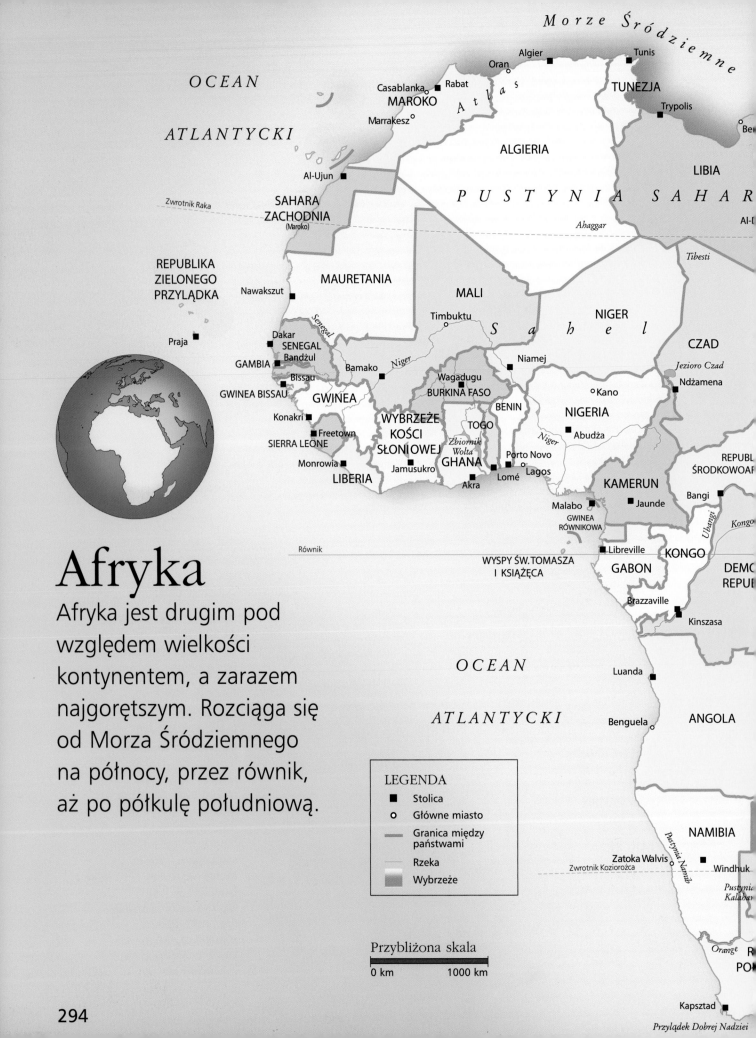

Morze Śródziemne

OCEAN

Algier
Oran
Casablanca Rabat Tunis
MAROKO TUNEZJA
Atlas
Trypolis
Marrakesz

ATLANTYCKI

ALGIERIA
LIBIA

Al-Ujun

P U S T Y N I A   S A H A R

Zwrotnik Raka

SAHARA
ZACHODNIA
(Maroko)
Ahaggar
Al-D

REPUBLIKA
ZIELONEGO
PRZYLĄDKA
Tibesti

MAURETANIA
Nawakszut
MALI
NIGER
CZAD

Praja
Timbuktu
Jezioro Czad

Dakar
Senegal
S a h e l
Niamej
Ndżamena

SENEGAL
Bandżul
Bamako
Niger
Wagadugu
Kano

GAMBIA
BURKINA FASO
NIGERIA
Bissau
GWINEA BISSAU
BENIN
Abudża

GWINEA
WYBRZEŻE
KOŚCI
SŁONIOWEJ
TOGO
Niger
REPUBL
ŚRODKOWOAF
Konakri
Freetown
*Zbiornik
Wolta*
Porto Novo
SIERRA LEONE
GHANA
Lomé
Lagos
KAMERUN
Monrowia
Jamusukro
Akra
Bangi
LIBERIA
Malabo
Jaunde
GWINEA
RÓWNIKOWA
Ulbangi
Kongo

Równik
WYSPY ŚW. TOMASZA
I KSIĄŻĘCA
Libreville
KONGO
GABON
DEMO
REPUB
Brazzaville

Afryka

Afryka jest drugim pod
względem wielkości
kontynentem, a zarazem
najgorętszym. Rozciąga się
od Morza Śródziemnego
na północy, przez równik,
aż po półkulę południową.

OCEAN
Luanda
Kinszasa

ATLANTYCKI
Benguela
ANGOLA

NAMIBIA
Pustynia Namib
Zatoka Walvis
Windhuk
Zwrotnik Koziorożca
*Pustynia
Kalahar*

Przybliżona skala
0 km   1000 km

R
PO

Kapsztad
Przylądek Dobrej Nadziei

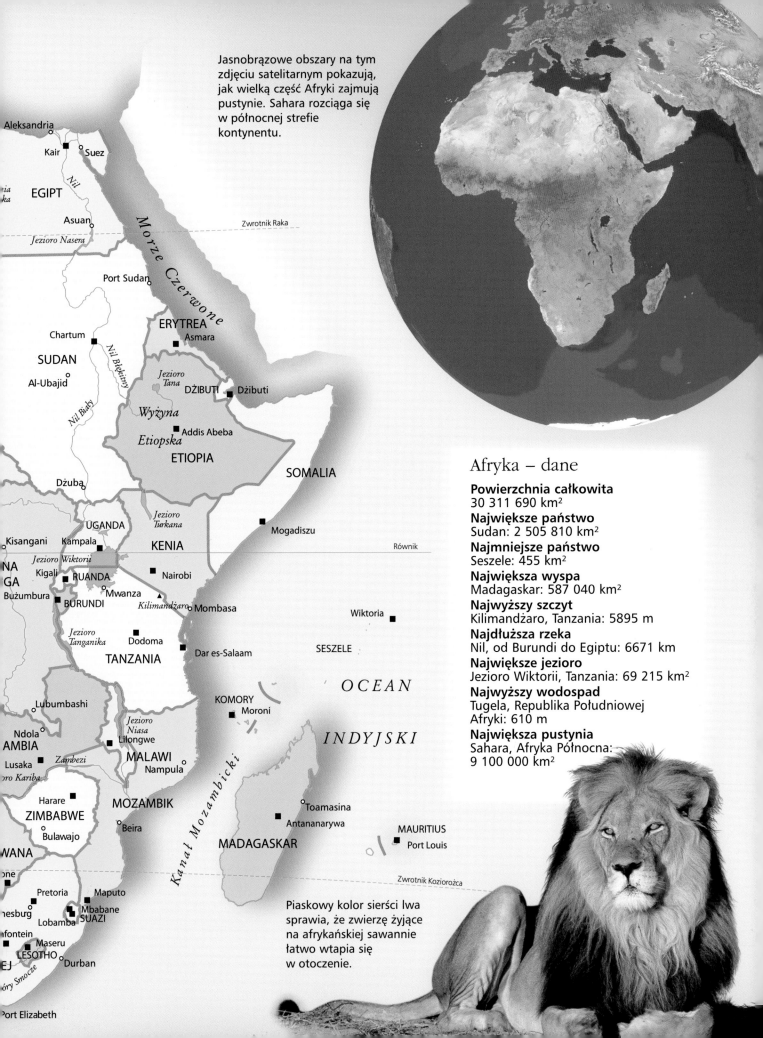

Jasnobrązowe obszary na tym
zdjęciu satelitarnym pokazują,
jak wielką część Afryki zajmują
pustynie. Sahara rozciąga się
w północnej strefie
kontynentu.

Aleksandria
Kair   Suez
EGIPT
Nil
Asuan
Zwrotnik Raka
Jezioro Nasera
Morze Czerwone
Port Sudan
ERYTREA
Chartum   Asmara
SUDAN   Nil Błękitny
Al-Ubajid   Jezioro Tana
DŻIBUTI   Dżibuti
Wyżyna
Nil Biały   Etiopska   Addis Abeba
ETIOPIA
Dżuba   SOMALIA
UGANDA   Jezioro Turkana
Kisangani   Kampala   Mogadiszu
KENIA   Równik
NGA   Jezioro Wiktorii
GA   Kigali   RUANDA   Nairobi
Bużumbura   Mwanza
BURUNDI   Kilimandżaro   Mombasa
Jezioro Tanganika   Dodoma   Wiktoria
TANZANIA   Dar es-Salaam   SESZELE
OCEAN
Lubumbashi   KOMORY
Moroni   INDYJSKI
Ndola   Jezioro Niasa
AMBIA   Lilongwe
Lusaka   MALAWI
oro Kariba   Zambezi   Nampula
Harare   MOZAMBIK
ZIMBABWE   Toamasina
Beira   Antananarywa
Bulawajo   MAURITIUS
WANA   MADAGASKAR   Port Louis
Zwrotnik Koziorożca
Pretoria   Maputo
Mbabane
hesburg   Lobamba   SUAZI
fontein   Maseru
LESOTHO
EJ   Durban
óry Smocze
ort Elizabeth

Afryka – dane

Powierzchnia całkowita
30 311 690 km²
Największe państwo
Sudan: 2 505 810 km²
Najmniejsze państwo
Seszele: 455 km²
Największa wyspa
Madagaskar: 587 040 km²
Najwyższy szczyt
Kilimandżaro, Tanzania: 5895 m
Najdłuższa rzeka
Nil, od Burundi do Egiptu: 6671 km
Największe jezioro
Jezioro Wiktorii, Tanzania: 69 215 km²
Najwyższy wodospad
Tugela, Republika Południowej
Afryki: 610 m
Największa pustynia
Sahara, Afryka Północna:
9 100 000 km²

Piaskowy kolor sierści lwa
sprawia, że zwierzę żyjące
na afrykańskiej sawannie
łatwo wtapia się
w otoczenie.

Europa

Europa rozciąga się od koła podbiegunowego do Morza Śródziemnego i od Oceanu Atlantyckiego po góry Ural.

W Europie żyje wiele gatunków ptaków, wśród nich popularny na tym kontynencie zimorodek.

Koło podbiegunowe

MORZE ARKTYCZNE

Rejkiawik
ISLANDIA

Morze Norweskie

SZWECJA

NORWEGIA

Bergen

Oslo

Sztokho...

Jezioro Wener

Göteborg

DANIA

Kopenhaga

M...
Ba...

Gdańs...

POLSK...

Wyspy Brytyjskie

Edynburg

Belfast

Morze Północne

Amsterdam

Hamburg

Berlin

HOLANDIA
Haga

IRLANDIA

Dublin

WIELKA BRYTANIA

Cardiff

Londyn

Bruksela

BELGIA

Ren

NIEMCY

Łaba

Odra

Praga

CZECHY

OCEAN ATLANTYCKI

Kanał La Manche

Sekwana

LUKSEMBURG
Luksemburg

Paryż

Nantes

Loara

FRANCJA

Dunaj

Monachium

Berno

LIECHTENSTEIN

Vaduz

Wiedeń

Bratysła...

AUSTRIA

Budape...

Zatoka Biskajska

Bordeaux

SZWAJCARIA

Lyon

Alpy

Mont Blanc

Mediolan

SŁOWENIA
Lublana

Zagrzeb

CHORWACJA

Bilbao

Turyn

Pad

BOŚNIA I HERCEGOWIN...

Porto

Andora

MONAKO

ANDORA

Marsylia

SAN MARINO

Sarajev...

WŁOCHY

Morze Adriatyckie

CZ...

A...

PORTUGALIA

Madryt

Barcelona

Korsyka (Francja)

Rzym

WATYKAN

Lizbona

Tag

HISZPANIA

Kordoba

Walencja

Sardynia (Włochy)

Neapol

Gibraltar (Wielka Brytania)

Morze Śródziemne

Sycylia (Włochy)

MALTA Valletta

LEGENDA

- ■ Stolica
- ● Główne miasto
- Granica między państwami
- Rzeka
- Wybrzeże

Przybliżona skala

0 km   1000 km

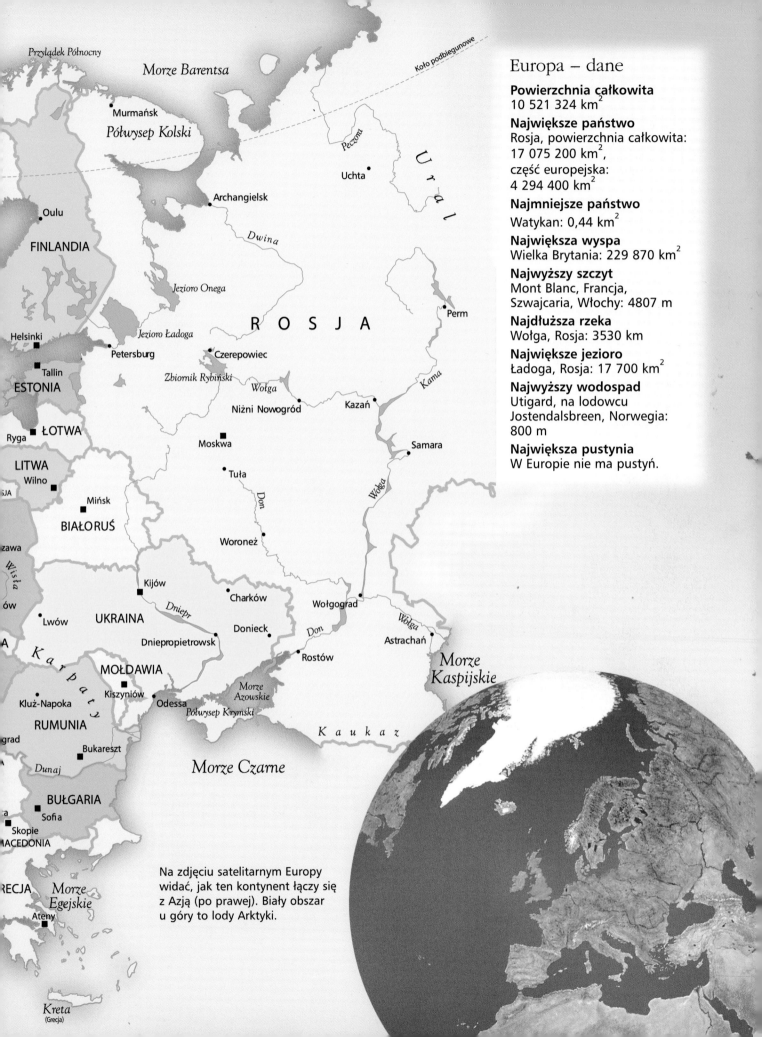

Przylądek Północny

Morze Barentsa

Murmańsk

Półwysep Kolski

Pieczora

Ural

Koło podbiegunowe

Uchta

Archangielsk

Oulu

Dwina

FINLANDIA

Jezioro Onega

R O S J A

Perm

Helsinki

Jezioro Ładoga

Petersburg

Czerepowiec

Tallin

Zbiornik Rybiński

Wołga

Kama

ESTONIA

Niżni Nowogród

Kazań

Ryga

ŁOTWA

Moskwa

Samara

LITWA

Tuła

Wilno

SJA

Mińsk

Don

Wołga

BIAŁORUŚ

Wisła

Woroneż

awa

Kijów

ów

Dniepr

Charków

Wołgograd

Lwów

UKRAINA

Donieck

Don

Wołga

Dniepropietrowsk

Astrachań

Rostów

Morze
Kaspijskie

MOŁDAWIA

Kiszyniów

Odessa

Morze
Azowskie

Kluż-Napoka

Półwysep Krymski

Kaukaz

A

Karpaty

RUMUNIA

grad

Bukareszt

Dunaj

Morze Czarne

BUŁGARIA

Sofia

Skopie

MACEDONIA

RECJA

Morze
Egejskie

Ateny

Kreta
(Grecja)

Na zdjęciu satelitarnym Europy
widać, jak ten kontynent łączy się
z Azją (po prawej). Biały obszar
u góry to lody Arktyki.

Europa – dane

Powierzchnia całkowita
10 521 324 km^2

Największe państwo
Rosja, powierzchnia całkowita:
17 075 200 km^2,
część europejska:
4 294 400 km^2

Najmniejsze państwo
Watykan: 0,44 km^2

Największa wyspa
Wielka Brytania: 229 870 km^2

Najwyższy szczyt
Mont Blanc, Francja,
Szwajcaria, Włochy: 4807 m

Najdłuższa rzeka
Wołga, Rosja: 3530 km

Największe jezioro
Ładoga, Rosja: 17 700 km^2

Najwyższy wodospad
Utigard, na lodowcu
Jostendalsbreen, Norwegia:
800 m

Największa pustynia
W Europie nie ma pustyń.

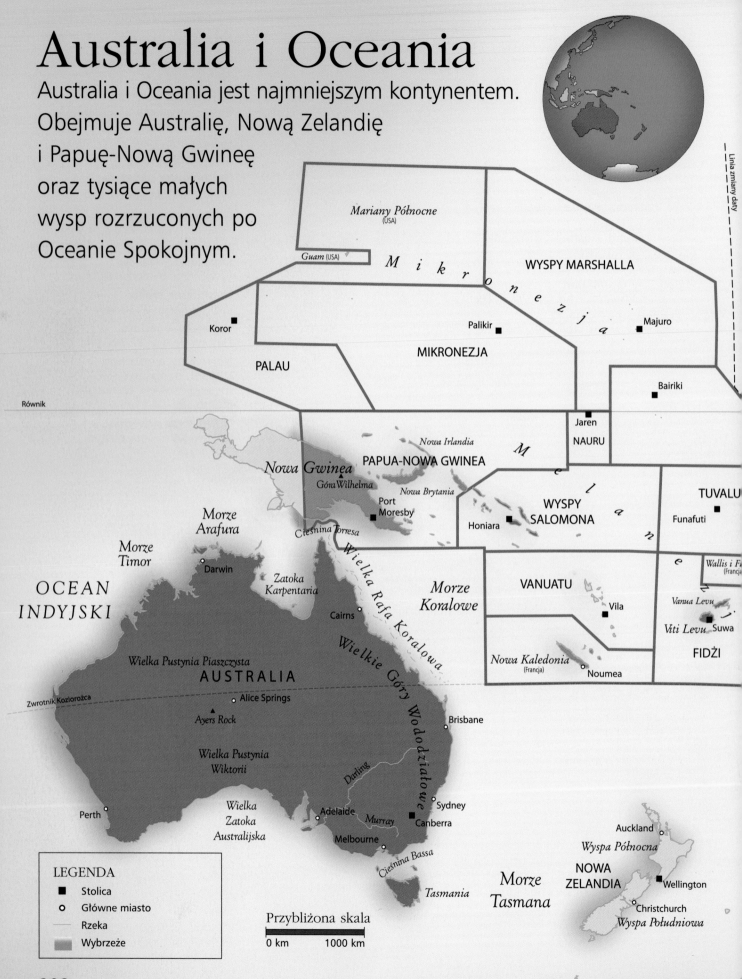

Australia i Oceania

Australia i Oceania jest najmniejszym kontynentem.
Obejmuje Australię, Nową Zelandię
i Papuę-Nową Gwineę
oraz tysiące małych
wysp rozrzuconych po
Oceanie Spokojnym.

Linia zmiany daty

Mariany Północne
(USA)

Guam (USA)

M i k r o n e z j a

WYSPY MARSHALLA

Koror ■

Palikir ■

Majuro ■

PALAU

MIKRONEZJA

Bairiki ■

Równik

Jaren ■
NAURU

Nowa Irlandia

M e l a n

TUVALU

Nowa Gwinea
Góra Wilhelma ▲

PAPUA-NOWA GWINEA

Nowa Brytania

WYSPY
SALOMONA

Funafuti ■

Morze
Arafura

Port
Moresby ■

Honiara ■

e z

Wallis i F
(Francj)

Morze
Timor

Darwin ●

Cieśnina Torresa

Zatoka
Karpentaria

Wielka Rafa Koralowa

Morze
Koralowe

VANUATU

Vila ■

Vanua Levu

a

OCEAN
INDYJSKI

Cairns ●

Vila ■

Viti Levu ● Suwa ■

Wielkie Góry Wododziałowe

Nowa Kaledonia
(Francja)

Noumea ○

FIDŻI

Wielka Pustynia Piaszczysta
AUSTRALIA

Zwrotnik Koziorożca

Alice Springs ○

Ayers Rock ▲

Brisbane ●

Wielka Pustynia
Wiktorii

Darling

Perth ○

Wielka
Zatoka
Australijska

Adelaide ○

Murray

Sydney ●
Canberra ■

Auckland ○

Melbourne ○

Cieśnina Bassa

Wyspa Północna

NOWA
ZELANDIA

Wellington ■

Tasmania

Morze
Tasmana

Christchurch ○

Wyspa Południowa

LEGENDA

■ Stolica
○ Główne miasto
— Rzeka
▨ Wybrzeże

Przybliżona skala

0 km   1000 km

Australia i Oceania – dane

Powierzchnia całkowita
8 564 400 km²

Największe państwo
Australia: 7 741 220 km²

Najmniejsze państwo
Nauru: 21 km²

Największa wyspa
Nowa Gwinea: 800 000 km²

Najwyższy szczyt
Góra Wilhelma, Papua-Nowa Gwinea: 4509 m

Najdłuższa rzeka
Murray/Darling, Australia: 3718 km

Największe jezioro
Eyre, Australia: 9000 km²

Najwyższy wodospad
Sutherland na rzece Arthur, Nowa Zelandia: 580 m

Największa pustynia
Wielka Pustynia Wiktorii, Australia: 388 500 km²

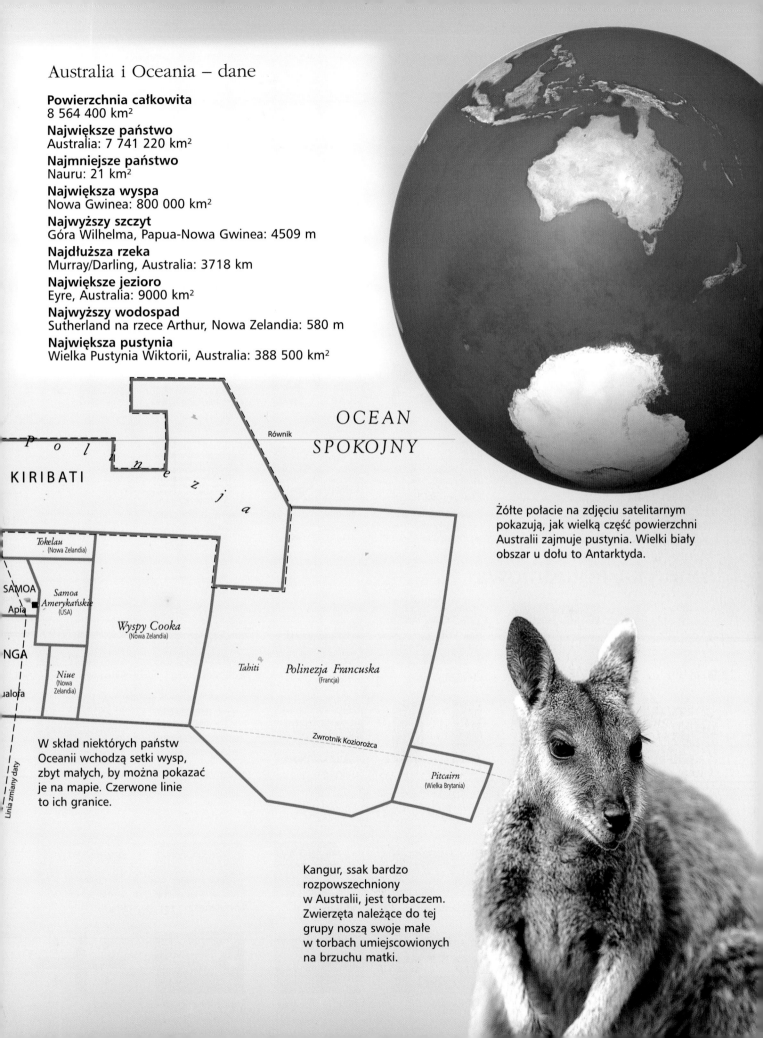

OCEAN
SPOKOJNY

Równik

P o l i n e z j a

KIRIBATI

Tokelau
(Nowa Zelandia)

SAMOA

Apia

*Samoa
Amerykańskie*
(USA)

NGA

Wyspy Cooka
(Nowa Zelandia)

Niue
(Nowa
Zelandia)

Tahiti

Polinezja Francuska
(Francja)

ualofa

Zwrotnik Koziorożca

Pitcairn
(Wielka Brytania)

Linia zmiany daty

Żółte połacie na zdjęciu satelitarnym
pokazują, jak wielką część powierzchni
Australii zajmuje pustynia. Wielki biały
obszar u dołu to Antarktyda.

W skład niektórych państw
Oceanii wchodzą setki wysp,
zbyt małych, by można pokazać
je na mapie. Czerwone linie
to ich granice.

Kangur, ssak bardzo
rozpowszechniony
w Australii, jest torbaczem.
Zwierzęta należące do tej
grupy noszą swoje małe
w torbach umiejscowionych
na brzuchu matki.

Flagi państw świata

Ameryka Północna

Antigua
i Barbuda

Bahamy

Barbados

Belize

Kanada

Kostaryka

Kuba

Dominika

Dominikana

Salwador

Grenada

Gwatemala

Haiti

Honduras

Jamajka

Meksyk

Nikaragua

Panama

Saint Kitts
i Nevis

Saint Lucia

Saint Vincent
i Grenadyny

Trynidad
i Tobago

Stany Zjednoczone
Ameryki

Ameryka Południowa

Argentyna

Boliwia

Brazylia

Chile

Kolumbia

Ekwador

Gujana

Paragwaj

Peru

Surinam

Urugwaj

Wenezuela

Azja

Afganistan

Armenia

Azerbejdżan

Bahrajn

Bangladesz

Bhutan

Brunei
300

Birma

Kambodża

Chiny

Timor Wschodni

Gruzja

Azja (ciąg dalszy)

 Indie

 Indonezja

 Iran

 Irak

 Izrael

 Japonia

 Jordania

 Kazachstan

 Kuwejt

 Kirgistan

 Laos

 Liban

 Malezja

 Malediwy

 Mongolia

 Nepal

 Korea Północna

 Oman

 Pakistan

 Filipiny

 Katar

 Rosja

 Arabia Saudyjska

 Singapur

 Korea Południowa

 Sri Lanka

 Syria

 Tajwan

 Tadżykistan

 Tajlandia

 Turcja

 Turkmenistan

 Zjednoczone Emiraty Arabskie

 Uzbekistan

 Wietnam

 Jemen

Afryka

 Algieria

 Angola

 Benin

 Botswana

 Burkina Faso

 Burundi

 Kamerun

 Republika Zielonego Przylądka

 Republika Środkowoafrykańska

 Czad

 Komory

 Kongo

 Demokratyczna Republika Konga

 Dżibuti

 Egipt

Gwinea Równikowa

Erytrea

Etiopia

Afryka (ciąg dalszy)

Gabon

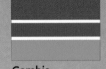
Gambia

Ghana

Gwinea

Gwinea Bissau

Wybrzeże Kości Słoniowej

Kenia

Lesotho

Liberia

Libia

Malawi

Mali

Mauretania

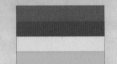
Mauritius

Maroko

Mozambik

Namibia

Niger

Nigeria

Ruanda

Wyspy św. Tomasza i Książęca

Senegal

Seszele

Sierra Leone

Somalia

Republika Południowej Afryki

Sudan

Suazi

Tanzania

Togo

Tunezja

Uganda

Zambia

Zimbabwe

Madagaskar

Europa

Albania

Andora

Austria

Białoruś

Belgia

Bośnia i Hercegowina

Bułgaria

Chorwacja

Cypr

Czechy

Dania

Estonia

Finlandia

Francja

Niemcy

Grecja

Węgry

Islandia

Europa (ciąg dalszy)

Irlandia

Włochy

Łotwa

Liechtenstein

Litwa

Luksemburg

Macedonia

Czarnogóra

Malta

Mołdawia

Monako

Holandia

Norwegia

Polska

Portugalia

Rumunia

Rosja

San Marino

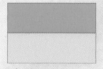
Słowacja

Słowenia

Hiszpania

Szwecja

Szwajcaria

Turcja

Ukraina

Wielka Brytania

Watykan

Serbia

Zmiana flagi

Flagi krajów często się zmieniają.
Nowe symbole narodowe pojawiają
się, gdy powstaje nowe państwo
lub zmienia się jego ustrój.
Tak stało się między innymi
w Republice Południowej Afryki
w 1991 roku, kiedy to zmieniły się
rządy w tym państwie. Po raz
pierwszy w jego dziejach
w wolnych wyborach mogli wziąć
udział wszyscy dorośli obywatele.
Aby uczcić to wydarzenie,
zaprojektowano nową flagę.

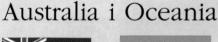

Nowa flaga RPA (po lewej)
i obowiązująca do 1994 roku
(po prawej).

Australia i Oceania

Australia

Mikronezja

Fidżi

Kiribati

Marshalla, Wyspy

Nauru

Nowa Zelandia

Palau

Papua-
-Nowa Gwinea

Samoa

Salomona, Wyspy

Tonga

Tuvalu

Vanuatu

Świat w liczbach

Kontynenty

Kontynent	Powierzchnia (mln km²)	Państwa
Azja	44,4	49
Afryka	30,3	53
Ameryka Północna	22,7	23
Ameryka Południowa	17,8	12
Antarktyda	14,0	–
Europa	10,5	45
Australia i Oceania	8,6	14

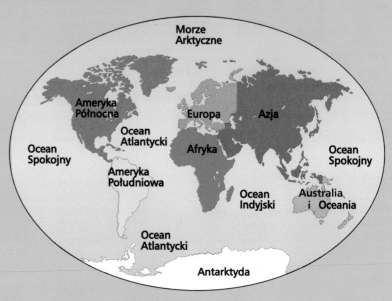

Kontynenty i oceany

Najwyższy szczyt na każdym kontynencie

Kontynent	Nazwa	Wysokość (m)	Położenie	Kraj
Azja	Mount Everest	8848	Himalaje	Chiny, Nepal
Ameryka Południowa	Aconcagua	6960	Andy	Argentyna
Ameryka Północna	McKinley	6194	góry Alaska	USA
Afryka	Kibo (Kilimandżaro)	5895	masyw Kilimandżaro	Tanzania
Antarktyda	Vinson	5140	Góry Ellswortha	
Australia i Oceania	Góra Wilhelma	4509	góry Oranje	Papua-Nowa Gwinea
Europa	Mont Blanc	4807	Alpy	Francja, Szwajcaria, Włochy

Największe oceany i morza

Nazwa	Powierzchnia (mln km²)	Najgłębsze miejsce (m)
Ocean Spokojny	178,7	11 034
Ocean Atlantycki	90,1	9219
Ocean Indyjski	76,2	7729
Ocean Arktyczny	16,4	5527
Morze Południowochińskie	3,5	5560
Morze Karaibskie	2,8	7680
Morze Śródziemne	2,5	5121
Morze Beringa	2,3	5500
Zatoka Meksykańska	1,6	5203
Morze Czerwone	0,5	3040

Rekordy klimatyczne

Położenie	Rekord
El Azizia, Libia	Najwyższa zanotowana temperatura na Ziemi: 58°C (1922)
Wostok, Antarktyda	Najniższa zanotowana temperatura na Ziemi: -89,2°C (1983)
Mawsynram, Indie	Najbardziej wilgotne miejsce na Ziemi: 11 872 mm deszczu w roku
Pustynia Atacama, Chile	Najbardziej suche miejsce na Ziemi: poniżej 1,6 mm deszczu w roku

Najdłuższe rzeki

Nazwa	Kontynent	Długość (km)	Powierzchnia dorzecza (tys. km²)	Ujście
Nil	Afryka	6671	2870	Morze Śródziemne
Amazonka	Ameryka Południowa	6400	7180	Ocean Atlantycki
Jangcy	Azja	6300	1818	Morze Wchodniochińskie
Missisipi (od źródeł Missouri)	Ameryka Północna	5969	3229	Zatoka Meksykańska
Huang-ho	Azja	5464	752	Morze Żółte
Ob (z Irtyszem)	Azja	5410		Morze Karskie
Parana	Ameryka Południowa	4700	2970	Ocean Atlantycki
Mekong	Azja	4500	2990	Morze Południowochińskie
Amur	Azja	4400	1855	Morze Ochockie
Lena	Azja	4400	2490	Morze Łaptiewów

Największe jeziora

Nazwa	Powierzchnia (tys. km²)	Największa głębokość (m)	Położenie
Morze Kaspijskie	376,0	1025	Europa/Azja
Górne	82,4	406	USA/Kanada
Wiktorii	69,2	80	Tanzania/Uganda/Kenia
Huron	59,6	228	USA/Kanada
Michigan	57,8	281	USA
Tanganika	34,0	1435	Tanzania/Kongo
Bajkał	31,5	1620	Rosja
Wielkie Niedźwiedzie	31,1	413	Kanada
Niasa	30,8	706	Malawi/Mozambik/Tanzania
Wielkie Niewolnicze	28,6	600	Kanada

Najgłębsza jaskinia

Najgłębsza jaskinia dotąd odkryta to „Woronia" w górach Kaukazu, w Gruzji. Ma głębokość 1,7 km.

Wodospady

Najszerszy wodospad to Khône na rzece Mekong w Laosie: 10,8 km. Wylewa się z niego tyle wody, że zaledwie w 17 minut wypełniłaby ona akwen wielkości Jeziora Górnego w Ameryce Północnej.
Najwyższym wodospadem jest Salto Angel w Wenezueli: 1054 m.

Największe wyspy

Nazwa	Powierzchnia (tys. km²)	Położenie
Grenlandia	2175,6	Ocean Atlantycki
Nowa Gwinea	785,0	Ocean Spokojny
Borneo	736,0	Ocean Spokojny
Madagaskar	587,0	Ocean Indyjski
Ziemia Baffina	507,5	Ocean Atlantycki
Sumatra	425,0	Ocean Spokojny
Honsiu	231,1	Ocean Spokojny
Wielka Brytania	229,9	Ocean Atlantycki
Wyspa Wiktorii	217,3	Ocean Atlantycki
Ziemia Ellesmere'a	196,2	Ocean Atlantycki

Salto Angel jest ponad trzy razy wyższy od wieży Eiffla w Paryżu, we Francji.

Kosmos w liczbach

Układ Słoneczny

Nazwa planety	Odległość od Słońca (mln km)	Czas okrążenia wokół Słońca	Czas obrotu wokół własnej osi	Liczba księżyców	Największy księżyc
Merkury	58	88 dni	59 dni	0	–
Wenus	108	224,7 dni	243 dni	0	–
Ziemia	150	365,3 dni	23 godziny 56 minut	1	Księżyc
Mars	228	687 dni	24 godziny 37 minut	2	Phobos
Jowisz	778	11,9 lat	9 godzin 50 minut	min. 39	Ganimedes
Saturn	1427	29,5 lat	10 godzin 14 minut	min. 30	Titan
Uran	2871	84 lata	17 godzin 54 minuty	21	Titania
Neptun	4500	165 lat	16 godzin 6 minut	8	Triton

Porównanie wielkości planet

Liczba oznacza
średnicę planety.

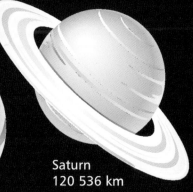
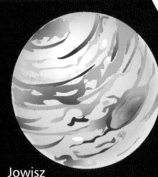

Wenus
12 100 km

Mars
6794 km

Merkury
4880 km

Ziemia
12 756 km

Jowisz
142 984 km

Saturn
120 536 km

Uran
51 118 km

Neptun
49 528 km

Mapa Księżyca

Mapa przedstawia tę stronę Księżyca, która
jest zawsze zwrócona ku Ziemi. Księżycowe
„morza" to obszary ciemnej skały. Trójkąty oznaczają
miejsca, w których lądowały statki kosmiczne:

1. Luna 9 (ZSRR, 1966). Pierwszy statek bezzałogowy,
który pomyślnie wylądował na Księżycu.

2. Apollo 11 (USA, 1969). Pierwszy statek załogowy,
który wylądował na Księżycu. Dwaj członkowie załogi,
Neil Armstrong i Edwin Aldrin, byli pierwszymi ludźmi,
którzy postawili stopę na Księżycu. Zebrali tam próbki
skał i zrobili zdjęcia powierzchni naszego satelity.

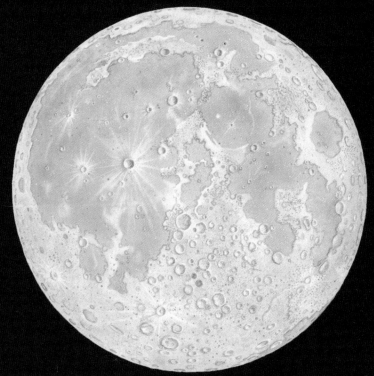

Rodzaje gwiazd

Nasze Słońce jest gwiazdą – jedną
z miliardów we wszechświecie. Gwiazdy
to wielkie kule płonącego gazu. Słońce wydaje się
największe, ponieważ znajduje się najbliżej. Gwiazdy
różnią się wielkością, barwą, temperaturą i jasnością.

Największe znane gwiazdy noszą
nazwę nadolbrzymów. Rigel jest
niebieskim nadolbrzymem, ponad
100 razy większym od Słońca.

Najgorętsze,
najjaśniejsze
gwiazdy są
niebieskie.

Większość gwiazd jest
wielkości Słońca lub
mniejszych. Noszą nazwę
karłów. Słońce jest żółtym
karłem.

Słońce

Gwiazdy czerwone
są zimniejsze
i bardziej
przyćmione.

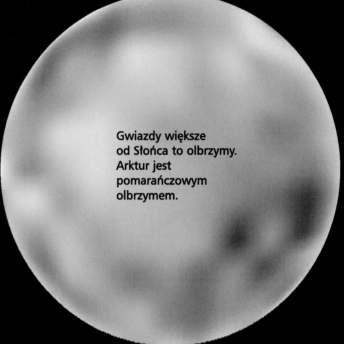

Gwiazdy większe
od Słońca to olbrzymy.
Arktur jest
pomarańczowym
olbrzymem.

Żeglowanie według gwiazd

W starożytności żeglarze według gwiazd znajdowali
drogę na morzu. Ilustracje niżej pokazują gwiazdozbiory
(układy gwiazd), które wskazywały im bieguny świata:
punkty na niebie wprost nad północnym i południowym
biegunem Ziemi.

Znajdowanie północy

W gwiazdozbiorze zwanym Wielkim Wozem lub Wielką
Niedźwiedzicą są dwie gwiazdy, które, gdy połączyć je
linią, wskazują Gwiazdę Polarną. Ona zaś jest
wierzchołkiem północnego bieguna świata.

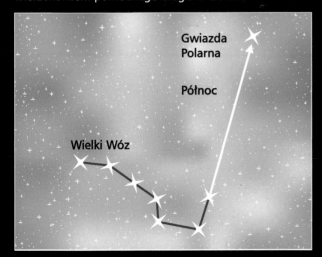

Gwiazda
Polarna

Północ

Wielki Wóz

Znajdowanie południa

Południowego bieguna świata nie wskazuje żadna
gwiazda. Aby wyznaczyć południe, żeglarze odnajdywali
gwiazdozbiór Krzyż Południa i prowadzili linię od jego
najdłuższego ramienia.

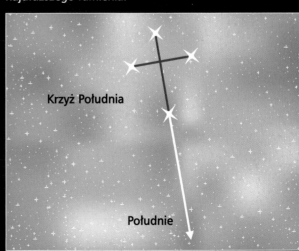

Krzyż Południa

Południe

Zwierzęta i rośliny – rekordy

Największe…

Żywy organizm	„Pando", gaj topolowy	Powierzchnia: 0,81 km²	Drzewa rosną w Utah, w USA. Wszystkie są połączone korzeniami.
Zwierzę	Płetwal błękitny	Długość: 33 m	Największe zwierzę wszech czasów
Zwierzę lądowe	Słoń afrykański	Wysokość: 3,7 m	Już nowo narodzony słoń afrykański ma niemal 1 m wysokości.
Ptak (nielot)	Struś	Wysokość: 2,7 m	Żyje w Afryce.
Ptak (latający)	Albatros wędrowny	Rozpiętość skrzydeł: 3,6 m	Potrafi przelecieć 1000 km dziennie.
Gad	Krokodyl różańcowy	Długość: 7 m	Żyje w Australii i poł. wsch. Azji
Bezkręgowiec	Kałamarnica olbrzymia	Długość: 18 m	Ma największe oczy ze wszystkich zwierząt, wielkości piłki do koszykówki.
Owad	Kózka (chrząszcz)	Długość: 16,7 cm	Żyje w Ameryce Południowej.
Drzewo (najwyższe)	„Mendocino", sekwoja kalifornijska	Wysokość: 112 m	Rośnie w Kalifornii, w USA.

Porównanie wielkości zwierząt

Albatros wędrowny

Kałamarnica olbrzymia

Kózka

Struś

Krokodyl różańcowy

Płetwal błękitny

Człowiek

Słoń afrykański

Najmniejsze…

Żywy organizm	*Mycoplasma genitalium*	Długość: 0,0003 mm	Drobnoustrój żyjący w ciele ludzkim
Owad	Błonkówka pasożytnicza	Długość: 0,14 mm	Malutka osa z Kostaryki
Ssak lądowy	Ryjówka etruska	Długość: 48 mm	Żyje w Afryce i na Półwyspie Arabskim.
Ssak latający	Nietoperz Kittiego	Długość: 30 mm	Żyje w Tajlandii.
Ptak	Koliber karłowaty	Długość: 56 mm	Żyje na Kubie.
Gad	Gekon karłowaty	Długość: 16 mm	Żyje w Dominikanie.

Najstarsze…

Żywy organizm	*Bacillus 2-9-3*	Wiek: 250 milionów lat	Te bakterie znaleziono w kryształkach soli w kopalni w Nowym Meksyku, w USA.
Drzewo	„Matuzalem", sosna oścista	Wiek: około 4800 lat	Rośnie w Kalifornii, w USA.
Zwierzę morskie	*Mercenaria*	Wiek: 405-410 lat	Małż z gatunku wenus
Zwierzę lądowe	„Jonathan", żółw	Wiek: około 178 lat	„Jonathan" urodził się na Seszelach. W 1882 roku przywieziono go na Wyspę Świętej Heleny, gdzie żyje do dziś.

Najrzadsze…

Ptak	Ara modra	Ostatni żyjący na wolności samiec padł w 2000 roku. W prywatnych hodowlach znajduje się około 60 ar modrych.
Ssak lądowy	Nosorożec jawajski	Pozostało tylko 60 tych zwierząt, żyją w Indonezji i Wietnamie.
Ssak wodny	Delfin z rzeki Jangcy	Obecnie żyje zaledwie kilka sztuk w rzece Jangcy, w Chinach. Gatunek ten uznano oficjalnie za wymarły.
Gad	Biczowąż z Saint Lucia	Węże zamieszkują tylko Wyspę Marii, Saint Lucia. Rzadko się je widuje.
Roślina	Hibiscus hawajski	Małe hawajskie drzewo o czerwonych kwiatach. Pozostało tylko jedno.

Najszybsze…

Zwierzę (na krótkim dystansie)	Gepard	105 km/h
Zwierzę (na długim dystansie)	Antylopa widłoroga	89 km/h
Zwierzę pływające	Żaglica (ryba)	110 km/h
Ptak	Sokół wędrowny	180 km/h

Żółwie olbrzymie z Galapagos to jedne z najbardziej długowiecznych zwierząt na świecie. Wyspy Galapagos leżą na północny zachód od Ameryki Południowej.

Skorowidz – mapy świata

Skorowidz obejmuje nazwy państw opisane na mapach, str. 284-299, i ich stolic. Nazwy państw zaznaczono **pogrubionym drukiem**.

Podziękowania

Dołożono wszelkich starań, by odszukać wszystkich właścicieli praw autorskich. Jeżeli któregoś z nich pominięto, Wydawca zamieści stosowne uzupełnienie w jednej z kolejnych edycji książki.
Wydawca dziękuje niżej wymienionym organizacjom i osobom za wkład w przygotowanie tomu i zgodę na reprodukcję ilustracji.
Skróty: g – u góry, ś – pośrodku, d – u dołu, l – po lewej, p – po prawej;
DV – Digital Vision, SPL – Science Photo Library.

1, lamparty na drzewie – DV; 2-3, ławica ryb – R. W. Jones/CORBIS; 7 – DV; 8d – DV; 9gp – DV; 10śl – DV; 10dl – DV; 11p – DV; 11d – DV; 12 – DV; 12 – Richard Hamilton Smith/CORBIS; 14p – DV; 14ś – Douglas Peebles/CORBIS; 14l – DV; 16śl – DV; 16ś – CORBIS; 16śp – DV; 16dl – DV; 16-17 – CORBIS; 17śp – Michael Yamishita/CORBIS; 20 – Joseph Sohm, ChromoSohm/CORBIS; 22g – DV; 22d – DV; 22-23d – DV; 23g – GeoScience Picture Library; 25g – Kevin R. Morris/CORBIS; 26-27d – DV; 27g – Ian Walker, Eye Ubiquitous/CORBIS; 31dp – Ron Watts/CORBIS; 35dś – Steve Raymer/CORBIS; 36śl – Gary Braasch/CORBIS; 36-37 – DV; 42-43 – DV; 44-45 – Arne Hodalic/CORBIS; 47dś – Chinch Gryniewicz, Ecoscene/CORBIS; 47dl – DV; 47dp – DV; 48śl – DV; 48d – DV; 49d – DV; 51 – National Oceanic and Atmospheric Administration (NOAA)/Dept. of Commerce; 52 – DV; 53 – DV; 54g – Stockbyte; 54d – DV; 54-55 (tło) – DV; 55d – Kim Taylor/Bruce Coleman Collection; 56g – prof. P. Motta/Dept. of Anatomy, University "La Sapienza", Rzym/SPL; 57 (główne) – dr Linda Stannard, Uct/SPL; 57dp – Colin Cuthbert/SPL; 58gp – DV; 58ś – DV; 58dl – DV; 59gp – DV; 59dp – DV; 60l – K. i K. Ammann; 61gp – Jack Fields/CORBIS; 62 – Karl Ammann/CORBIS; 63d – Jean Hosking, Frank Lane Picture Agency/CORBIS; 64 – George Lepp/CORBIS; 65 – Wolfgang Kaehler/CORBIS; 67 – Michael Sewell/Still Pictures; 68 – Uwe Walz/CORBIS; 69g – DV; 69d – Jonathan Smith – Cordaiy Photo Library/CORBIS; 70gl – Brian Kenney; 70dp – K. Jayram/Planet Earth Pictures; 71 – J. Vincent/Planet Earth Pictures; 72dl – Jane Burton/Warren Photographic; 72-73 – DV; 73p – Linda Richardson/CORBIS; 74l – Geoff du Feu; 75dp – Mick Martin/Planet Earth Pictures; 80g – Bruce Coleman Collection; 80śp – Francois Gohier/Ardea Londyn; 90dl – Sergio Hanque/Still Pictures; 80dp – Secret Sea Vision/Still Pictures; 82gp – Alain Compost/Still Pictures; 84dl – Stuart Westmorland/CORBIS; 84-85 – Jeffrey L. Rottmann/CORBIS; 85gp – Phillip Colla; 85dp – Brandon D. Cole/CORBIS; 86-87g – Francois Gohier/Ardea London; 87dp – Johnny Johnson/Bruce Coleman Collection; 88 – DV; 89gl – DV; 89śp – DV; 89 (główne) – Horst Schaffer/Still Pictures; 92g – Paul A. Souders/CORBIS; 93d – Gary W. Carter/CORBIS; 95dl – Kim Taylor/Bruce Coleman Collection; 96-97d – Bob Kris/corbisstockmarket.com; 97śl – DV; 98 – Pat O'Hara/CORBIS; 99 – Mehau Kulyk/SPL; 101gp – National Cancer Institute/SPL; 101d – Lester V. Bergman/CORBIS; 102dl – Dave Roberts/SPL; 105dp – Juergen Berger, Max-Planck Institute/SPL; 106 – Mehau Kulyk/SPL; 107dp – Carry Gay/Alamy; 108gp – dr G. Moscoso/SPL; 109 – Laura Dwigh/CORBIS; 111 – Rick Gomez/corbisstockmarket.com; 112 – Dept. of Clinical Radiology, Salisbury District Hospital/SPL; 113 – Archive Iconographico S.A./CORBIS; 114d – The Natural History Museum, Londyn; 115d – The Natural History Museum, Londyn; 117g – Gianni Dagli Orti/CORBIS; 117d – George Roos, Peter Arnold Inc./SPL; 118dl – Johnathan Smith/Cordaiy Photo Library Ltd./CORBIS; 118gp – copyright The British Museum; 120d – Charles i Josette Lenars/CORBIS; 120gp – Archive Iconografico S.A./CORBIS; 121gl – copyright The British Museum; 121dl – Gianni Dagli Orti/CORBIS; 121p – Royal Albert Memorial Museum, Exeter, Devon/Bridgeman Art Library; 122d – Fergus O'Brien/Getty Images; 123dl – Michael Holford; 124l – National Museums & Galleries of Wales; 125śp – Roger Wood/CORBIS; 126gl – The Vikings, Britain's oldest Dark Age re-enactment society; 127dp – Werner Forman Archive/Statens Historiska Museum, Sztokholm; 129gp – The Art Archive/University Library Heidelberg/Dagli Orti; 130gl – Alan Levy; 130d – Getty Images/Kevin Schafer; 131gl – Wolfgang Kaehler/CORBIS; 132gl – L. Clarke/CORBIS; 133gl – The Art Archive/Topkapi Museum Stambuł/Dagli Orti; 133gp – Asian Art & Archaeology, Inc./CORBIS; 133śp – Asian Art & Archaeology, Inc./CORBIS; 134dl – Photo Scala, Florencja; 134gp – Adam Woolfitt/CORBIS; 135g – szczegóły portretu za zgodą The National Portrait Gallery, Londyn; 136gl – Kevin Fleming/CORBIS; 137d – Philadelphia Museum of Art/CORBIS; 138gp – Archive Iconografico S.A./CORBIS; 139gp – V & A Picture Library; 141dp – Bettmann/CORBIS; 143dp – Mary Evans Picture Library; 144gl – Neil Beer/CORBIS; 145gp – George Hall/CORBIS; 146gl – The Imperial War Museum, Londyn; 146śp – Hulton-Deutsch Collection/CORBIS; 146d – Bettmann/CORBIS; 147gl – Bettmann/CORBIS; 147dp – CORBIS; 148 – DV; 149 – Galen Rowell/CORBIS; 150g – Bob Kris/CORBIS; 150dl – DV; 150-151d – Penny Tweedle/CORBIS; 151gp – Laura Dwigh/CORBIS; 152 – Britstock-IFA/HAGA; 153dp – Janet Wishnetsky/CORBIS; 154g – Jeremy Horner/CORBIS; 154-155 – Britstock-IFA; 156g – Wally McNamee/CORBIS; 156d – Peter Turnley/CORBIS; 157gp – Lee Snider/CORBIS; 157dl – Peter Turnley/CORBIS; 157dp – Crown Copyright Historic Royal Palaces (reprodukcja za zgodą Historic Royal Palaces wraz z pozwoleniem Her Majesty's Stationery Office); 158d – Reed Kaestner/CORBIS; 159d – Julia Waterlow, Eye Ubiquitous/CORBIS; 160gp – Keren Su/CORBIS; 160d – Getty Images/Alan Becker; 161p – Carl i Ann Purcell/CORBIS; 162g – Getty Images/Yellow Dog Productions; 164g – Kevin R. Morris/Bohemian Nomad Picturemakers/CORBIS; 165l – Annie Griffiths Bel/CORBIS; 165dp – Peter Bowater/Alamy; 166g – StockConnection/Alamy; 166-167d – John Henley Photography/CORBIS; 168-169 – Wally McNamee/CORBIS; 169gp – JFPI Studio Inc./CORBIS; 169dl – Wally McNamee/CORBIS; 170d – Getty Images/Joseph Van Os; 171p – O'Brien Productions/CORBIS; 172p – Rudolph Staechelin Foundation, Chateau de Malmaison, Paryż, Francja/Lauros-Giraudon, Paryż/Superstock; 172l – Angelo Hornak/CORBIS, reprodukcja za łaskawą zgodą Henry Moore Foundation; 173ś – Charles i Josette Lenars/CORBIS; 173d – Steve Vibler/SuperStock; 174gp – Jeffrey L. Rotman/CORBIS; 174d – Elliott Franks/PAL; 175d – Paul A. Souders/CORBIS; 176d – Lindsay Hebberd/CORBIS; 177l – Robert Harding World Imagery/Alamy; 177dp – Getty Images/Scott Morgan; 178 – Getty Images; 179gp – David Reed/CORBIS; 179dl – Trip/H. Rogers; 180dl – Adam Woolfitt/CORBIS; 181 – Gary Bartholomew/CORBIS; 182gp – DV; 182ś – Samsung Electronics UK:

Samsung SG-A400 jest innym przykładem innowacyjnego produktu firmy Samsung Electronics UK; 182dl – Jorg i Petra Wegner/Bruce Coleman The Natural World; 183gp – Mehau Kulyk/SPL; 183dp – Sam Ogden/SPL; 184 – William Curtsinger/SPL; 185gp – RobertHarding.com; 185dp – Roger Ressmeyer/CORBIS; 186d – DV; 187gp – BSIP, Barthelemy/SPL; 187dp – DV; 188gl – Michael Freeman/CORBIS; 188lś – Adrienne Hart-Davis/SPL; 188dl – Larry Lee Photography/CORBIS; 189p – DV; 190gp – foodfolio/Alamy; 190dl – Adrienne Hart-Davis/SPL; 191gl – Oscar Niemeyer/www.arcaid.co.uk; 191dp – Phil Schermeister/CORBIS; 195d – Lowell Georgia/CORBIS; 196gp – DV; 196d – Alfred Pasieka/SPL; 197g – Dave G. Houser/CORBIS; 198 – za zgodą NASA/JPL/Caltech; 198gp – NASA/JPL/Malin Space Science Systems, USGS; 198dp – za zgodą NASA/JPL/Caltech; 199 – za zgodą NASA/JPL/Caltech; 199gl – NASA; 199śl – DV, za zgodą NASA/JPL/Caltech; 201 – Hugh Sitton/Getty Images; 202ś – Brian Bailey/CORBIS; 203gp – DV; 203dp – George D. Lepp/CORBIS; 204gp – TEK IMAGE/SPL; 205gp – Alex Bartel/SPL; 205d – Transrapid International; 206śl – Bruce Coleman The Natural World; 206dp – NASA; DV; 207gl – DV; 207pś – Phototake/Robert Harding Picture Library; 207dp – DV; 208gl – DV; 208śp – D. Robert i Lorri Franz/CORBIS; 209dp – Howard Allman; 212 (tło) – DV; 213 – DV; 217dp – HP Omnibook 6100; 217dl – aparat cyfrowy Nikon Coolpix, ilustracja za zgodą Nikon UK Ltd; 217dp – DV; 217gp – DV; 218-219d – CORBIS; 219gp – Disney Enterprise Inc./Pixar Animation Studios; 220ś – DV; 221d – DV; 227dl\ – MARSHALL EDITIONS LTD. i Clear Channel Entertainment-Exhibit Inc.; 228l – www.TryScience.org, TryScience/New York Hall of Science; 228p – wykorzystano ilustrację z www.roalddahl (© RDNL) za łaskawą zgodą Dahl & Dahl; 228ś – DV; 228-229ś – DV; 229l – BrainPOP 2002 www.BrainPOP.com; 232śl – WildCountry/CORBIS; 232dp – London Aerial Photo Library/CORBIS; 235dp – Jean-Yves Ruszniewski, TempSport/CORBIS; 241d – www.aviationpictures.com; 244gp – Norbert Wu, Natural History Photographic Agency; 245 – DV; 246-247g – DV; 247gp – NASA/NSSDC; 247dp – NOAO/SPL; 248dl – DV; 248-249 – DV; 249dp – NASA; 251dl – DV; 251dp – NASA/SPL; 252-253 (tło) – DV; 252-253 (na pierwszym planie) – NASA; 254l – DV; 254gl – Genesis Space Photo Library; 254-255 – NASA/SOHO/ESA; 255gp – Julian Baum/SPL; 255dl – NASA; 255dś – NASA/SOHO/ESA; 255dp – DV; 256dl – NASA/SPL; 256dp – Stephanie Maze/CORBIS; 257gl – Victor Habbick Visions/SPL; 257śl – NASA/JPL; 257dl – NASA/SPL; 258ś – DV; 258dp – DV; 259l – DV; 259gl – NASA/SOHO/ESA; 259gl – NASA/NSSDC; 259śg – DV; 259ś – NASA/NSSDC; 259śl – Kenneth Seidelman, U. Naval Observatory; 259dl – NASA; 259gp – NASA/NSSDC; 259dp – DV; 260l – NASA/U. Geological Survey; 260śp – DV; 261d – DV; 262dl – NASA/SPL; ??? – NASA/SOHO/ESA; 263śp – NASA/SPL; 263dpl – DV; 263dpś – NASA/NSSDCA/Viking; 263dpp – DV; 265g – NASA/U. Geological Survey; 265d – NASA/JPL; 266l – NASA/JPL/MSSS; 267 – NASA/JPL/Caltech; 267ś – NASA/JPL/Caltech; 267p – NASA/JPL/MSSS; 267d – NASA/JPL/MPF; 268śl – NASA/SPL; 268śp – CORBIS; 268dp – NASA; 269gś – SPL; 269śp – NASA; 269dś – Astro-geology Team/USGS; 269dp – DV; 270śp – NASA; 270ś – JPL/CALTECH/NASA/Calvin J. Hamilton; 270śl – JPL/CALTECH/NASA/Calvin J. Hamilton; 270l – JPL/CALTECH/NASA/Calvin J. Hamilton; 270dl – JPL/CALTECH/NASA/Calvin J. Hamilton; 270dl – JPL/CALTECH/NASA/Calvin J. Hamilton; 270dp – NASA; 270-271d – David Hardy/SPL; 271śp – NASA; 274d – John Sanford/SPL; 274l – NASA; 275ś – J. Finch/SPL; 277dl – Space Telescope Science Institute/NASA/SPL; 277ś – Max Planck Institut fûr Radioastronomie/SPL; 279dl – Gerry Schad/SPL; 279gp – John Sandford/SPL; 281 – DV; 288dl – DV; 289gp – Julian Baum i David Angus/SPL; 290dl – DV; 291gp – Julian Baum i David Angus/SPL; 292dl – DV; 293gp – Julian Baum i David Angus/SPL; 294gp – Tom Van Sant/Geosphere project, Santa Monica/SPL; 294dp – DV; 296dl – DV; 297dp – Julian Baum i David Angus/SPL; 299gp – Planetary Visions Ltd./SPL; 299dp – DV; 300 – Craig Lovell/CORBIS; 305dp – James Marshall/CORBIS; 309dp – Joe McDonald/CORBIS.

Podziękowania zechcą przyjąć: Louise Baxter i Paul L'Anson, MINI UK („Samochód i motocykl"); Vincent Delomenie, Centre audiovisuel SNCF („Pociąg"); CR Frost („Zegar"); Kester Sims („Zegar"); Christopher Denne („Fotografia"); Tim Milbourne („Komputer", „Internet"); Balfour Knox („Toaleta i kran"); Albert Milbourne („Samochód i motocykl"); Tony Furse („Ciągnik"); Andy Hart, UK SNCF society („Pociąg"); Shipmate Flags, Vlaardingen, Holandia; Hawkes Ocean Technologies (H.O.T.) za zgodę na udostępnienie danych o łodzi Deep Flight; osobne podziękowania dla Boba Whiteakera za pomoc przy rysunku Deep Flight na str. 244.

Dodatkowa konsultacja („Nauka"): dr Tom Weston.
Dodatkowe projekty i opracowanie: Verinder Bhachu, Kate Fearn, Georgina Hooper, Vici Leyhane, Laura Parker, Andrea Slane, Jane Rigby, Leonard Le Rolland i Nicky Wainwright.
Dodatkowe ilustracje: Sophie Allington, John Barber, Verinder Bhachu, Gary Bines, Isabel Bowring, Trevor Boyer, Andy Burton, Michele Busby, Nicola Butler, Kuo Kang Chen, Adam Constantine, Pam Cornfield, Richard Cox, Gary Cross, David Cuzik, Tony Gibson, Robert Gilmore, Rebecca Hardy, Nicholas Hewetson, Inklink Firenze, Ian Jackson, Colin King, Steven Kirk, Rachel Lockwood, Chris Lyon, Philip Nicholson, Alex Pang, Justine Peek, Maurice Pledger, Leonard Le Rolland, Chris Shields, Guy Smith, Treve Tamblin, Mike Wheatley, Graham White, John Woodcock i David Wright.

Odpowiedź na pytanie ze str. 117: malowidło na ścianie jaskini przedstawia konia, jelenie i byka.